GUIDE
DU
PARIS
DE
CHARME

Guide établi par
Véronique Pettit De Andreis
avec la collaboration de
Jean-Pierre Biron, Amélie de Andreis,
Jean-Emmanuel Richomme, Charlotte Vannier

Photos Christian Sarramon

Rivages

Nous remercions
Raphaël De Andreis, Arianne Masson,
Christophe Mourot, Philippe et Marie Scali
pour leur participation

INTRODUCTION

Ce guide a été établi selon le principe du "vieux" carnet d'adresses, résultat d'une vie dans une ville. Ce carnet d'adresses volontairement restreint et de parti pris, répond aux critères qui nous sont chers : authenticité, originalité et qualité.

Pour cette première édition nous avons choisi et selectionné 860 adresses qui font le charme de Paris. Ce guide comporte 32 rubriques classées par thèmes et par styles.

Vous y trouverez le coffee-shop à la mode, le salon de thé chaleureux, le bistrot traditionnel du quartier, la terrasse tranquille pour un soir d'été... et aussi, l'adresse incontournable pour les classiques de la mode, du maillot de bain au duffle-coat, en passant par les accessoires. Egalement de nombreuses boutiques pour la maison quel que soit votre style, de la galerie de design contemporain à l'antiquaire de charme. Sans oublier, les musées, que nous avons choisis pour leur coté secret, et les galeries d'art.

La deuxième partie du guide est consacrée aux promenades dans les quartiers les plus vivants de Paris. Vous découvrirez au fil des rues, les boutiques, les galeries, les musées et aussi le salon de thé ou le petit restaurant où vous pourrez vous arrêter à l'heure du déjeuner.

Ce guide comporte un sommaire des différentes rubriques ainsi qu'un index global alphabétique placé en fin de guide, de toutes les adresses sélectionnées. Nous avons également établi un index par arrondissement pour le chapitre "Lieux" : il vous permet de trouver rapidement, suivant le quartier où vous vous situez, l'adresse du salon de thé, du café ou du restaurant que nous vous recommandons.

S O M M A I R E

SOMMAIRE

S O M M A I R E

S O M M A I R E

S O M M A I R E

SOMMAIRE

S O M M A I R E

L I E U X

BARS

BARS MUSICAUX

CALAVADOS (LA)
40 av Pierre Ier-de-Serbie (8°)
47 20 31 39
De 20h à 6h, tous les jours. Une institution parisienne célèbre pour son pianiste Joe Turner. Lui, n'est plus mais les chanteurs brésiliens chauffent toujours l'ambiance internationale dans ce décor années 50 kitsch.

DUC DES LOMBARDS (LE)
42 rue des Lombards (1°) 42 33 22 88
De 18h30 à 5h tous les soirs. Une salle en rez-de-chaussée avec des banquettes anciennes de métro et des affiches de concert. Ici le jazz est roi. Clientèle jeune et passionnée.

MONTANA (LE)
28 rue St-Benoit (6°)
45 48 93 08
Tous les jours de 12h à 5h30, sam et dim de 18h à 5h30. A Saint-Germain-des-Prés, un rez-de-chaussée tout rouge pour boire un verre entre copains et un sous-sol tout noir pour le pianiste Urtreger.

NEW MORNING
7 rue des Petites-Ecuries (10°) 45 23 51 41
Tous les soirs de 21h à 1h30. Assurément le temple jazzy de Paris qui voit défiler toutes les grandes pointures actuelles et internationales pour un public de connaisseurs qui boit quelques bières dans cet espace genre hangar civilisé.

OPUS CAFE
167 quai de Valmy (10°) 40 38 09 57
De 19h30h à 2h. Fermé le dim. Sur les bords du canal Saint-Martin, l'ancien mess des officiers anglais de la Première Guerre Mondiale vibre aujourd'hui aux accents de la musique dite classique. En mezzanine, un restaurant cher avec une carte de saumon, caviar, oeufs coque et salades. Au rez-de-chaussée, une grande salle avec fauteuils et canapés et un immense bar. Tous les quarts d'heure, interprétation d'un morceau par un soliste, un duo ou un sextet.

TROTTOIRS DE BUENOS-AIRES (LES)
37 rue des Lombards (1°) 40 26 28 58
De 20h30 à 3h30. Fermé le lundi. L'institution du tango et du bandonéon à Paris qui ouvre aussi ses portes à des artistes d'autres horizons : jazz ou classique. La salle version bas-fonds de Buenos-Aires ne trahit pas l'esprit argentin. Cocktails classiques et afficionados du tango.

VILLA (LA)
29 rue Jacob (6°)
43 26 60 00
Bar du lundi au samedi

L I E U X

BARS CLASSIQUES

de 18h à 1h30. Jazz de 22h30 à 2h env. Dans l'hôtel new-look de Saint-Germain-des-Prés, designé par M.-C. Dorner, un bar très moderne où sont projetés des vidéos de jazz. La musique *live* se passe en sous-sol avec des concerts de jazz plutôt classique. Clientèle mode et internationale.

LES CLASSIQUES

BARETTO
(BAR DE L'HOTEL VIGNY)
9 rue Balzac (8°)
40 75 04 39
Tous les jours de 7h30 à 1h. Un bar récent attenant à un hôtel de charme. Ambiance blonde et beige avec vue en trompe-l'oeil sur un village méditer-ranéen à la Cézanne. Cocktails classiques et clientèle calme de l'hôtel et du quartier.

CLOSERIE DES LILAS
(BAR DE LA)
171 bd du
Montparnasse (6°)
43 26 70 50
Tous les jours de 12h à 2h. Un décor années 30, lumières tamisées et bois de teck pour la magie des intellectuels qui passèrent dans ce lieu et dont les noms restent gravés sur les tables. Cocktails classiques et clientèle toujours un brin bohème chic. Evitez le restaurant et la brasserie.

CRILLON
(BAR DE L'HOTEL)
10 pl de la Concorde (8°) 42 65 24 24
Tous les jours de 12h à 2h. Un bar décoré par César, en boiseries et mosaïques à la Gaudi. Un luxe un peu tapageur pour une clientèle internationale de passage.

FORUM (LE)
4 bd Malesherbes (8°)
42 65 37 86
De 11h30 (17h le dim) à 1h30. Fermé certains jours fériés. Un grand classique à côté de la Madeleine. Fauteuils en skaï patiné, déco de boiseries et une infinité de cocktails. Clientèle mûre qui chuchotent dès l'apéritif.

HARRY'S BAR
5 rue Daunou (2°)
42 61 71 14
De 10h30 à 4h. Un grand classique du quartier de l'Opéra fréquenté par les Anglo-Saxons. Atmosphère bruyante pour journalistes et fans d'universités américaines qui y déploient leurs fanions. Service parfois peu aimable.

HEMINGWAY (BAR)
36 rue Cambon (1°)
42 60 38 30
Tous les jours de 19h à 1h. Dans l'hôtel Ritz, c'était le QG de Hemingway dont le souvenir reste accroché aux murs de boiseries claires. Tout petit, c'est un rendez-vous discret pour boire un bellini.

China Club

MONTALEMBERT

(BAR DU)
3 rue Montalembert (7°)
45 48 68 11
*De 7h à 23h tous les
jours.* Un bar d'hôtel
raffiné au décor design
élégant avec un coin-
salon autour d'une
cheminée. Très
fréquenté à midi par la
clientèle des éditeurs et
des galeristes, il
mériterait d'être
découvert pour l'apéritif
du soir.

RAPHAEL

(BAR DE L'HOTEL)
17 av Kléber (16°)
45 02 16 00
*De 11h à 24h tous les
jours.* Une ambiance fin
XIXe siècle tout en
boiseries de chêne et de
couleur rouge.
Fréquenté par une
clientèle classique et
quelques stars
incognito.

SAN REGIS (BAR DU)

12 rue J.-Goujon (8°)
43 59 41 90

*De 6h à 23h tous les
jours.* Le bar de ce petit
hôtel de luxe est parfait
pour des rendez-vous
secrets. Atmosphère à
l'anglaise revue années
80 sous une fausse
verrière donnant sur un
petit jardin.

TREMOILLE

(BAR DE L'HOTEL DE LA)
*14 rue de la Trémoille
(8°) 47 23 34 20*
*De 12h à 22h30. Fermé
sam et dim.* Un joli bar
d'hôtel tout en boiseries

L I E U X

juste à côté de l'entrée. Un lieu idéal pour boire un verre dans une atmosphère très intime et élégante avant d'aller dans le quartier des Champs-Elysées.

LES NOUVEAUX

CASBAH (LA)
20 rue de la Forge-Royale (11°)
43 71 71 89
Tous les jours de 21h30 jusqu'à l'aube. Un des derniers bars à la mode de la Bastille. Un décor de film d'un quartier maghrébin avec projections de films autour du thème de l'Afrique du Nord. Au sous-sol différents niveaux de style arabe pour siroter confortablement dans une atmosphère plus boîte de nuit. Les serveurs sont en sarouel et la musique arabe est souvent de rigueur.

CHINA CLUB
50 rue de Charenton (12°) 43 43 82 02

De 19h à 1h tous les jours. Une immense salle style hall d'hôtel années 50 de Shanghaï doté d'un bar sans fin. Dans un coin, un restaurant chinois pas toujours excellent. En haut, une salle de jeux (go ou échecs) plus intime avec cheminée flambante l'hiver. Les cocktails sont réussis, la musique excellente, le service souriant et l'ambiance chaude. A l'heure de l'apéritif, c'est désert mais divin. Le top des néo-classiques.

ENDROIT (L')
67 pl du Dr Félix-Lobligeois (17°)
42 29 50 00
De 12h à 2h. Fermé le dim. Près du square des Batignolles, une ambiance nocturne à la barcelonaise. La jeunesse de Neuilly et les copains publicitaires des patrons s'y retrouvent pour la margarita et le mezcal.

ENTRE-POTS (L')
14 rue de Charonne (11°) 48 06 57 04
De 19h à 2h. Fermé le dim. Un cadre nostalgique plein de vieilles affiches de pubs redessinées sur les murs, fausse cour intérieure de vieil immeuble, sièges en métal pour un voyage exotique. Cocktails variés et musique douce.

ETAGES (LES)
35 rue Vieille-du-Temple (4°) 42 78 72 00
De 12h à 2h tous les jours. Ce bar étale ses petites salles sur les trois étages de cet immeuble du Marais. Au-rez-de-chaussée, quelques tables, en montant ambiance "bohème" dans les fauteuils en cuir. Petits plats, salades et cocktails. Clientèle gay et néo-Marais. Mériterait plus de chaleur dans le décor et davantage de profes-sionnalisme dans le service.

MOLOKO

26 rue Fontaine (9°)
48 74 50 26
Tous les jours de 20h à 6h. L'ex Martial de Pigalle des années 80 a laissé place au dernier bar de Serge Krüger, le noctambule inventif de la fin de siècle. Décor chaud hétéroclite, au rez-de-chaussée les buveurs de cocktails Moloko, en mezzanine la fête façon Moulin Rouge revisité. Un des bars hot de la nuit parisienne.

PERLA (LA)

26 rue F.-Miron (4°)
42 77 59 40
De 12h à 2h tous les jours (cuisine 12h à 15h et 19h à 23h). Un bar style cantine-mexicaine bourré à craquer d'une clientèle jeune et sympathique qui se donne rendez-vous autour du grand bar et de quelques tables aérées par les grands ventilateurs, pour boire des verres de margarita

et dîner sur le pouce d'un chili, d'un guacamole ou de petites enchiladas. Ambiance et musique exotiques.

TOUR D'ECROU (LE)

10 rue du Grand-Prieuré (11°) 48 05 09 53
De 20h à 4h. Fermé le dim. Un peu à l'écart de la place de la République, un petit bar tranquille au décor personnalisé. Murs blanc cassé, fauteuils années 50 aux couleurs pétantes et musique d'opéra pour grignoter des petits plats tout en sirotant un cocktail.

DEJEUNERS
BARS A VINS

BLUE FOX

25 rue Royale - Cité Berryer (8°)
42 65 08 47
De 12h à 23h. Fermé sam, dim et fêtes. De 130 à 150F. Dans ce petit passage menacé par une opération immobilière, le Blue Fox offre un

cadre simple et agréable à une clientèle de quartier amateur de bons vins. C'est toujours l'équipe britannique du Willi's qui anime cet endroit sympathique. Bons petits plats français et terrasse en été.

CAVES BAILLY

174 rue St-Jacques (5°)
43 26 80 74
De 12h à 15h et de 20h à 24h.Fermé le lundi. Env 120F. A deux pas du Luxembourg, une ambiance gentiment vieillotte pour cette cave à vins au cadre de charme tout en bois, préservé depuis 65 ans. Quelques tables de bistrot et une table-bar conviviale. Midi et soir, petite carte-collation pour vous faire connaître les vins (450 références à des prix étudiés). Tartines de "Poilâne" ou assiettes de fromage et de charcuterie, plat du jour

en hiver, salades l'été. Clientèle d'habitués, d'universitaires, et de passage.

CLOWN BAR

114 rue Amelot (11°)
43 55 87 357
De 12h à 14h 15 et de 19h45 à 23h15. Fermé le dim. De 80 à 150F.
Un petit bar à vins à l'ombre du cirque d'Hiver, rendez-vous des techniciens du spectacle et des gens du quartier. Décoration de mosaïque, plafond étoilé, personnages de clowns, ours empaillé, bar en zinc et tables bistrot en font un lieu magique et original. A la carte : terrines, salades, saucisson chaud, andouillette, pavé... Bonne carte des vins. Très sympathique et décontracté.

JACQUES MELAC

(CHEZ)
42 rue L.-Frot (11°)
43 70 59 27
De 9h à 19h et jusqu'à 24h les mardis et les
jeudis. De 130 à 140F.
Un bar à vins avec une petite terrasse agréable. A l'intérieur, c'est bruyant et bon enfant à côté du bar, mais à l'arrière se trouve la salle pour non-fumeurs, plus calme. Le saint-joseph est le vin chéri à déguster avec des omelettes au cantal, un plat du jour ou de très bonnes assiettes de fromages. Un terroir civilisé. Un service de caviste pour des vins à emporter.

JUVENILE' S

47 rue de Richelieu (1°)
42 97 46 49
De 12h à 23h. Fermé le dim. De 100 à 150F. Le petit frère du Willi's avec une touche cosmopolite. Décor clair, tables alignées devant le bar pour manger au coude à coude des tapas, des clubs-sandwichs, ou de bons petits plats simples et raffinés. Vin au verre ou à la bouteille, bières étrangères. Clientèle plutôt jeune et sympathique : mode à midi et intellectuelle le soir. Evitez la salle du fond.

ROUGE-GORGE (LE)

8 rue St-Paul (4°)
48 04 75 89
De 12h à 2h. Fermé le dim. (Dernière commande à 23h30.) Mieux vaut réserver. Env 120F. Dans le quartier des antiquaires, un bar à vins qui a conservé le charme parisien. Une salle avec comptoir et une autre derrière avec quelques tables pour un plat du jour et des entrées traditionnelles ou méconnues. Petite carte des vins bien sélectionnés .Bières irlandaises à la pression. Musique classique et jazz toute la journée. Une pause-déjeuner agréable.

RUBIS (LE)

10 rue du Marché-Saint-Honoré (1°)
42 61 03 34
De 6h45 à 22h. Fermé sam après-midi et dim.

Plats de 38 à 50F, bouteilles de 50 à 150F. Un bar à vins dont on peut apprécier le beaujolais, autour des tonneaux posés l'été sur le trottoir ou au bar du rez-de-chaussée. Petite salle au charme provincial en étage. Pour des petits plats traditionnels servis à une clientèle d'amateurs de vins et de gens du quartier. Attention, c'est souvent plein à craquer!

SANCERRE (LE)
22 av Rapp (7°)
45 51 75 91
De 7h30 à 20h30. Fermé sam après-midi et dim. De 100 à 120F.
Un décor années 50 en extérieur et tout le charme des bistrots à vins de province tout en bois à l'intérieur. Notre salle préférée est la première avec le bar. La télévision en a fait sa cantine et cale ses petites faims d'omelettes traditionnelles ou

d'excellentes andouillettes arrosées bien sûr d'un sancerre.

TAVERNE HENRI IV
13 rue du Pont-Neuf (1°)
43 54 27 90
De 12h (sam 16h30) à 21h30. Fermé le dimanche. Env 100F.
Juste en face du Vert Galant, ce bar à vins, institution-rendez-vous des avocats ou des huiles de la Préfecture propose depuis 35 ans des tartines "Poilâne" de charcuterie auvergnate ou bretonne. Et des fromages d'Auvergne à manger accompagnés d'excellents vins sélectionnés par Robert Cointepas, patron-légendaire.

DEJEUNERS SHOPPING

CHEVIGNON TRADING POST
4 rue des Rosiers (4°)
42 72 79 11
De 10h30 à 19h15. Fermé dim et lundi. Env

50F. Dans l'antre "Nouveau-Mexique" de cette grande boutique Chevignon, à l'étage, un coffee-shop très Far-West. Un comptoir et des sièges en bois pour avaler entre deux courses des sandwichs américains ou des "Panini" italiens bien élaborés. Pains fabriqués spécialement pour la maison. Vente de petite épicerie américaine. Fumeurs s'abstenir.

PARIS PLAGE (L'ENTREPOT)
50 rue de Passy (16°)
45 25 64 17
Tous les jours de 12h à 18h. 70 à 100F (Menu à 50F). Dans le loft-magasin de cadeaux de l'Entrepôt à Passy, un *corner* à l'américaine a été aménagé pour déjeuner sur le pouce. Mobilier de métal, photos noir et blanc au mur pour des salades, des plats et des desserts à l'américaine qui

L I E U X

changent tous les jours. Glaces, jus de fruits et cafés. Clientèle de la boutique entre deux achats.

VENTILO

27bis rue du Louvre (2°)
45 08 49 00
Tous les jours de 12h à 19h. Fermé le dim. De 100 à 150F. Au dernier étage du magasin du styliste italien, un salon de thé très féminin et très new-yorkais derrière une vitrine immense. Murs blancs, nappes blanches pour des tartes du jour costaudes ou légères accompagnées de salades ou de terrines de légumes. En dessert brownie ou meringué au caramel ou à la groseille. Clientèle de femmes-mode : stylistes, directrices de boutiques et rédactrices.

VIRGIN COFFEE

56 av des Champs-Elysées (8°)
42 89 46 81
De 10h à 24h (0h30 ven et sam). Fermé dim. De 100 à 180F. Au deuxième étage du mégastore Virgin, un espace agréable au décor design, sobre et aéré. Une carte raffinée pour petites et grandes faims : tapas, sandwichs élaborés, petits plats cuisinés. Sympathique et très fréquenté à l'heure du déjeuner. Clientèle du 16°, de publicitaires et d'amateurs de musique et de littérature.

SALONS DE THE

A PRIORI THE

35 galerie Vivienne (2°)
42 97 48 75
Tous les jours de 12h à 19h. Le dim de 13h à 19h. Env 120F. Un rendez-vous charmant dans un des plus jolis passages de Paris à deux pas de la place des Victoires. Plus animé en semaine que le week-end, ce salon de thé

harmonieux avec ses murs ocre et ses tables en bois et en osier dépareillées est fréquenté par une clientèle plutôt mode. Cuisine mi-américaine, mi-européenne : grandes assiettes composées, chili, et un choix de desserts maison: crumbles, tartes, brownie.

ARBRE A CANNELLE (L')

57 passage des Panoramas (2°)
45 08 55 87
De 11h à 18h. Fermé le dim. De 60 à 100F. Un décor Napoléon III et une ambiance raffinée pour paresser dans un passage couvert des Grands Boulevards. Au menus : tartes salées, salades composées et très bonnes pâtisseries maison.

CASTA DIVA

27 rue Cambacérès (8°)
42 66 46 53

L'Arbre à Cannelle

De 11h30 à 18H30. Fermé le dim. Env 120F. Une décoration simple et claire à tendance Empire pour une clientèle du faubourg Saint-Honoré qui vient ici entre deux shoppings apprécier des salades composées et d'excellents petits gâteaux.

CEIBO
5 rue Hérold (1°)
45 08 49 84

De 10h à 18h. Fermé sam et dim. Env 70F. Menu 98F. Un petit salon de thé-restaurant très frais et sympathique près de la place des Victoires. Ici, on vous propose de la cuisine argentine légère ou des salades composées. Clientèle de stylistes et de rédactrices de mode.

DEUX ABEILLES (LES)
189 rue de l'Université (7°) 45 55 64 04

De 9h à 19h. Fermé le dim. Env 120F. Ambiance et décor agréables, raffinés et classiques. Très bonne cuisine maison: un plat du jour, ou des salades, des oeufs coque, la fameuse tarte aux tomates, le crumble aux poires et aux fruits rouges, le fondant au chocolat. Première salle pour non-fumeurs et seconde salle pour fumeurs modérés afin

L I E U X

de protéger les desserts disposés sur les tables. La clientèle est agréable, plutôt classique. Atmosphère animée par les rédactrices de mode pendant les collections.

ENFANTS GATES (LES)
43 rue des Francs-Bourgeois (4°)
42 77 07 63
*De 12h à 19h.
(Réservez.) Brunch sam et dim. Brunch de 100 à 200F.* Fauteuils en cuir et en osier, tables basses pour une clientèle décontractée. Plats maison ou blinis-saumon. Pour le dessert : brownie ou tarte au citron. Attention, le week-end cette adresse est très fréquentée.

HEURE GOURMANDE (L')
22 pass Dauphine (6°)
46 34 00 40
De 12h à 19h. Fermé le dim. Env 100F. Situé dans une oasis de calme et de fraîcheur, en plein cœur de Saint-Germain-

des-Prés. On pourrait souhaiter que cela soit un peu plus anglais, un peu moins léché sur tous les plans : cuisine, décor et service.

LADUREE
16 rue Royale (8°)
42 60 21 79
*De 8h30 à 19h. Fermé dim et fêtes.Env. 150F.
Formule à midi 110F.*
Une boulangerie-pâtisserie centenaire aux plafonds décorés d'angelots dodus. Le salon de thé chic de la Madeleine célèbre pour ses macarons et ses croissants aux amandes. Délicieux petits sandwichs au pain au lait et plats du jour à midi. Clientèle internationale.

LOIR DANS LA THEIERE (LE)
3 rue des Rosiers (4°)
42 72 90 61
De 12h à 23h30 (19h lundi). Dès 11h dim. De 80 à100F. Un salon plein de charme et une ambiance feutrée en

plein Marais. Service sympathique et décontracté pour des tartes, des salades composées et des pâtisseries garanties maison. Prévoir d'arriver tôt, les tables sont rares.

MARIAGE FRERES
30 rue du Bourg-Tibourg (4°) 42 72 28 11
*En semaine de 12h à 15h, et le week-end de 12h à 18h. Fermé le lundi. Env 150F
Brunch120F.*Décor néo-colonial avec verrière. A l'entrée se trouve la boutique avec 400 sortes de thé. A l'arrière, une salle feutrée. Choix de petits plats et de salades ou de pâtisseries à l'heure du thé. Une autre adresse, 13 rue des Grands-Augustins (6°) mais le service guindé fini par rendre l'endroit artificiel. Pour non-fumeurs.

NUITS DES THES (LES)
22 rue de Beaune (7°)
47 03 92 07

De 12h à 19h. Fermé le dim. Env 110F. Un cadre soigné et coquet, des nappes blanches, de la jolie vaisselle et une clientèle très 7° arrondissement. A la carte, des salades, des tartes salées et un grand buffet de desserts (tarte aux marrrons glacés, millefeuille à la pistache).

PANDORA

24 pass Choiseul (2°)
42 97 56 01
De 11h30 à 19h. Fermé sam et dim. De 80 à 100F. Dans un passage mouvementé, une petite adresse intime, un peu sombre aux couleurs chaudes, où vous dégusterez des oeufs brouillés, des tartes maison ou des gratins de légumes. Clientèle du quartier plutôt agréable et raffinée.

TEA CADDY (LE)

14 rue St-Julien-Le-Pauvre (5°) 43 54 15 56
De 12h à 19h. Fermé le mardi et mercredi. Env
100F. Un cadre tout en boiseries pour le plus british des salons de thé parisiens.Spécialités maison: oeufs-bacon sur épinards, gratins de légumes, et un grand choix de desserts délicieux ainsi que des scones et des muffins.

TEA FOLLIES

6 pl G.-Toudouzé (9°)
42 80 08 44
De 9h à 21h (dim 19h). Env 100F. Sur une charmante place du 9° arrondissement, une ambiance fraîche et décontractée encore plus appréciée l'été en terrasse. Petites assiettes de saumon, tartes maison et salades composées. Clientèle jeune.

TEA AND TATTERED PAGES

26 rue Mayet (6°)
40 65 94 35
De 11h à 19h. Fermé le dim. Env 35F. Dans une petite rue calme du 6° arrondissement, un témoin nostalgique et
gai du Flower Power californien. Des livres en anglais sous toutes les formes : cuisine, déco, art, enfants ; des kilts faits main, des poteries, et dans le fond un salon de thé comme avant avec scones, muffins... Sympathique pour un déjeuner léger et gourmand.

SANDWICHS COFFEE-SHOPS TAPAS

AU PLAISIR DES PAINS

62 rue de Vaugirard (6°)
45 48 40 45
De 10h à 20h. Fermé le dim. De 70 à 80F. Au rez-de-chaussée la vente à emporter et à l'étage, une petite salle au décor neutre pour cette annexe des "Deux Abeilles". Grande spécialité de sandwichs toastés à l'italienne fourrés de mozarella, de parme, de poivrons ou de caviar d'aubergines. Egalement des salades, la fameuse tarte à la

L I E U X

tomate, des raviolis... et d'excellents desserts maison : à emporter quand il fait beau au jardin du Luxembourg à deux pas.

COFFEE-SHOP
8 rue Perronet (7°)
45 44 92 93
Tous les jours de 11h à 20h. De 50 à 70F.
Après le succès du Coffee Parisien voici juste en face, le Coffee-Shop. Même décor tout en bois et affiches américaines avec un bar et une dizaine de tabourets pour déjeuner sur le pouce d'un sandwich élaboré chaud et toasté, américain (pastrami, tuna fish, roastbeef...) ou italien (Panani, Crostini...). Pour les plus pressés, la vente à emporter (également les produits frais ou d'épicerie de l'Amérique et de l'Italie).

COSI
54 rue de Seine (6°)
46 33 35 36

53 av des Ternes (17°)
43 80 86 70
De 11h à 23h. Fermé le dim. De 30 à 45F. Un bar au rez-de-chaussée et une salle en mezzanine pour apprécier des petits pains maison à la romaine et fourrés de jambon de Parme, thon, viande froide ou fromage. Idéal pour l'avant ou après-cinéma à Saint-Germain.

LINA'S
50 rue E.-Marcel (2°)
42 21 16 14
8 rue Marbeuf (8°)
47 23 92 33
De 10h30 à 17h en semaine et jusqu'à 18h30 le sam. Sandwich de 16 à 39F. Le paradis du sandwich. Murs jaunes de Naples et parquet de chêne pour des sandwichs sur mesure à la manière anglo-saxonne. On mange debout et c'est plein à craquer. Même

décor dans le 8° mais la clientèle y est à la fois moins nombreuse et moins amusante.

WEST SIDE
34 rue St-Ferdinand (17°) 40 68 75 05
De 9h à 18h (23h jeudi). Fermé dim. Sandwichs de 21 à 45F.
A deux pas de la tranquille place de Saint-Ferdinand, une petite adresse pour rajeunir ce quartier un peu endormi. Décor typique de coffee-shop américain : comptoir, bar et tabourets en vitrine style années 50, photos noir et blanc au mur, et même quelques tables sur le trottoir. Sandwichs à l'américaine (dinde, saumon, crevettes, guacamole...), salades (chicken, West Side...), brownie ou cookie pour le dessert. Pour déjeuner sur le pouce ou à emporter. Service de livraison.

Coffee-Shop

BABYLONE (LE)

13 rue de Babylone (7°)
45 48 72 13

Fermé le soir et le dim. De 80 à 90F. Vrai bistrot parisien au décor authentique et un peu vieillot pour des déjeuners décontractés au coude à coude. Cuisine traditionnelle : gigot, gratin dauphinois, pot-au-feu... Clientèle agréablement mélangée.

BAR DES THEATRES (LE)

6 av Montaigne (8°)
47 23 34 63
De 6h30 à 2h tous les jours. Env 200F. Une institution parisienne où l'on s'attend pour avoir sa table. Décor chaud et petits plats simples et bons. Clientèle du quartier à midi et des théâtres le soir.

CAFE DES LETTRES (LE)

53 rue de Verneuil (7°)
42 22 52 17

De 10h à 23h. Fermé le dim. Env 200F. Dans l'hôtel particulier de la Maison des Ecrivains, un restaurant au décor design sans froideur avec un grand bar en courbe et des tables disposées tout autour. Service féminin et agréable, petits plats scandinaves et autres, clientèle calme d'éditeurs et d'écrivains. Ouvert également le soir mais le décor s'y prête moins sauf dans la merveilleuse terrasse installée l'été, midi et soir, dans la cour.

CHEZ LA VIEILLE

37 rue de l'Arbre-Sec (1°) 42 60 15 78
Uniquement pour déjeuner. Fermé sam et dim. Réservez impérativement. Env 350F. Trois semaines environ avant d'avoir la possibilité de venir goûter la cuisine d'Adrienne, la "dernière mère" des Halles. Pot-au-feu, hachis parmentier ou boeuf gros sel à partager sous poutres apparentes parmi ses vieux clients fidèles depuis 30 ans!

CHEZ TOURETTE

70 rue de Grenelle (7°) 45 48 49 68
De 12h15 à 14h. Fermé sam et dim. Env 160F. Il n'y a plus de charbon chez ce bougnat mais une grande table d'hôtes. La patronne énergique sert des

cochonnailles et un plat du jour familial à une clientèle d'habitués, de députés ou de VRP attablés sur les toiles cirées.

CLOCHE DES HALLES (LA)

28 rue Coquillère (1°) 42 36 93 89
De 8h à 22h. Fermé le dim. Env 100F. Un vieux bistrot des Halles sans décor particulier mais qui obtient toujours le prix du meilleur "pot" de vin. Ce que l'on y mange, tartines de pain "Poilâne" accompagnées d'un jambon persillé ou à l'os, n'est là que pour se faire le palais. A midi, il faut jouer des coudes pour être servi. Une des rares authenticités du quartier.

COCHON D'OR DES HALLES (LE)

31 rue du Jour (1°) 42 36 33 14
De 12h à 14h30 et de 19h30 à 22h30. Fermé sam midi et dim. Malgré

un récent changement de propriétaire, cette vieille maison a su garder son charme et sa qualité (tradition "Halles"). On préférera la salle en bas sauf pour les déjeuners d'affaires où le petit salon du 1er étage est parfait.

COFFEE PARISIEN

5 rue Perronet (7°) 40 49 08 08
De 11h à 19h et jusqu'à 24h le vendredi. Env 100F. Après le Café Parisien, l'équipe a ouvert un "délicatessen" à la new-yorkaise. Boiseries claires, grand bar pour le déjeuner, publicités années 50 américaines, et quelques tables pour déguster des clubs-sandwichs, des eggs Bénédict, des hamburgers, des salades d'épinard, du coleslaw, ou le plat du jour. La cuisine est vraiment bonne, l'endroit très animé et sympathique, la clientèle cosmopolite, jeune et à la mode. A

L I E U X

éviter le week-end, c'est bourré à craquer.

EPICERIE RUSSE (L')
3 rue G.-Courbet (16°)
45 53 46 46
13 rue de la Terrasse
(17°) 40 54 04 05
De 10h à 1h du matin.
Dim et lundi ouvert dès
18h. Env 200F. Une petite maisonnette russe aux murs peints en vert pour manger des plats d'Europe centrale: koulibiak de saumon, saumon ou hareng fumés et pâtisseries délicieuses. Service très courtois. Clientèle du quartier qui ne néglige pas quelques verres de vodka. Autre adresse dans le 17° arrondissement.

FUJITA
41 rue St-Roch (1°)
42 61 42 93
De 12h à 14h15 et de
19h à 22h15. Env 150F.
Un petit restaurant japonais au décor exotique, simple et clair où se retrouve une clientèle de Japonais pour déguster des sushis, shashimis et autres poissons crus. Service rapide, plus apprécié pour le déjeuner.

HANGAR (LE)
12 imp Berthaud (3°)
42 74 55 44
De 12h à 24h. Fermé
dim et lundi midi. Env
150F. Caché dans le quartier Beaubourg, c'est le Q.G des travailleurs de l'art du Centre Georges Pompidou. Pierres apparentes, éclairage façon garage et vitres d'usine pour déguster au calme et sur nappes blanches une cuisine de saison assez raffinée. Petite terrasse aux beaux jours.

JANCOIS (LE)
40 rue de l'Université
(7°) 42 61 26 64
De 12h à 15h et de 19h
à 22h. Fermé sam soir et
dim. Env 120F. Au coeur des antiquaires de la rive gauche, un bistrot à l'ancienne qui propose des plats traditionnels servis avec une extrême gentillesse. C'est la cantine à midi des habitués alentour. Le soir, l'ambiance et les lumières manquent un peu de gaieté.

MONTALEMBERT
(BAR DU)
3 rue Montalembert (7°)
45 48 68 11
Env 200 à 250F.
Nouveau bar d'hôtel. Très beau décor design, raffiné avec un coin-salon autour d'une cheminée. Bourré à l'heure du déjeuner, malheureusement peu fréquenté le soir. Petits plats très légers ou clubs-sandwichs. Clientèle d'éditeurs et d'antiquaires du quartier.

NOURA
27 av Marceau (8°)
47 23 02 20
De 8h à 24 tous les jours.
Env 120F. C'est une

L I E U X

épicerie libanaise. C'est aussi un traiteur. On oublie parfois que c'est un snack. Rien n'est plus agréable que d'y déjeuner sur le pouce d'un mezzé et d'un café. Terrasse l'été.

OBELISQUE (L') - HOTEL DU CRILLON
21 av Marceau (8°)
47 20 33 33
De12h15 à14h30 et de19h15 à 22h30. Tous les jours. 220F (250F vin compris). Une grande salle à manger en boiseries sombres avec des lustres de Lalique. Atmosphère début de siècle pour une cuisine raffinée de plats bourgeois et une clientèle distinguée.

PAUSE CAFE
41 rue de Charonne
(11°) 48 06 80 33
De 10h à 21h. Fermé le lundi. Env 100F. Un ancien bar du quartier de la Bastille style années 50 qui possède une petite terrasse agréable. Choix de

petits plats légers ou tartes en été, en hiver gratins et tourtes. C'est bon et fréquenté par les galeristes environnants.

PERLA (LA)
26 rue F.-Miron (4°)
42 77 59 40
Tous les jours de 12h à 15h et de 19h à 2h. Env 80F. Un ancien café du Marais transformé en cantine mexicaine avec des ventilateurs, un grand bar en bois et une décoration simple et agréable. A midi, les gens du quartier peuvent se rassasier de tortillas, enchiladas ou chili con carne.

PONT ROYAL
(BAR DU)
7 rue Montalembert
(7°) 45 44 38 27
De 11h30 à 24h. Jusqu'à 22h le sam.Fermé le dim. Environ 150F. Au sous-sol de l'hôtel du Pont-Royal, le bar au décor tout en boiseries années 50, style paquebot a un charme fou malgré son allure un peu

abandonnée. A midi, clientèle animée d'éditeurs et d'écrivains confortablement installée dans de gros fauteuils autour de quelques tables. Petite carte de plats classiques: haddock, faux-filet, brochettes ...

RUBAN BLEU (LE)
29 rue d'Argenteuil (1°)
42 61 47 53
De 12h à 14h30. Fermé sam et dim. Env 250F. Ce restaurant ouvert en 1946 par un ancien maître d'hôtel du Normandie a conservé, grâce à l'amour de sa propriétaire actuelle, son superbe décor d'origine. Une cuisine traditionnelle simple avec des produits frais, un service attentif et feutré , un accueil charmant. Une adresse rare pour déjeuner dans ce "quartier d'affaires".

TIBURCE (LE)
28 rue du Dragon (6°)
45 48 57 89

Le Balzar

De 12h15 à 14h15 et de 19h15 à 22h15. Fermé le dim et un sam sur deux. Env 200F. Une atmosphère de club anglais, une bonne cuisine simple et traditionnelle, des tables espacées avec nappes et serviettes blanches. Encore une adresse qui tient à la force discrète d'une propriétaire aimant ce qu'elle fait. A midi, les éditeurs des alentours s'y retrouvent volontiers (à des tables éloignées bien sûr).

TREMOILLE
(BAR DE L'HOTEL DE LA)
16 rue de la Trémoille (8°) 47 23 34 20
De 12h à 15h et de 19h à 22h30. Tous les jours. De 200 à 300F. Un bar tout en boiseries claires agrémenté de tableaux XIX°. Quatre petites tables pour manger un plat du jour, des salades ou des sandwichs. Intime et calme comme la clientèle.

RESTAURANTS

BISTROTS ET BRASSERIES

LES CLASSIQUES

ALLARD

41 rue St-André-des-Arts (6°) 43 26 48 23
De 12h à 14h et de 19h30 à 21h15. Fermé sam et dim. Env 450F. Un des vieux bistrots chics et classiques plein

de charme à l'ancienne qui cultive la cuisine de terroir selon la tradition. Spécialités de cassoulet, de petit salé ou de boeuf mode. Service impeccable et carte des vins à la hauteur du lieu. Clientèle sophistiquée.

ANDRE (CHEZ)
12 rue Marbeuf (8°)
47 20 59 57
De 12h à 1h. Tous les jours. 200F à 250F. Un bistrot cinquantenaire du quartier des Champs-Elysées. Jolie salle, et cuisine française toute simple. Clientèle du quartier et touristes. Terrasse sur le trottoir en été.

BALZAR (LE)
49 rue des Ecoles (5°)
43 54 13 67
De12h à 0h15. Env 250F. La brasserie du quartier latin toute en vieilles boiseries. Service impeccable et cuisine traditionnelle dont le fameux foie de veau. Clientèle plutôt

intello et une ambiance parisienne heureusement conservée.

BENOIT (CHEZ)
20 rue St-Martin (4°)
42 72 25 76
De 12h à 14h et de 20h à 22h. Fermé sam et dim. Env 500F. Un vieux bistrot à l'atmosphère inchangée. Classé parmi les meilleurs de la capitale, sa cuisine bourgeoise rassemble une clientèle de bon ton et gastronome.

BISTROT DE L'ETOILE
75 av Niel (17°)
42 27 88 44
De 12h à 14h et de 19h30 à 24h. Fermé le dim. Env 250F. C'est le charme organisé à la new-yorkaise, tout est étudié pour que cela ressemble à un vrai bistrot, ce n'en est pas vraiment un mais le décor est correct, plutôt agréable, l'accueil souriant-professionnel, la cuisine bonne et les prix décents. Alors on peut y aller avec des

amis américains pour voir des yuppies français. Mieux vaut réserver.

BRASSERIE DE LA POSTE (LA)
54 rue de Longchamp (16°) 47 55 01 31
Tous les jours de 12h à 15h et de 19h à 1h. Env 150F. Une petite brasserie refaite dans le goût des années 30, avec murs en faux marbre, qui propose des plats traditionnels. Spécialités de choucroute et de cassoulet. Service chaleureux et clientèle des alentours. Ouvert même le dimanche soir, chose rare pour le quartier!

GEORGES (CHEZ)
1 rue du Mail (2°)
42 60 07 11
De 12h à 14h et de 19h15 à 21h45. Fermé dim et fêtes. Env 280F. Un bistrot-institution derrière la place des Victoires avec miroirs

arrondis et serveuses en noir. Cuisine traditionnelle sophistiquée et clientèle bourgeoise.

GOURMET DES TERNES (LE)

87 bd de Courcelles (8°)

42 27 43 04

De 12h à 14h30 et de 19h à 22h. Fermé sam et dim. Env 180F. Un bistrot du quartier de la place des Ternes avec une toute petite terrasse plutôt calme le soir en été, devenu un incontournable. Deux salles assez bruyantes au décor typique où se retrouve une clientèle classique. Bonne cuisine traditionnelle. Accueil et service agréables et efficaces.

JOSEPHINE-GRILL

117 rue du Cherche-Midi (6°)

45 48 52 40

De 12h à 14h30 et de 19h30 à 22h30. Fermé sam et dim. Env 300F à la carte. Menu midi à 170F. Le feu de bois

brûle toute l'année dans la cheminée. On y rôtit le gigot, on y cuit les grillades. C'est bon enfant et la qualité Dumonet (c'est la même maison) y est. L'accueil pourrait être plus aimable. Carte des vins remarquable.

PIERRE (CHEZ)

117 rue de Vaugirard (15°) 47 34 96 12

De 12h15 à 14h et de 19h30 à 22h. Fermé sam midi et dim. Env 200F. La tradition près de Montparnasse dans un décor tout simple. Plats à base de produits frais. Service avenant et habitués du quartier.

PIERROT (CHEZ)

18 rue E.-Marcel (2°)

45 08 17 64

De 12h à 15h et de 20h à 24h. Mieux vaut réserver. Fermé sam et dim. Env 230 à 350F. Un des derniers vrais bistrots des Halles fréquenté par des habitués du quartier

qu'ils soient galeristes, journalistes ou dans la mode. Deux salles pour apprécier une cuisine généreuse et bonne.

RENE (CHEZ)

14 bd St-Germain (5°)

43 54 30 23

De 12h15 à 14h30 et de 19h45 à 23h. (Réservations jusqu'à 22h30.) Fermé sam et dim. Env 250F. Un bistrot traditionnel. Service sympathique et efficace pour une très bonne cuisine bourgeoise. Un rendez-vous toujours apprécié des vrais Parisiens. Petite terrasse l'été.

STELLA (BRASSERIE)

133 av V.-Hugo (16°)

47 27 60 54

De 12h à 1h. De 150 à 200F. La brasserie traditionnelle du 16° arrondissement. Cuisine de ménage, clientèle du quartier. A préférer le dimanche soir quand tout est fermé.

L I E U X

ET AUSSI

ANTOINE

(CHEZ MARCEL)

7 rue St-Nicolas (12°)

43 43 49 40

De 12h à 14h et de 19h45 à 21h30. Fermé sam et dim. 200F à 250F. Un petit bistrot de quartier, ambiance typique et familiale dans le quartier du faubourg Saint-Antoine. Cuisine lyonnaise, plats copieux et rustiques servis avec entrain et généralement à volonté ; andouillette, saucisson chaud, poireaux vinaigrette, concombres à la crème... On arrive rarement jusqu'au dessert.

AUX 3 CANETTES

CHEZ ALEXANDRE

18 rue des Canettes (6°)

43 26 29 62

De 12h à 14h30 et de 19h30 à 23h. Fermé sam soir et dim. Env 150F. Dans une petite rue de Saint-Germain-des-Prés, une institution sur

deux niveaux qui propose essentiellement une cuisine italienne. Préférez le premier étage, le service y est plus bon enfant. Plats corrects et clientèle plutôt sophistiquée.

BALLON DES TERNES (LE)

103 av des Ternes (17°)

45 74 17 98

De 12h à 15h et de 19h à 24h. De 200 à 230F. Un bistrot genre petite brasserie avec un bar à l'entrée et des banquettes en coin au fond de la salle. Bonne cuisine traditionnelle et spécialités de fruits de mer. Clientèle d'habitués du quartier et quelques publicitaires à midi.

BATIFOL

14 rue Mondétour (1°)

42 36 85 50

29 av C.-Cariou (19°)

40 36 12 36

117 av du Général-Leclerc (14°)

45 41 19 08

De 11h à 1h tous les jours. Env 130F. Nos trois sélections de la chaîne du même nom qui a réhabilité d'anciens bistrots à Paris. La décoration a été rafraîchie. On y sert des plats traditionnels comme la tête de veau sauce ravigote ou les tartines à la moelle. Service très efficace parfois bousculant. Accueil soit aimable soit carrément odieux selon les soirs. Clientèle mélangée, plutôt mode aux Halles tard le soir.

BISTROT DE MARIUS (LE)

6 av George-V (8°)

40 70 11 76

De 12H à 14h30 et de 19h à 0h30. Env 180 à 220F. Près de l'Alma, un nouveau bistrot chic à la déco nostalgique et cocardière. Spécialités de poissons cuisinés simplement mais très frais. Egalement, plateaux de fruits de

Les Charpentiers

mer. Clientèle élégante et service souriant.

BON SAINT POURCAIN (AU)

10 bis rue Servandoni (6°) 43 54 93 63

De 12h à 15h et de 20h à 23h. Fermé sam et dim. Env 250F. Petite salle de bistrot authentique fréquentée par une clientèle du quartier, amateur de bonne cuisine traditionnelle. Tables peu espacées et ambiance conviviale.

Bonne carte des vins, délicieux saint-pourçain! Réservation indispensable.

BONS CRUS (AUX)

7 rue des Petits-Champs (1°) 42 60 06 45

De 11h30 à 22h. Sam de 11h30 à 17h30. Fermé le dim. Env 100F. Un bistrot à vins presque centenaire au décor patiné inchangé. A midi, on peut y manger de petites assiettes de charcuterie

ou de fromage accompagnées d'un verre de vin. Plats du jour traditionnels. Clientèle du quartier.

BRIN DE ZINC (LE)

50 rue Montorgueil (2°) 42 21 10 80

De 12h à 23h15. Fermé le dim. Env 100F. Un vieux bistrot des Halles rajeuni mais au décor inchangé avec son vieux bar en zinc. Cuisine traditionnelle et quelques plats

L I E U X

RESTAURANTS - BISTROTS ET BRASSERIES

modernes. Clientèle mélangée.

CAMELEON (LE)
6 rue de Chevreuse
(6°) 43 20 63 43
De 12h à 13h45 et de
20h à 22h30. Fermé dim
et lundi. Env 200F. Dans une petite rue de Montparnasse, un vrai bistrot au décor patiné sur fond de papier japonais. Cuisine très traditionnelle pour une clientèle d'habitués bien parisiens.

CANE DE JOUY (LA)
8 rue de Jouy (4°)
42 78 38 86
De 12h à 14h30 et de
19h à 22h30. Fermé le
lundi soir.De 50F à 150F.
Dans une petite rue du Marais, ce restaurant tenu par une femme charmante s'est spécialisé dans le foie gras et le confit à déguster entre les vieilles pierres et les meubles provinciaux (ou à emporter). Préférez les tables donnant sur cour.

CAVEAU DU PALAIS (LE)
19 pl Dauphine (1°)
43 26 04 28
De 12h15 à 14h30 et
de 19h15 à 22h. Fermé
sam et dim. De 200F à
250F. Une salle au décor chaleureux de bistrot et une jolie terrasse pour l'été. Une cuisine traditionnelle et bonne pour une clientèle d'habitués et de stars incognito.

CHARPENTIERS (AUX)
10 rue Mabillon (6°)
43 26 30 05
De 12h à 15h et de 19h
à 23h30. Fermé le dim.
De 200F à 250F. Un bistrot populaire de Saint-Germain-des Prés, ancien siège des Compagnons Charpentiers. Cuisine classique et simple de nos provinces. Clientèle du quartier et de touristes.

COUDE FOU (LE)
12 rue du Bourg-Tibourg
(4°) 42 77 15 16
De 12h à 16h et de 18h

à 2h. Fermé le dim midi.
Menu à midi 100F. Carte
de 200 à 250F. Un comptoir et une petite salle au décor kitsch de scènes villageoises naïves. L'ambiance hors du temps et sympathique invite la clientèle d'habitués du quartier à se regrouper autour d'une petite cuisine traditionnelle arrosée de bordeaux. Très chaleureux.

CRUS DE BOURGOGNE (AUX)
3 rue Bachaumont (2°)
42 33 48 24
De 12h15 à 14h30 et
de 20h15 à 22h30.
Fermé sam et dim. Env
150F. Une ancienne institution près des Halles, célèbre pour sa langouste peu chère. On peut aussi, dans le décor délicieusement vieillot, manger des plats bourguignons et du gibier. Clientèle sympathique et service courtois. Mieux vaut réserver, le restaurant ne

L   I   E   U   X

compte que peu de tables.

D'CHEZ EUX

2 av Lowendal (7°)
47 05 52 55
De 12h à 14h30 et de 19h30 à 22h30. Fermé le dim. Env 400F. Tout dans le style d'une auberge de campagne sophistiquée. Clientèle du quartier et d'hommes d'affaires pour une cuisine du Sud-Ouest et foie gras.

FINS GOURMETS (LES)

213 bd St-Germain (7°)
42 22 06 57
De 12h à 14h30 et de 19h30 à 22h. Fermé dim et lundi midi.Env 180F. Bistrot authentique et même un peu vieillot pour une clientèle d'habitués, élégante du quartier qui en a fait sa cantine. Bonne cuisine du Sud-Ouest, service aimable. Le patron a la sagesse de ne pas se laisser griser par le succès. Petite terrasse bruyante pour l'été.

FONTAINE DE MARS (LA)

129 rue St-Dominique (7°) 47 05 46 44
De 12h à 14h30 et de 19h à 21h30. Fermé sam soir et dim. De 120 à 150F. Menu midi à 65F. Un joli bistrot situé en bordure d'une fontaine sur laquelle donne la terrasse l'été. Plats traditionnels, service prévenant et clientèle du quartier conviviale.

GERARD (CHEZ)

4 rue du Mail (2°)
42 96 24 36
De 12h à 14h30 et de 20h à 22h30. Fermé sam et dim. Env 150F. Un petit bistrot inchangé près de la place des Victoires. Cuisine familiale pour une clientèle d'habitués mêlant gens du théâtre et jeunes couples.

IMPASSE (A L')

4 imp. Guémenée (4°)
42 72 08 45
De 12h à 13h30 et de 19h30 à 23h. Fermé sam midi, dim et lundi. Environ 250F. Une affaire de famille dans une petite impasse derrière la place des Vosges. Une salle à manger de province pour une cuisine également de province, parfois inventive. Accueil courtois, clientèle sage ou animée selon les soirs.

MACONNAIS (LE)

10 rue du Bac (7°)
42 61 21 89
De 12h à 14h30 et de 19h15 à 22h30. Fermé sam midi et dim. Env 160F. Dans le quartier des antiquaires rive gauche, un bistrot à la lyonnaise avec un bar. Salle bruyante au rez-de-chaussée et une autre plus feutrée à l'étage. Clientèle du quartier, cuisine bourgeoise simple et honnête.

MARCEL (CHEZ)

7 rue Stanislas (6°)
45 48 29 94
De 12h à 14h et de

L I E U X

19h30 à 22h30. Fermé sam et dim. Env 120F. Un petit bouchon à la lyonnaise au décor vieillot et sympathique. Plats traditionnels et copieux qui rassemblent les gens du quartier et les habitués amis du patron.

PAUL (CHEZ)
13 rue de Charonne (11°) 47 00 34 57 De12h30 à14h et de19h30 à 24h (service). Fermé le dim. Env 150F. Un des derniers bistrots de la Bastille, légèrement rajeuni qui sert toujours une solide cuisine bien de chez nous. Clientèle d'artistes et de galeristes du quartier. Petite terrasse en été.

PETIT LUTETIA (LE)
107 rue de Sèvres (6°) 45 48 33 53 De 11h30 à 15h et de 19h à 23h. Fermé le dim. Env 180F. Un vrai bistro 1900 qui a survécu dans cette rue de Sèvres tellement abîmée. Très

beau décor, service décontracté et bougon parfois, nourriture de bistrot moyenne mais le charme de l'authentique.

PETIT SAINT BENOIT (LE)
4 rue St-Benoît (6°) 42 60 27 92 De 12h à 14h30 et de 19h à 22h. Fermé sam et dim. Env 100F. Une institution de Saint-Germain-des-Prés, genre bistrot de quartier populaire. On y mange vite, pour pas cher, des plats traditionnels au coude à coude. Service rustique, clientèle d'habitués et de touristes. Petite terrasse très convoitée l'été.

PETRISSANS
30bis av Niel (17°) 42 27 83 84 De 12h à 14h et de 20h à 22h. Fermé sam et dim. De 200F à 300F. Menus à 170F et plus. Un bar à vins bistrot de quartier, années 50, typique et secret. Une cuisine

française toute simple et délicieuse: plats traditionnels, magret de canard, charcuteries, et bons desserts. Clientèle d'habitués et de connaisseurs. Atmosphère sympathique. Mieux vaut réserver.

PIED DE FOUET (AU)
45 rue de Babylone (7°) 47 05 12 27 De 12h à 14h et de 19h à 21h (commandes). Fermé sam soir et dim. de 80F à 100F. Un petit bistrot de quartier typiquement parisien du 7° arrondissement. Service un peu rustre. Plats traditionnels à avaler rapidement car ici les tables sont vite reprises.

RENDEZ-VOUS DE LA MARINE (AU)
14 quai de la Loire (19°) 42 49 33 40 De 12h à 13h50 et de 20h à 21h45. Fermé dim et lundi. De 90F à 120F. Sur les quais du canal de l'Ourcq, un vrai

bistrot avec des filets de pêche et une atmosphère très années 50. Cuisine française pour une clientèle d'habitués. Il faut réserver à l'avance.

RENDEZ-VOUS DES CAMIONNEURS (AU)
72 quai des Orfèvres (1°)
43 54 88 74
De 12h à 14h et de 20h à 23h. Fermé sam et dim. Env 100F. Un agréable bistrot rafraîchi sur l'île de la Cité. A midi, rendez-vous de la P.J., le soir des gays en couple. Cuisine traditionnelle. Bonne ambiance.

SAVY
23 rue Bayard (8°)
47 23 46 98
De 12h à 15h et de 19h30 à 23h. Fermé sam et dim. Env 200F. Fermé sam et dim. A deux pas de l'avenue Montaigne, un bistrot chic dont le décor n'a pas bougé. Les tables sont disposées en petits

boxes pour plus d'intimité. Bonne nourriture traditionnelle et service affable. Clientèle bien parisienne et gens de télé ou de radio alentour.

SQUARE TROUSSEAU (LE)
1 rue A. Vollon (12°)
43 43 06 00
De 12h à 14h et de 20h à 23h30. Fermé dim et lundi. Env 200F. Menu midi à 120F. Un bistrot à l'ancienne, banquettes de moleskine et bois verni, qui est le rendez-vous mode de la Bastille. Carte du terroir français. C'est bruyant, mais très correct. Il faut réserver.

THOUMIEUX
79 rue St-Dominique (7°)
47 05 49 75
De 12h à 15h et de 19h à 23h30. Dim de 12h à 23h30 sans interruption. Env 150F. Boiseries claires et décor inchangé pour cette

petite brasserie à l'ancienne du 7° arrondissement, devenue un classique du dimanche soir. Clientèle du quartier et cuisine bourgeoise.

YVETTE (CHEZ)
46bis bd du Montparnasse (15°)
42 22 45 54
De 12h15 à 14h et de 19h15 à 22h. Fermé sam et dim. A partir de 180F. Un décor inchangé depuis les années 60 et un accueil très chaleureux. Des plats traditionnels proposés dans une atmosphère feutrée délicieusement vieillotte à une clientèle d'habitués.

AMBIANCE CALME ET RAFFINEE

CAVIAR KASPIA
17 pl de la Madeleine (8°) 42 65 33 32
De 12h à 24h. Réservation obligatoire. Fermé le dim. Env 600F. Décor feutré, banquettes

RESTAURANTS CALMES

bleues et collection de tableaux au mur. Des tables espacées pour déguster caviar, saumon ou anguilles fumées. Service impeccable et clientèle distinguée.

CHANTS DU PIANO (LES)
10 rue Lambert (18°)
42 62 02 14
De 12h à14h et de 20 h à 23h. Fermé le lundi et à midi le dim. Env 250F. Menus à 149F et plus. Décor frais, tables espacées, et bonne cuisine inventive et élaborée. Les prix sont plutôt raisonnables pour la qualité et la clientèle discrète. L'accueil et le service sont appréciables pour les dîners en tête-à-tête.

CHEZ VONG AUX HALLES
10 rue de la Grande-Truanderie (1°)
40 26 09 36
De 12h à 14h30 et de 19h à 24h30. Fermé le dim. De 250 à 300F. Un

excellent restaurant chinois devenu une institution. Décor de laque, de marbre et de plantes. Service très attentionné et clientèle bon chic.

COLONIES (LES)
10 rue St-Julien-Le-Pauvre (5°) 43 54 31 33
De 19h30 à 1h sur réservation. Fermé le dim. Env 250F. Menu à 170F (sans vin). Un boudoir chic qui marie des boiseries cérusées, des potiches chinoises, une vaisselle raffinée disposée sur des nappes blanches. Cuisine française avec une pointe d'exotisme. Clientèle sophistiquée.

CONTI
72 rue Lauriston (16°)
47 27 74 67
De 12h à 14h et de 19h45 à 22h30. Fermé sam et dim. De 260 à 450F. Un salon confortable en rouge et noir. Cuisine italienne raffinée pour une clientèle d'habitués ou

bon genre du quartier.

ENTRE-SIECLE (L')
29 av de Lowendal (15°)
47 83 51 22
De 12h à 14h30 et de 20h à 22h30 . Fermé sam midi et dim. Menu midi à 160F. Carte 280 à 320F. Un décor années 50 rafraîchi avec un plafond en stuc, une clientèle bon chic bon genre du quartier qui se régale d'une cuisine mi-belge, mi-française.

KAMAL
20 rue Rousselet (7°)
47 34 66 29
De 12h à 14h30 et de 20h à 23h. Fermé le dim. De 160 à 180F. Menu midi à 85F. Clientèle reposante et classique du quartier dans un décor simple égayé par quelques tissus et panneaux de bois sculptés indiens. Les tables sont espacées, le service est agréable et la cuisine remarquable : curries, tadoories, nam et spécialités de plats

L'Entre-Siècle

cuisinés. Réservez au rez-de-chaussée dans la salle avec miroir.

MAISON DU CAVIAR (LA)

21 rue Q.-Beauchard (8°) 47 23 53 43
De 12h à 1h. De 350 à 500F. Un cadre feutré dans les tons de beige avec un bar années 50 où l'on peut apprécier caviar ou saumon. Service en accord avec l'établissement et

clientèle chic. Un comptoir de vente à emporter.

MARIE (CHEZ)

25 rue Servandoni (6°)
46 33 12 06
De 12h à 14h30 et de 20h à 22h30. Fermé sam soir et dim. Menu midi env 150F. Carte env 250F. Un petit restaurant douillet près du Luxembourg qui propose une bonne cuisine française

élaborée. Quelques stars de cinéma et des éditeurs viennent ici à midi ou le soir pour l'intimité. Accueil toujours courtois. Choisissez plutôt la première salle mais évitez d'être trop près de la porte en hiver.

MARLOTTE (LA)

55 rue du Cherche-Midi (6°) 45 48 86 79
De 12h à 14h30 et de 20h à 22h30. Fermé sam

L I E U X

RESTAURANTS CALMES

et dim. Env 250F. Un sympathique restaurant à l'atmosphère d'une maison à la campagne. Cuisine française, clientèle de gens du quartier et d'hommes politiques. Ambiance gentiment mondaine.

PASSY MANDARIN

6 rue Bois-le-Vent (16°)
42 88 12 18
Tous les jours de 12h à 14h30 et de 19h à 23h. Env 250F. Même propriétaire que Chez Vong aux Halles. Grande salle chinoise pour des spécialités et la subtilité des dim-sum (raviolis à la vapeur). Clientèle chic du quartier. A côté, la boutique-traiteur.

PILE OU FACE

52 bis rue N.-D.-des-Victoires (2°)
42 33 64 33
De 12h à 14h et de 20h à 22h. Fermé sam et dim. Environ 400F. Un élégant restaurant à la gastronomie reconnue. Choisissez la salle du bas avec deux petites salles à manger-salons. Clientèle raffinée, ambiance feutrée et cuisine traditionnelle allégée et à base de produits frais d'une ferme-propriété du restaurant.

RELAIS DU BOCCADOR (LE)

20 rue du Boccador (8°)
47 23 31 98
Tous les jours de 12h à 14h et de 19h30 à 22h45. Env 250F. Dans un décor feutré et en boiseries des années 50, ce restaurant situé près des Champs-Elysées sert une cuisine italienne raffinée. Clientèle chic d'habitués et de gens du quartier. Peu de tables dans ce restaurant très prisé. Pour des dîners intimes, réservez de préférence l'une des deux tables rondes.

SAINT MORITZ (LE)

33 av Friedland (8°)
45 63 49 55
De 12h à 15h et de 19h à 22h. Fermé sam, dim et fêtes. Env 400F. Une grande salle à manger confortable et chaleureuse avec boiseries patinées, tableaux champêtres et tentures rouges. Clientèle discrète et bien élevée. Cuisine élaborée à base de poissons frais et d'abats et spécialités comme la poularde de Bresse.

TAN DINH

60 rue de Verneuil (7°)
45 44 04 84
De 12h à 14h et de 19h30 à 23h. Fermé le dim. De 250 à 300F. Un vietnamien en noir et rouge au décor devenu malheureusement un peu froid depuis quelques années. Ambiance feutrée et cuisine raffinée pour une clientèle très 7° arrondissement. Une des meilleures caves de Paris.

TONG YENG

1bis rue J. Mermoz (8°)
42 25 04 23

L I E U X

Les Bourgeoises

De 12h à 14h30 et de 19h à 24h. De 300 à 350F. Un des meilleurs chinois de Paris où se retrouvent la "politique" et les gens du spectacle. Cadre élégant. Spécialités chinoises et thaïlandaises et accueil particulièrement chaleureux.

AMBIANCE DECONTRACTEE

BOURGEOISES (LES)
12 rue des Francs-Bourgeois (3°)
42 72 48 30
De 12h30 à 14h et de 20h à 23h. Fermé dim et lundi midi. Env 230F. Réservez pour le soir. Décor chaleureux et chargé, nappes fleuries, lumière tamisée et bougies sur la table le soir. Clientèle d'habitués et du quartier. Bonne cuisine maison avec des plats français et exotiques : ravioles, terrine de foie de volaille, lapereau à l'ail et au thym, tandoori de poulet, curry de porc... Délicieux desserts. Réservez en bas.

DOMINIQUE
19 rue Bréa (6°)
43 27 08 80
De 12h15 à 14h15 et de 19h15 à 22h30. De 200 à 250F. Un restaurant russe classique de Montparnasse. Aux deux salles plus calmes,

L I E U X

RESTAURANTS DECONTRACTES

préférez (pour les déjeuners et les dîners avant le cinéma), le bar de l'entrée pour déguster blinis et saumon en compagnie d'une clientèle d'habitués et de gens de la presse.

FOUS DE L'ILE (LES)
33 rue des Deux-Ponts (4°) 43 25 76 67
Tous les jours de 19h à 23h. Brunch le dim. Env 160F. Une des seules adresses de la rue restée à l'écart des circuits touristiques. Une salle décorée façon bistrot rajeuni et remis au goût du jour pour une clientèle plutôt jeune, un peu bohême et mode du Marais. Des toiles de peintres aux murs et des ardoises où sont inscrits les plats du jour. Cuisine honnête familiale (curry, viandes grillées, blanquette..., fromages, gâteau au chocolat...), service agréablement décontracté.

Sympathique pour un dîner entre copains. Réservez impérativement dans la première salle et loin de la porte en hiver.

HWANG SHANG
21 rue de Tournon(6°) 43 26 25 74
De 12h à 14h30 et de 19h à 22h30. Fermé le dim. Env 100F. Menu midi à 60F. Un restaurant chinois de quartier fréquenté par une clientèle classique d'habitués. Une cuisine mi-vietnamienne, mi-chinoise plutôt bonne et des spécialités de cassolettes ou à la vapeur. Le décor simple est agréable : nappes blanches, murs tapissés de rouge et décorés de motifs orientaux. Le service est efficace, souriant et discret.

JUVENILE' S
47 rue de Richelieu (1°) 42 97 46 49
De 11h à 23h. Fermé le dim. Env 150F. Petit bar

à vins de la famille du Willi's au décor simple et agréable (à condition d'éviter la seconde salle) pour dîner simplement entre copains. Bons petits plats ou tapas. Tables alignées devant le bar, ambiance sympathique au coude à coude entre gens généralement bien élevés.

MARIA (CHEZ)
16 rue du Maine (14°) 43 20 84 61
De 20h30 à 0h30. Fermé le dim. Env 150F. Un peu à l'écart de Montparnasse, c'est le minuscule bistrot de générations de comédiens. Quelques tables pour une cuisine française honnête. Ambiance très conviviale.

MOULIN DU VILLAGE (LE)
25 rue Royale- Cité Berryer (8°) 42 65 08 47
De 12h à 14h30 et de

LIEUX

19h à 23h. Fermé sam et dim. Env 250F. Menu midi à 180F. Un restaurant sage dans un petit passage de la Madeleine. L'immobilier le menace de disparition donc profitez sans tarder de la bonne cuisine bourgeoise proposée. Clientèle sympathique. Terrasse l'été.

PASSAGE (LE)

18 pass de la Bonne-Graine (11°)
47 00 73 30
De 12h à 15h et de 19h30 à 23h30. Fermé sam midi et dim. Env 110F à midi et 150F le soir. Un bar à vins caché dans un petit passage de la Bastille. Déco façon fermette normande avec photos en noir et blanc de jazzmen au mur. Plats originaux comme les pieds Jamet (pieds de porc désossés et fourrés de foie gras). Clientèle du quartier et artistes. Vins un peu chers.

PLANCHA (LA)

34 rue Keller (11°)
48 05 20 30
De 18h30 à 2h (dîner jusqu'à 23h). Fermé dim et lundi. De 100 à 150F. Une bodega à la sévillane sur quelques métres carrés qui fait le plein tous les soirs. Atmosphère exotique garantie pour des tapas comme là-bas. Service sympathique et chaleureux.

PETITES SORCIERES (LES)

12 rue Liancourt (14°)
43 21 95 68
De 12h à 14h et de 20h à 22h. Fermé sam midi et dim. Env 180F. Menu midi à 110F. Un restaurant de quartier qui sert des petits plats français de tradition ou élaborés. Cadre simple et agréable, service gentil. Clientèle du quartier sympathique.

TORTILLA FLAT

49 rue Lepic (18°)
42 59 12 97
De 12h à 14h30 et de

20h à 1h. Fermé le dim. Env 120F. Un petit restaurant mexicain sur deux niveaux, lieu de rencontre des jeunes du quartier. Déco amusante, murs peints de grands paquebots, tables en bois pour boire une bière autour de quelques tapas exotiques ou de petits plats mexicains sans prétention. Ambiance musicale bruyante. Réservez pour le soir.

VERRE BOUTEIILLE (LE)

88 av des Ternes (17°)
45 74 01 02
De 12h à 15h et de 19h à 5h. Env 180F. Un bar à vins nouveau style décoré de jeux d'enfants anciens. Plats traditionnels ou salades composées servis par d'agréables jeunes personnes. Clientèle de Neuilly et du quartier.

AMBIANCE MODE

ANAHI

49 rue Volta (3°)
48 87 88 24
Tous les jours de 20h à

L I E U X

24h. De 180 à 200F.
Une ancienne boucherie
de quartier décorée de
carreaux à motifs,
reconvertie en
restaurant argentin à la
mode depuis toujours.
Service sans
démonstration. Bonne
cuisine : churrascos et
recettes typiques (tarta
pasqualina, ceviche, et
plats en sauce).
Réservez de préférence
dans la première salle.

ASSIETTE (L')

*181 rue du Château
(14°) 43 22 64 86*
*De 12 h à 14h30 et de
20h à 22h30. Fermé
lundi et mardi. De 350 à
400F.* Ce bistrot-
institution et mode de
Montparnasse non
seulement est réputé
pour sa patronne, Lulu,
véritable titi parisien,
mais aussi pour sa
cuisine familiale. Dans
ce décor 1900, les
grands de ce monde,
invectivés par la verve
légendaire de Lulu
hésitent entre le boudin
noir, le gibier de saison

ou le boeuf à la ficelle
avant de terminer par
une délicieuse tarte aux
pommes. Accueil
parfois rude.
Réservation
indispensable.

BLUE ELEPHANT

*43 rue de la Roquette
(11°) 47 00 42 00*
*Tous les jours de 12h à
14h et de 19h à 24h
sauf sam midi. Env 300F.*
Le dernier thaïlandais
en vogue à la Bastille,
quatrième petit d'une
chaîne internationale.
Déco toc de jungle
tropicale agrémentée
d'exotisme carton-pâte.
Une vaste salle bruyante
pour un public-mode ou
très quelconque. Une
cuisine goûteuse et très
réussie. Service efficace
et discret, accueil
chaleureux.

BRASSERIE DE L'ALMA

*5 pl de l'Alma (8°)
47 23 47 61*
*Tous les jours de 14h30
à 15h et de 19h à 0h30.
Env 250F.* A la mode
par la fréquentation

constante du milieu du
show-bizz et du cinéma
qui vient ici en habitué.
Les tables sont
espacées, la cuisine
n'étonnera personne
mais on peut déjeuner
ou dîner simplement
dans ce cadre
confortable. Plus calme
le soir terrasse en été :
réservez votre table.

CABANON DES MAITRES NAGEURS

*9 rue L.-Robert (14°)
43 20 64 14*
*De 12h à 14h et de 20h
à 23h15. Fermé sam
midi, dim et lundi midi.
Env 200F. Formule midi à
80F.* Un tout petit
restaurant au décor
de cabanon sophistiqué.
Cuisine corse ou
traditionnelle allégée
avec beaucoup de plats
de poissons. Fréquenté
par le tout
Montparnasse éclairé.
Réservez de préférence
dans la seconde salle.

CAFE DE MARS (LE)

*11 rue Augereau (7°)
47 05 05 91*

Casa Bini

De 12h à 14h30 et de 20h30 à 23h30. Fermé le dim soir. Env 150F. (Brunch dim midi.) Un des cafés parisiens des années 50 a avoir échappé au joug des décorateurs modernes. Formica jaune et carrelage sont toujours là, mais on a peint un ciel au plafond et l'éclairage n'est plus au néon pour plaire à une clientèle plutôt jeune du 7° à qui il manquait cruellement un bar-restaurant un peu mode. Cuisine californienne parfois un peu compliquée et bières mexicaines.

CAFE MODERNE
19 rue Keller (11°)
47 00 53 62
De 12h à 14h et de 20h à 22h30. Fermé sam et dim. Env 150F. Un ancien café-bar de la Bastille, juste repeint ce qu'il faut pour en garder encore l'atmosphère d'hier. Le grand billard reste le clou de l'arrière-salle. Cuisine, fort bonne, traditionnelle remise au goût léger. Service pas toujours rapide mais souriant.

CAFE PARISIEN (LE)
15 rue d'Assas (6°)
45 44 41 44
Tous les jours de 12h à 15h et de 20h à 23h30. Env 100F à midi et 150F

le soir. Un petit restaurant au décor authentique et patiné de bistrot. Cuisine bonne et simple avec des plats du jour inscrits sur une ardoise. Clientèle mode midi et soir, plus calme vers 20h. Ambiance sympathique et décontractée et peu d'intimité sauf pour la table ronde. Petite terrasse en été sur cette partie relativement calme de la rue d'Assas.

CASA BINI

36 rue G.-de-Tours (6°)
46 34 05 60
De 12h30 à 14h30 et de 19h30 à 23h.
Réservation indispensable.
Fermé sam midi et dim.
Env 220F. Une salle claire et décontractée au rez-de-chaussée, et une autre plus classique à l'étage. Clientèle mode et sophistiquée. Cuisine simple mais très bonnes spécialités de carpaccio. Choisissez la salle du bas, côté banquettes.

COMPTOIR (LE)

14 rue Vauvilliers (1°)
40 26 26 66
Tous les jours de 11h à 2h. Env 120F. Un ancien bar des Halles revisité façon bar à tapas moderne : déco originale, petites tables et fauteuils. Toute la journée, on peut grignoter des assiettes variées accompagnées de petits vins. Clientèle mode surtout le soir. Terrasse animée aux beaux jours.

ELEPHANT (L')

10 rue du Trésor (4°)
42 76 03 22
Tous les jours de 20h à 24 h. Env 200F. Dans le genre nouveau bistrot. Cadre clair et peintures d'éléphants. Clientèle mode et "gay", assise au coude à coude. Cuisine française simple. Ambiance décontractée parfois au bord de l'hystérie à l'arrivée d'exubérants personnages. Petite terrasse l'été. Mieux vaut réserver.

LUNA (LA)

12 rue Dauphine (6°)
46 33 85 85
De 12h30 à 14h30 et de 19h à 22h45. Fermé le dim. De 300 à 500F. Un design recherché à la mode barcelonaise pour ce restaurant de poissons qui s'est implanté comme l'un des meilleurs. Clientèle à la mode ou de quartier selon les soirs.

NATACHA

17bis rue Campagne-Première (14°)
43 20 79 27
De 20h30 à 1h. Fermé le dim. De 200 à 250F. Un restaurant avec une pointe d'exotisme, rendez-vous du show-bizz et du cinéma. Cuisine française simple et bonne et quelques plats étrangers. Atmosphère animée et sympathique. Réservez dans la salle du rez-de-chaussée. Attention, Natacha selon son humeur peut vous refuser une table.

PLEIN-SUD

10 rue St-Merri (4°)
48 04 95 47
De 12h à 14h30 et de
20h à 24h. Env 200F.
Près de Beaubourg, ce
restaurant mexicain aux
teintes pastel sert une
cuisine pimentée
correcte et copieuse.
Clientèle de jeunes gens
mode et ambiance
toujours au beau fixe.

POETE IVRE (LE)

8 rue L.-Bellan (2°)
40 26 26 46
De 12h à 15h et de
19h30 à 22h30. Fermé
le dim. Env 250F. Autour
des Halles, un
thaïlandais au décor
sophistiqué animé par
une jeune femme
excentrique. Clientèle
de jeunes stylistes ou de
journalistes.

RESTAURANT (LE)

32 rue Véron (18°)
42 23 06 22
De 12h à 14h30 et de
20h à 23h. Fermé dim et
lundi. Env 200F. Menu
midi à 98F. Dans une

maison d'angle de la
Butte Montmartre, une
salle claire avec
quelques plantes et
miroirs. Carte française
élaborée, bonne cuisine.
Clientèle à la mode et
du quartier. Réservation
indispensable.

RESTAURANT DES
VOYAGEURS (LE)

1 rue Keller (11°)
48 05 86 14
De 12h à 14h30 et de
20h à 24h. Fermé le dim.
Env 150F. Une grande
salle avec des
banquettes tout autour.
Les murs reçoivent tous
les mois des expositions
temporaires. Cuisine
traditionnelle et service
efficace pour une
clientèle de galeristes,
de peintres et de
journalistes. Tables
espacées.

STRESA (LE)

7 rue de Chambiges (8°)
47 23 51 62
De 12h15 à 14h30 et
de 19h15 à 22h30.
Réservez impérativement.

Fermé sam soir et dim.
Env 400F. Un décor
simple et net pour ce
restaurant italien très
prisé par le milieu de la
mode. Ambiance bistrot
distingué. Cuisine
italienne et plats de
pâtes sophistiqués.

VOLTAIRE (LE)

27 quai Voltaire (7°)
42 61 17 49
De 12h30 à 15h et de
19h30 à 22h. Fermé dim
et lundi. Env 350F. Un
incontournable de la
Rive Gauche. Décor
années 50 tout en
boiseries et banquettes
confortables. Clientèle
élégante d'artistes et de
créateurs. Bonne cuisine
bourgeoise
indémodable. Réservez
impérativement et de
préférence dans la salle
à gauche. Service
impeccable et accueil
courtois du patron qui
reste imperturbable aux
phénomènes de mode.

WILLI'S

13 rue des Petits-Champs
(1°) 42 61 05 09

L I E U X

RESTAURANTS ETRANGERS

De 12h à 14h30 et de 19h15 à 23h. Fermé le dim. Env 200F. Menu env 150F. Genre bar à vins à la new-yorkaise pour ce premier restaurant de l'équipe de Juvenile's. Clientèle mélangée mais très agréable. Grand bar à l'entrée et petites tables dans la salle, mais nous vous conseillons de réserver l'une des tables espacées. Petits plats sophistiqués comme le tartare de saumon et cuisine du marché. Ambiance décontractée et conviviale.

AMBIANCE DEPAYSANTE

ARGENTIN

ANAHI

49 rue Volta (3°)
48 87 88 24
Tous les jours de 20h à 24h. Env 200F. Très bonne cuisine argentine churrascos, ceviche, tarta pasqualina, ou petits plats en sauce sans oublier pour finir

le dulce de leche. Anahi reste à la mode depuis son ouverture. Est-ce dû à la cuisine ou au décor charmant d'ancienne boucherie ? Réservez dans la première salle.

ASIATIQUE

CHEZ VONG AUX HALLES

10 rue de la Grande-Truanderie (1°)
40 26 09 36
De 12h à 14h et de 19h30 à 0h30. Fermé le dim. Réservation obligatoire. Env 300F.
Un restaurant tout en laqué rouge et noir qui excelle dans les dim-sum (raviolis à la vapeur), les crevettes sautées ou l'agneau au gingembre. Clientèle sophistiquée.

CHIENG MAI

12 rue F.-Sauton (5°)
43 25 45 45
De 12h à 14h et de 19h à 23h. Fermé le dim. Env 150F. Une institution thaïlandaise près de la place Maubert qui dans

un cadre très classique sans ostentation sert une cuisine recherchée. Mieux vaut réserver pour savourer des plats typiques comme les ailes de poulet farcies. Clientèle d'habitués.

DELICES DE SZECHUEN

(AUX)
40 av Duquesne (7°)
43 06 22 55
De 12h à 14h30 et de 19h30 à 22h30. Fermé le lundi. Env. 180F. Menu à 96F. Un restaurant typique et confortable, des tables espacées, une ambiance agréable et calme pour des dîners en tête-à-tête ou entre amis. Bonne cuisine et quelques spécialités. A retenir, la terrasse pour les beaux jours.

ERAWAN

76 rue de la Fédération (15°) 47 83 55 67
De 12h à 14h30 et de 19h30 à 22h30. Fermé le dim. Env 160F. Menu midi à 69F. Un des meilleurs thaïlandais de

Anahi

Paris. Décoration chic en accord avec la clientèle très classique. Cuisine raffinée : plusieurs menus bien construits vous sont proposés. Spécialités de fondue. Réservation indispensable.

POETE IVRE (LE)
8 rue L.-Bellan (2°)
40 26 26 46
De 12h à 15h et de 19h30 à 22h30. Fermé le dim. Env 250F. C'est Toum aux cheveux multicolores qui anime cet endroit devenu le top des rédactrices de mode et autres "néo-bourgeois". Ambiance sophistiquée dans le décor et l'assiette pour une cuisine thaïlandaise raffinée. Soupes compliquées et goûteuses. Un grand moment de saveur.

ROYAL BELLEVILLE - PRESIDENT
120 fg du Temple (11°)
43 38 22 72
Tous les jours de 12h à 15h et de 19h à 2h. Env 120F. Menu midi à 60F env. Un immense restaurant de cuisine asiatique dont le décor grandiose et kitsch vaut le détour. Grandes tablées de familles chinoises. Cuisine assez bonne et si vous êtes là un jour de mariage, dépaysement garanti. Pour fans de Chinatown.

L I E U X

TAN DINH
60 rue de Verneuil (7°)
45 44 04 84
De 12h à 14h et de
19h30 à 23h. Fermé le
dim. De 250 à 300F.
Le vietnamien du 7°
arrondissement
spécialisé dans les
raviolis, le satay
d'aiguillettes ou le
poulet à la cardamone.
Cuisine légère et
raffinée dans un décor
rouge et noir un peu
froid. Clientèle chic.
Une des meilleures
caves de Paris.

THAI ORCHID
34 bd St-Germain (5°)
43 25 08 40
De 12h à 15h et de
19h30 à 24h. Fermé sam
et dim. Env 150F. Très
exotique petit restaurant
thaïlandais de quartier.
Le décor chaleureux et
kitsch ressemble à ceux
des séries télé améri-
caines. Le service
féminin est agréable et
également exotique. A
la carte, toutes les
spécialités thaï :

crevettes à la citron-
nelle, crabe farci, poulet
au curry.
Délicieusement
parfumées ou épicées.
Egalement des
spécialités
vietnamiennes.
Clientèle mélangée et
plutôt simple du
quartier. Réservez dans
la première salle.

TONG YENG
1bis rue J.-Mermoz (8°)
42 25 04 23
De 12h à 14h30 et de
19h à 24h. De 300 à
350F. Un chinois très
élégant du quartier des
Champs-Elysées qui
propose aussi une
cuisine thaïlandaise.
Cuisine ultra raffinée et
accueil très aimable.

B R E S I L I E N

BOTTEQUIM
1 rue Berthollet (5°)
43 37 98 46
De 20h à 24h. Fermé
dim et lundi. De 150 à
200F. Décor clair et
frais pour ce brésilien
haut de gamme dans sa

cuisine. De la feijoada
ou de la morue avec
sauce épicée. Vins
portugais et batidas.
Mieux vaut réserver.

GUY (CHEZ)
6 rue Mabillon (6°)
43 54 87 61
De 20h à 1h. Fermé le
dim. Env 200F. Un décor
tropical pour ce
restaurant brésilien qui
se cache à Saint-
Germain-des-Prés.
Poussez la porte noire,
le carnaval est à deux
pas en fin de soirée.
Spécialités de feijoada,
churrascos et autres
plats exotiques. Accueil
tout en jeunesse et
clientèle mélangée
venue faire la fête.

E S P A G N O L

ARCO
12 rue Daunou (2°)
42 60 07 20
De 19h à 23h. Fermé le
dim.Env 200F. Une
grande salle néo-
Renaissance espagnole
du côté de l'Opéra, qui
sert non-stop des tapas.

Anchois marinés, moules vinaigrette, tortillas, oeufs farcis, jamon serrano... accompagnés de vins lourds. Clientèle très comme il faut! Le soir, ambiance de plus en plus décontractée avec l'heure.

CASA ALCALDE

117 bd de Grenelle (15°) 47 83 39 71

De 12h à 14h et de 19h à 22h30. Réservez. Fermé le dim et lundi midi. Environ 200F. Ce restaurant espagnol privilégie la paëlla, une des meilleures de la capitale. Ambiance typique du Pays basque de l'autre côté de la frontière entre poivrons séchés, chistera et ballon de rugby. A savourer aussi dans cette convivialité déchaînée certains soirs, le gaspacho ou le "jamon serrano". Clientèle d'afficionados.

CASA TINA

18 rue Lauriston (16°) 40 67 19 24

De 12h à 15h et de 20h à 23h. Fermé sam midi et dim. De 100 à150F. Une réplique d'un bar à tapas de Madrid. Murs jaunes sévillans ornés de quelques affiches espagnoles. Quelques tables et un grand bar pour des tortillas ou la paëlla valencienne le vendredi et le samedi soir. Réservation recommandée.

G R E C

DELICES D'APHRODITE (LES)

4 rue de Candolle (5°) 43 31 40 39

De 11h à 14h30 et de 19h30 à 23h. Fermé le lundi. Env 150F. Près de l'église Saint-Médard, une jolie taverne grecque sophistiquée et gaie à la devanture bleue typique, fréquentée par une clientèle chic du quartier et d'habitués.

Bonne cuisine grecque traditionnelle, simple et légère. Service stylé et agréable pour ce restaurant du traiteur Mavrommatis. Terrasse de charme en été.

I N D I E N

KAMAL

20 rue Rousselet (7°) 47 34 66 29

De 12h à 14h30 et de 20h à 23h. Fermé le dim. De 160 à 180F. Menu midi à 85F. Très bonne cuisine indienne raffinée avec des plats traditionnels (curries, tandoories, nam, raïta...) et des spécialités délicieusement épicées. Le cadre est simple mais agréable, la clientèle classique et calme et le service reposant. Choisissez la salle du rez-de-chaussée avec miroir, les tables y sont espacées.

PAPADAM (LE)

27 rue Madame (6°) 45 48 69 57

L I E U X

De 12h15 à 14h et de 19h30 à 22h30. Fermé sam midi et dim. De 120 à 150F. Un petit restaurant indien sans prétention dans cette partie très calme de la rue Madame. Décor simple de tissus à motifs cachemire. Des spécialités comme le poulet tandoori ou le madras d'agneau. Service délicat et clientèle tranquille.

I T A L I E N

AU CHATEAUBRIAND
23 rue de Chabrol (10°)
48 24 58 94
De 12h15 à 14h30 et de 19h30 à 22h15. Fermé dim et lundi. Env 250F. Menu à 150F. Décor très chargé, plutôt kitsch des années 50. Les murs sont chargés des toiles d'artistes autrefois habitués du lieu: Chagall, Lorjou... Ambiance pittoresque et bonne cuisine italienne riche.

BARTOLO
7 rue des Canettes (6°)
43 26 27 08
De 12h à 14h30 et de 19h à 23h. Fermé dim soir et lundi. De 150 à 200F. Une trattoria de Saint-Germain-des-Prés, haute en couleurs. La famiglia est en cuisine et Naples sur les murs. Pizzas et bonne cuisine italienne pour une clientèle de Parisiens connaisseurs assise au coude à coude. Petite terrasse aux beaux jours.

FELLINI
58 rue de la Croix-Nivert (15°)
45 77 40 77
De 12h15 à 14h30 et de 19h30 à 22h45. Fermé sam midi et dim. Env 230F. Une cuisine italienne très appréciée par nombre d'adeptes de la Péninsule. Murs blancs avec quelques casseroles en cuivre et devant le grand bar, des tables nappées de rose pour un festival de pâtes

fraîches ou du foie de veau à la vénitienne. Pour terminer l'incontournable zabaïon ou un tiramisú.

RELAIS DU BOCCADOR
20 rue du Boccador (8°)
47 23 31 98
Tous les jours de 11h45 à 14h et de 19h30 à 22h45. Env 250F. Excellente cuisine italienne : délicieuses entrées de légumes à l'huile d'olive, pâtes bien sûr, petites escalopes au citron, et bons desserts. Le cadre tout en boiseries des années 50 est plein de charme. La clientèle est à la fois classique et chic. Les tables ne sont malheureusement pas espacées mais pour des dîners à trois ou à quatre, on peut réserver l'une des tables rondes.

J A P O N A I S

ISSE
56 rue Ste-Anne (2°)
42 96 67 76

L I E U X

De 12h à 14h et de 19h 22h. Fermé sam midi, dim et lundi midi. De 250 à 350F. La cantine des Japonais de Paris qui se retrouvent dans ce petit restaurant de deux étages au décor vieilli. Cuisine toujours bonne de sushis et de tempuras (beignets) servis parfois avec lenteur. Prix un peu excessifs. Clientèle toujours mode.

KINUGAWA

9 rue du Mont-Thabor (1°) 42 60 65 07
De 12h à 14h30 et de 19h à 22h. Fermé le dimanche. De 350 à 450F. Un japonais en étage à côté de l'hôtel Meurice. Clientèle mode pour des sashimis (poisson cru), des yakimonos (poisson grillé) et nikou tori (viande et volaille) sans oublier les sushis. Réservation indispensable.

ORIENT-EXTREME

4 rue B.-Palissy (6°) 45 48 92 27

De 12h à 14h30 et de 19h à 23h. Fermé le dim. Menus 99 et 158F. Après un passage par un magasin de mode très sophistiqué, l'ancienne équipe de la Mousson d'Asie a recréé un restaurant oriental toujours dans le même lieu. Le décor suranné a laissé la place à une décoration dans le style new-yorkais : bois et teintes claires, grand bar. La lumière et le service manquent un peu de chaleur mais les spécialités japonaises (sushi, sashimi, yaki tori) et vietnamiennes sont très bonnes. La clientèle est à la mode, les prix encore raisonnables et les bonnes adresses sont rares à Saint-Germain-des-Prés. Réservation nécessaire.

YAKIJAPO

8 rue du Sabot (6°) 42 22 17 74
De 12h à 14h30 et de 19h à 23h. Menus 117 et 160F. Celui qui fut

l'un des premiers restaurants japonais à Paris ne désemplit pas quel que soit le jour et l'heure. On comprend pourquoi : l'atmosphère est toujours agréable, le service professionnel et rapide, la nourriture bonne (yakitori, sushi et sashimi), la clientèle sympathique. On peut même dîner le long d'un grand bar à l'entrée.

YAKITORI

34 pl du Marché-Saint-Honoré (1°) 42 61 03 54
De 12h à 14h15 et de 19h à 22h45. Fermé le dim. Env150F. Quelques serveurs en kimono qui débitent des petits morceaux de viande à toute vitesse pour des brochettes japonaises de poulet ou de boeuf. Clientèle cosmopolite et terrasse en été.

MAROCAIN TUNISIEN

TAJINE (LE)

13 rue de Crussol (11°) 47 00 28 67

L I E U X

De 12h à 14h30 et de 19h30 à 24h. Fermé le lundi. Env 170F. Derrière le cirque d'Hiver, un petit restaurant de spécialités marocaines dont l'adresse se donne de bouche à oreille. Une petite salle au plafond tendu de toile écru, des luminaires orientalistes, des nappes blanches pour servir des tajines, des couscous ou des grillades et des poissons. Clientèle du quartier et de galeristes ou artistes en secret. Réservation indispensable le soir.

WALLY

16 rue Le Regrattier (4°)
43 25 01 39
De 12h à 14h et de 19h à 22h30. Fermé dim et lundi. Env 220F. Juste dans l'île Saint-Louis, une sorte de tente berbère avec tapis, moucharabiehs et cuivres rutilants pour déguster des sardines fraîches ou une pastilla suivie d'un couscous "sec" pour accompagner une viande. Pour finir des pâtisseries. Clientèle d'habitués mélangée à des gens mode.

M E X I C A I N

PLEIN-SUD

10 rue St-Merri (4°)
48 04 95 47
De 12h à 14h30 et de 20h à 24h. Env 200F. Près de Beaubourg, un petit restaurant mexicain aux couleurs pastel où dans une joyeuse ambiance on sert des guacamole, ceviche, tacos variés et viandes grillées. Clientèle jeune à tendance "gay" qui ne dédaigne pas avant de dîner, une margarita corsée.

R U S S E
E U R O P E
D E L ' E S T

A LA VILLE DE PETROGRAD

13 rue Daru (8°)
42 27 96 55
De 12h à 14h30 et de 20h à 1h. Fermé dim et lundi. Env 250F. Menu midi à 95F. Une ancienne épicerie russe, juste devant le parvis de l'église orthodoxe, qui ne fait plus que de la restauration dans une salle aux grandes baies vitrées. Plus agréable le soir pour apprécier du caviar et des pirojikis accompagnés de vodka. Clientèle calme et bien élevée. Réservez le soir.

DOMINIQUE

19 rue Bréa (6°)
43 27 08 80
De 12h15 à 14h15 et de 19h15 à 22h30. De 200 à 250F. Une partie bar au charme intemporel où l'on s'installe au coude à coude. Plus intime, la salle du restaurant au rez-de-chaussée décorée typiquement est aussi agréable. A la carte : zakouskis, saumon, brochettes. Les desserts manquent d'intérêt mais l'atmosphère est agréable.

MAROUSSIA

9 rue de l'Eperon (6°)
43 54 47 02
De 12h à 14h30 et de
19h30 à 23h. Fermé le
dim. Env 250F. Menu
midi à 75F. Près de
l'Odéon, décor simple
pour déguster à midi
une assiette de
zakouskis ou un saumon
fumé. Le soir, préférez
les pielsmenis, raviolis
sibériens ou le caviar.
Clientèle littéraire du
quartier et russophiles
amateurs de vodka.

S C A N D I N A V E

FLORA DANICA

142 av des Champs-
Elysées (8°)
43 59 20 41
De 12h à 14h30 et de
19h15 à 22h30
Salle du haut fermée le
dim. Env. 400F. Une
jolie salle parée de
faïences bleues, qui
s'ouvre l'été sur un
patio. Un endroit
agréable pour déguster
des poissons de la
Baltique : saumon
(mariné ou cuit à

l'unilatéral), harengs,
etc. Cher, donc clientèle
sélectionnée.

SKOGLUND

14 rue St-Claude (3°)
48 04 05 06
De 12h à 14h et de 20h
à 23h. Fermé dim et
lundi. Env 200F. Une
symphonie à la "Ikéa",
jaune et grise pour une
cuisine suédoise. Dans
le Marais, ce petit
restaurant à étages
propose des poissons
fumés et marinés
comme le saumon qui
se déguste aussi à la
vapeur. Egalement des
pâtisseries maison.
Clientèle du quartier et
fans de pays du Nord
dont la convivialité
augmente avec
l'akvavit.

C A F E S

**AU PETIT FER
A CHEVAL**

30 rue Vieille-du-Temple
(4°) 42 72 47 47
De 12h à 1h. Env 80F.
Un vieux bistrot
parisien, tout petit avec

un comptoir en forme
de fer à cheval qui s'est
remis à la mode du
Marais. Petite terrasse
bruyante en été. Plat du
jour à 50F ou petits
plats à avaler sur le
pouce. Quelques
cocktails à l'heure de
l'apéritif.

BASILE

34 rue de Grenelle (6°)
42 22 59 46
De 7h à 20h30. Fermé le
dim. Situé au coin de la
rue de Grenelle et de la
rue Stanislas, ce café
très sympathique au
décor très clair peint en
blanc cassé avec des
photos noir et blanc est
le lieu favori des
étudiants de Sciences-
Po et des gens des
boutiques de mode
alentour. L'ambiance
est agréable,
décontractée et animée
pour le déjeuner
(sandwichs ou plat du
jour). Minuscule
terrrasse mais la salle
autour du bar est
agréable même l'été

avec ses baies grandes ouvertes.

CAFE BEAUBOURG

45 rue St-Merri (4°)

48 87 63 96

Tous les jours de 8h à 1h (2h ven et sam). Ouvert après le Café Costes de Philippe Starck, ce deuxième café design est l'oeuvre de Christian de Portzamparc. La salle du premier étage est plus chaleureuse, et plus à l'abri l'hiver des courants d'air. Pour se donner rendez-vous ou déjeuner rapidement au coeur de Paris. Plus calme à midi et en semaine, sinon très animé et fréquenté par la clientèle des Halles et de Beaubourg mélangée aux touristes.

CAFE COSTES

4 rue Berger (1°)

45 08 54 39

Tous les jours de 8h à 2h. Devenu un classique, le Café Costes est le premier de la génération des nouveaux méga-

cafés design. Le décor très "Métropolis" de Philippe Starck attire une clientèle mode à laquelle s'ajoutent la clientèle typique du quartier et de touristes venus visiter le lieu. Terrasse très animée l'été sur la place des Innocents.

CAFE DE L'INDUSTRIE

16 rue St-Sabin (11°)

47 00 13 53

De 12h à 24h. Fermé le sam. Un grand café à l'ambiance cosmopolite comme on peut en trouver à Londres ou Amsterdam fréquenté par une clientèle mélangée et très sympathique. Décoration chaleureuse et pleine de charme avec un mélange de styles pour une ambiance coloniale: tapis au sol, banquettes en moleskine rouge, cadres de photos des Colonies, ventilateurs, grandes plantes vertes, joli éclairage. Parfait le

dimanche et l'après-midi, très animé midi et soir. Carte pour déjeuner et dîner ; choisissez les salades et les assiettes froides.

CAFE DE LA MAIRIE

8 pl St-Sulpice (6°)

43 26 67 82

De 7h à 22h30 ou plus. Fermé le dim. Sur la place Saint-Sulpice à Saint-Germain-des-Prés, le seul café qui regroupe à sa terrasse, trop convoitée aux beaux jours, les éditeurs, écrivains, gérants des boutiques de mode alentour et étudiants. Croque-monsieur et salades sous les platanes et vue sur la fontaine XIXe. Charme garanti.

FLORE (CAFE DE)

172 bd St-Germain (6°) 45 48 55 26

Tous les jours de 7h à 1h30. Un lieu incontournable toujours très agréable pour déjeuner ou simplement

Au Petit Fer à Cheval

boire un verre. La clientèle est plutôt touristique en terrasse mais agréablement mélangée à l'intérieur : intellectuels, show-business, artistes, couples d'amoureux... A la carte : des oeufs à la coque, des assiettes de jambon et de fromage, des salades mixtes... Service agréable malgré le succès.

MA BOURGOGNE
19 pl des Vosges (4°)
42 78 44 64
Tous les jours de 8h à 1h.
Env 170F. Le café de la place des Vosges où paresser l'été au frais en terrasse et l'hiver à l'intérieur sur banquettes de moleskine rouge. Au coude à coude pour manger une petite cuisine de brasserie sans prétention parmi les

intellectuels et les artistes du quartier. A préférer l'hiver... sans touristes.

MAZARIN (LE)
42 rue Mazarine (6°)
43 29 99 01
De 8h30 à 1h30. Fermé le dim. Au milieu des galeries de Saint-Germain, un bistrot-bar bien sympathique qui possède une charmante terrasse. A l'intérieur, deux petites salles

L I E U X

patinées jaunes couvertes d'affiches de galeries pour manger des plats cuisinés traditionnels. Ambiance bon enfant de galeristes en semaine.

PALETTE (LA)
43 rue de Seine (6°)
43 26 68 15
De 8h à 1h30. Fermé le dim. Un incontournable avec son bar très animé, sa salle de billard décorée de panneaux art déco et ses tableaux des élèves des Beaux-Arts. Ambiance vivante à midi, service un peu rustre suivant les heures et les têtes. Clientèle des étudiants des Beaux-Arts et galeristes alentour. Terrasse très convoitée.

PALETTE BASTILLE (LA)
116 av Ledru-Rollin (11°)
47 00 34 39
Tous les jours de 7h à 2h. De 80 à 100F à midi.
En lisière des galeries de la Bastille, ce bistrot 1900 au décor "Nouille" rénové, fait le plein de

sa terrasse pourtant bruyante, en été. Plats du jour, brochettes et steak tartare pour une clientèle assez mode du quartier. Plus agréable à l'intérieur et salle au premier étage, plus calme pour rendez-vous intime.

SELECT (LE)
99 bd du Montparnasse (6°) 42 22 65 27
Tous les jours de 8h à 2h30 (un peu plus tard le week-end). Décor intact pour ce grand classique de Montparnasse des années 20 qui a traversé les décennies avec sagesse pour rester un grand classique d'aujourd'hui. Très agréable pour les déjeuners légers dans les salles intérieures. Service aimable, prix raisonnable, clientèle civilisée.

TARTINE (LA)
24 rue de Rivoli (4°)
42 72 76 85
Ouvert de 8h à 22h. Fermé le mardi. Un vrai

café de Paris au décor authentique avec un vaste comptoir en zinc, des grands lustres, des banquettes et quelques tables en terrasse, hélas bruyante. On peut y déjeuner de tartines de pain de campagne accompagnées de bonne charcuterie ou de fromage, arrosées d'un petit vin de pays. Clientèle mélangée.

TOURNON (LE)
20 rue de Tournon (6°)
43 26 16 16
De 7h à 20h. Fermé le dim. Un café de quartier coquet et bien fréquenté à deux pas du Luxembourg et du Sénat. Décor aux tonalités bleu-canard avec des peintures naïves aux murs représentant le jardin du Luxembourg. Sympathique à l'heure du déjeuner ; spécialités de pain "Poilâne", plat du jour ou salades... Service simple et souriant.

L I E U X

VIDE GOUSSET (LE)

1 rue Vide-Gousset (2°)
De 9h à 19h. Fermé sam et dim. A l'écart des mouvements de mode de la place des Victoires, cet authentique petit bar-tabac avec sa devanture peinte en bordeaux, son bar, ses tables et ses chaises de bistrot en bois, ses luminaires-tulipes a gardé le charme et l'atmosphère des cafés d'autrefois. Pour se donner rendez-vous en buvant un petit noir au comptoir.

T E R R A S S E S
C A F E S

BOURBON (LE)

1 pl du Palais-Bourbon (7°) 45 51 58 27
De 7h30 à 24h. Fermé le dim. Un café-brasserie classique avec une terrasse de charme donnant sur la belle place du Palais-Bourbon. Clientèle classique des ministères et de l'Assemblée

nationale égayée par les journalistes de la mode du groupe Vogue. Très agréable en matinée. Carte traditionnelle à midi.

BUVETTE DU LUXEMBOURG (LA)

Jardin du Luxembourg – entrée sur la pl Ed.-Rostand (6°) 43 26 68 15
De 8h30 à 16h15 en hiver et dès janvier selon la tombée de la nuit.Fermé le dim. Dans ce beau jardin de Paris, sous les arbres, face au Sénat, une terrasse agréable surtout pour les petits déjeuners ou pour une salade à l'heure du déjeuner. Tout est dans le décor, les chaises et les tables de jardin en fer et bois. Service et nourriture peu gracieux.

FLANDRIN (LE)

4 pl Tattegrain (16°) 45 04 34 69
Tous les jours de 12h à 23h. Env 200F. La

brasserie up des Naps (Neuilly-Auteuil-Passy) dans une des anciennes stations du chemin de fer de petite ceinture. Rendez-vous avant le tennis au bois ou le rallye du samedi soir, sa terrasse est bourrée de gens genre chic. Cuisine de brasserie sans éclat. C'est l'incontournable du quartier.

FLORE (CAFE DE)

172 bd St-Germain (6°) 45 48 55 26
Tous les jours jusqu'à 1h30. Sur le boulevard Saint-Germain, la terrasse du Flore est sans doute l'une des terrasses les plus animées et les plus fréquentées de Paris. On s'y donne rendez-vous pour déjeuner ou boire un verre et observer les mouvements de la foule de Saint-Germain.

JAMES JOYCE - IRISH - BAR

5 rue du Jour (1°) 45 08 17 04

L I E U X

TERRASSES CAFES

Ouvert tous les jours de 12h30 (dim 14h) à 2h.. Face à Saint-Eustache dans les Halles, une petite terrasse pour avaler une salade et quelques verres de bière irlandaise. Atmosphère jeune et bon enfant.

MA BOURGOGNE
19 pl des Vosges (4°) 42 78 44 64
Tous les jours de 8h à 1h. Env 170F à midi. Sur l'une des plus belles places de Paris, une institution intello qui l'été prend d'assaut les arcades. Si les touristes dénaturent quelque peu l'ambiance suivant les heures, cet endroit reste agréable pour paresser en buvant un verre ou déjeuner.

METHODE (LA)
2 rue Descartes (5°) 43 54 22 43
De 19h à (18h pour le bar) à 1h30. Fermé le mer. En face de l'école Polytechnique sur le flanc de la montagne Sainte-Geneviève, une

petite terrasse qui ne sert pas que des touristes. Cuisine de bistrot mais on peut paresser l'après-midi à sa terrasse pour lire quelques vers de Villon.

PALETTE (LA)
43 rue de Seine (6°) 43 26 68 15
De 8h à 1h30. Fermé le dim. Agréable terrasse située sur la partie de la rue de Seine formant une place. Mieux vaut être un habitué des lieux si on veut avoir une place, sinon l'accueil est un peu rude mais le charme de l'endroit vous le fera vite oublier. Très fréquentée à l'heure du déjeuner par la clientèle des éditeurs et des galeristes du quartier.

PAUSE CAFE
41 rue de Charonne (11°) 48 06 80 33
De 10h à 21h. Fermé le lundi. Une terrasse ensoleillée à midi dans le quartier de la Bastille. Calme relatif suivant les

moments et les jours dans cette partie de la rue de Charonne. Petits plats légers, formule d'assiettes variées et de salades (déjeuner env 100F). Clientèle jeune du quartier et galeristes alentour.

SELECT (LE)
99 Bd du Montparnasse (6°) 42 22 65 27
Tous les jours de 8h à 2h30. Certes, ce n'est pas une découverte, mais ce café mythique des années 30 possède une terrasse ensoleillée plutôt agréable malgré la proximité du boulevard Montparnasse. On peut y manger quelques salades composées, des tartines de pain "Poilâne", y prendre son petit déjeuner ou un verre à l'heure de l'apéritif. Un rendez-vous toujours cosmopolite où se retrouvent touristes sentimentaux, étudiants, artistes du quartier...

L I E U X

et quelques jolies femmes.

TOURNON (LE)
20 rue de Tournon (6°)
43 26 16 16
De 7h à 20h. Fermé le dim. Très agréable terrasse ensoleillée donnant sur la partie large et calme de la rue de Tournon, à deux pas du Sénat et du Luxembourg. Service simple et souriant. A la carte, assiettes de crudités, spécialités de pain "Poilâne", omelettes, jambon de pays... Parfait pour le déjeuner.

VAUBAN (LE)
7 pl Vauban (7°)
47 05 52 67
Tous les jours de 7h à 24h. Un café-brasserie au décor refait à neuf et trop léché avec une grande terrasse très agréable, aérée et calme donnant sur l'hôtel des Invalides. Clientèle classique du quartier mélangée aux touristes. Carte traditionnelle de café-brasserie.

VILLARS (LE)
34 bd des Invalides (7°)
45 51 30 12
De 6h à 1h. Un nouveau décor tape à l'oeil et carton-pâte à l'intérieur mais une terrasse très agréable à l'arrière du café sur l'avenue de Villars. Service efficace mais peu souriant pour les non-habitués. Carte de déjeuner classique de café-brasserie. Clientèle du quartier à midi et lycéens de Victor-Duruy entre les cours.

TERRASSES
RESTAURANTS

ANAKARLI
4 pl G.-Toudouzé (9°)
48 78 39 84
De 12h à 14h et de 19h à 0h30. Fermé lundi. Env 100F. Derrière la place Saint-Georges, une petite place mi-ombre, mi-soleil au charme provincial, occupée en partie l'été par les tables de ce restaurant indien. Plats sans éclat mais corrects. Clientèle

sympathique et décontractée d'habitués du quartier.

ATALANTE
(HOTEL ATALA)
10 rue Chateaubriand (8°) 45 62 01 62
De 12h à 14h30 et de 19h à 21h. Fermé sam et dim. De 200 à 250F. Une terrasse secrète près des Champs-Elysées. Le restaurant de l'hôtel Atala sert aussi dans un agréable petit jardin, une cuisine française classique. Clientèle cosmopolite.

BAIE DES ANGES (LA)
2 Pl du Marché-Ste-Catherine (4°)
42 77 34 88
Jusqu'à 23h30. Fermé sam midi et dim. Env. Sur une charmante place du Marais, un restaurant aux accents niçois qui privilégie l'aïoli le vendredi et le samedi. Sinon, soupe au pistou, beignets de courgettes et d'aubergines pour une clientèle mélangée.

L I E U X

Service pas toujours rapide, cuisine en dents de scie mais la terrasse en vaut la peine.

BARTOLO

7 rue des Canettes (6°)
43 26 27 08
De 12h à 14h30 et de 19h à 23h. Fermé dim soir et lundi. Env 170F.
Petite terrasse sur une ruelle animée de Saint-Germain-des-Prés. Pizzas et cuisine italienne. Clientèle du quartier.

BATIFOL

14 rue Mondétour (1°)
42 36 85 50
Tous les jours de 11h à 1h. Env 130F. La terrasse du bistrot de la chaîne des nouveaux bistrots parisiens à la mode. Installée dans cette rue piétonne des Halles, elle est très animée et fréquentée le soir par une clientèle mode et internationale. Cuisine traditionnelle.

BISTROT D'A COTE-VILLIERS

16 av de Villiers (17°)
47 63 25 61
De 12h30 à 14h et de 19h à 23h. Fermé sam midi et dim. Env 230F.
Une antenne plus modeste de Michel Rostang qui a créé un néo-bistrot à l'ancienne pour nostalgiques du Paris d'hier. Plats conformes à ce que l'on attend d'un bistrot pour une clientèle très 17°. Terrasse agréable aux beaux jours.

BLUE FOX

25 rue Royale - Cité Berryer (8°)
42 65 08 47
De 12h à 23h. Fermé sam, dim et fêtes. De 130 à 150F. Un bar à vins annexe du Moulin du Village dans un passage à ciel ouvert au charme provincial. Petits plats français simples pour une clientèle du quartier. Même équipe qu'au Juvenile's. Petite

terrasse en été très préservée mais attention, la promotion immobilière risque de le faire disparaître très vite ; espérons qu'il reste longtemps.

CAFE DES LETTRES (LE)

53 rue de Verneuil (7°)
42 22 52 17
De 10h à 23h. Fermé le dim. Env 200F.
Merveilleuse terrasse intimiste, calme et fraîche située dans la belle cour de l'hôtel particulier de la Maison des Ecrivains. Petits plats scandinaves ou assiettes de tomates mozarella, servis avec le sourire par une équipe féminine. Une adresse à fréquenter dès les premiers jours chauds à Paris. Réservez.

CAVEAU DU PALAIS (LE)

17-19 pl Dauphine (1°)
43 26 04 28
De 12h15 à 14h30 et de 19h15 à 22h30. Fermé sam et dim. Env

Les Délices d'Aphrodite

250F. Sur la petite place de l'île de la Cité, une terrasse assez calme pour une cuisine de bistrot. Clientèle d'habitués.

CHERCHE-MIDI (LE)
22 rue du Cherche-Midi (6°) 45 48 27 44
Tous les jours de 12h15 à
14h et de 20h15 à 23h30. Env 200F. Vieux refuge de la pub, ce restaurant offre quelques tables sur le trottoir aux beaux jours. Cuisine italienne et service désinvolte. Réservez pour la terrasse. Clientèle bon genre ou toujours mode.

CITOYEN (LE)
22 rue Daguerre (14°)
43 22 53 53
Tous les jours de 12h30 à 14h30 et de 20h à 22h30. De 100 à 150F (midi 50 et 100F). Un restaurant avec baie vitrée donnant sur le marché de la rue Daguerre. Terrasse

sympathique sur cette partie piétonne. Ensoleillée à midi, calme le soir, c'est l'endroit où se réunissent les "jeunes" habitants du quartier. Salades et assiettes rafraîchissantes (tomates-mozarella, jambon-parme...), plats malheureusement sans finesse. Service décontracté.

COMPTOIR (LE)
3 rue Berger (1°)
40 26 26 66
De 12h à 2h du matin.
De 100 à 150F. Une grande terrasse ensoleillée face aux nouveaux jardins des Halles. Assiettes de tapas variées ou plats du jour. Clientèle très mode. Agréable à midi et plus mélangée le soir.

DA GRAZIANO
83 rue Lepic (18°)
42 58 50 71
Tous les jours de 12h à 14h45 et de 20h à 0h30. De 350 à 400F.
L'italien de la Butte

Montmartre. Petits patios agréablement fleuris pour une cuisine correcte. Service très onctueux et clientèle très kitsch.

DELICES D'APHRODITE (LES)
4 rue de Candolle (5°)
43 31 40 39
De 11h à 14h30 et de 19h30 à 23h. Fermé le lundi. Env 150F. Un restaurant grec plutôt sophistiqué avec une terrasse de charme installée sur le trottoir d'une rue très peu passante. Malheureusement pas de réservation à l'extérieur mais on finit par obtenir une table. Bonne cuisine typique mais légère.

DELICES DE SZECHUEN (AUX)
40 av Duquesne (7°)
43 06 22 55
De 12h à 14h30 et de 19h30 à 22h30. Fermé le lundi. Env 180F.
Agréable l'hiver, ce restaurant devient un

véritable paradis l'été avec sa grande terrasse élégante et calme qu'il faudra penser à réserver à l'avance. Clientèle très 7° arrondissement, bonne cuisine chinoise et ambiance reposante.

FLORA DANICA
142 av des Champs-Elysées (8°)
43 59 20 41
De 12h à 14h30 et de 19h15 à 22h30. Fermé le dim pour la salle en haut. Env 400F. Un adorable petit patio caché dans la Maison du Danemark. Poissons marinés à la danoise pour une clientèle distinguée.

FONTAINE DE MARS (LA)
129 rue St-Dominique (7°) 47 05 46 44
De 12h à 14h30 et de 19h à 21h30. Fermé sam soir et dim. De 120 à 150F. Menu midi à 60F.
Une terrasse, au calme le soir, en bordure d'une fontaine du 7° arrondissement. Un vrai

décor italien pour une cuisine de bistrot. Clientèle du quartier.

GAUDRIOLE (LA)

30 rue Montpensier (1°)
42 97 55 49
De 12h à 14h30 et de 19h à 22h15. Fermé sam midi et dim en hiver. De 200 à 250F. Dîner dans un jardin à Paris avec le bruit des jets d'eau, y a-t-il mieux? C'est le cas de La Gaudriole, dont la cuisine bourgeoise française est tout à fait respectable et sans prétention. Méfiez-vous, le jardin, pour des raisons obscures, ferme à 22h30 et c'est pourtant le soir, le meilleur moment. La décoration, agréable quand même, aurait pu se faire plus discrète.

HWANG SHANG

21 rue de Tournon (6°)
43 26 25 74
De 12h à 14h30 et de 19h à 22h30. Fermé le dim. Env 100F. Situé dans la partie large et

calme de la rue de Tournon, ce restaurant vietnamo-chinois dispose l'été, sur le trottoir, quelques tables pour dîner loin du bruit et de la pollution. La cuisine est bonne, le service agréable, souriant et discret.

LENA ET MIMILE

32 rue Tournefort (5°)
47 07 72 47
Fermé sam midi et dim. Env 160F. Agréable surtout l'été pour sa terrasse ensoleillée et calme dominant un petit square. Plats français du terroir et salades délicieuses. Clientèle du quartier.

LOUIS XIV

1bis pl des Victoires (1°) 40 26 20 81
De 12h à 14h30 et de 19h30 à 22h30. Fermé sam et dim. Env 250F. Une petite terrasse sur l'une des plus jolies places de Paris, plutôt calme le soir, dans le quartier de la mode.

Très fréquentée dès les beaux jours. Cuisine de bistrot classique pour une clientèle mode évidemment.

MAISON (LA)

1 rue de la Bûcherie (5°)
43 29 73 57
De 12h30 à 14h et de 20h30 à 24h. Fermé lundi et mardi midi. Formule à 167F. Tout le charme, près de la place Maubert, d'une terrasse à la mode sous des catalpas. Rendez-vous de la couture et de la presse. Cuisine faite de plats traditionnels allégés. Réservation indispensable le soir.

MAISON DE L'AMERIQUE LATINE (LA)

217 bd St-Germain (7°) 45 49 33 23
De 12h à 14h30 (en été de 12h à 14h30 et de 19h30 à 24h). Fermé sam et dim. Env 300F. Une terrasse exceptionnelle donnant sur les jardins de cet hôtel particulier du

L I E U X

TERRASSES-RESTAURANTS

faubourg Saint-Germain. Ensoleillée à midi, mais abritée par de grands parasols blancs. Cuisine française trop traiteur. Clientèle chic et classique.

MARTIN PECHEUR (LE)
79 bd Bourdon - (Neuilly)
46 24 32 63
De 12h à 14h15 et de 19h45 à 22h15. Fermé sam midi et dim. Env 220F. Une péniche-guinguette située juste en face des frondaisons de l'île de la Jatte. Cuisine française simple. Clientèle de jeunes gens de Neuilly. Mieux vaut réserver le midi.

MEXICO CAFE
1 pl de Mexico (16°)
47 27 96 98
Lundi de 12h à 18h ; mardi à ven de 12h à 15h et de 19h à 24h ; sam et dim de 12h à 24h. Env 170F. Une petite terrasse en vert et blanc pour déjeuner au

soleil : tartare, raviolis aux quatre fromages ou oeufs pochés. Clientèle du quartier, très Nap. Mieux vaut réserver.

MOULIN DU VILLAGE (LE)
25 rue Royale- Cité Berryer (8°)
42 65 08 47
De 12h à 14h30 et de 19h à 23h. Fermé sam et dim. Env 350F. Menu midi à 194F. Terrasse de charme ensoleillée à midi, dans le ravissant passage Berryer aux allures provinciales. Cuisine bourgeoise et clientèle sympathique. Même problème qu'au Blue Fox, puisque le passage risque d'être menacé par une opération immobilière : à surveiller.

MUSCADE
67 galerie de Montpensier (1°)
42 97 51 36
Tous les jours de 12h à 14h30 et de 19h à 20h30. De 150 à 200F. Terrasse ensoleillée à

midi, calme et pleine de charme dans les jardins du Palais-Royal. Cuisine approximative, service détendu et clientèle cosmopolite. Restaurant midi et soir, salon de thé entre les deux.

PAVILLON MONTSOURIS
20 rue Gazan (14°)
45 88 38 52
Tous les jours de 12h à 14h30 et de 19h30 à 22h3. De 350 à 400F. Au bord du parc Montsouris, un restaurant style 1900 très rafraîchi avec une terrasse de rêve sur le jardin. Cuisine française remise au goût du jour. Clientèle plutôt élégante.

PAVILLON PUEBLA
Angle rue Botzaris et av S.-Bolivar - Parc des Buttes-Chaumont (19°)
42 08 92 62
De 12h à 14h et de 19h30 à 22h. Fermé dim et lundi. Env 350F. Menu à 230F. Dans un des

plus romantiques jardins de Paris, une petite terrasse fleurie. Grande cuisine d'inspiration catalane. Clientèle sage.

PETIT POUCET (LE)
4 rond-point Claude Monet - Ile de la Jatte (92) Levallois
47 38 61 85
Tous les jours jusqu'à 23h30. Env 250F. Une ancienne guinguette reconvertie en pavillon suédois au bord de la Seine. Plats d'été fraîcheur, très bons, pour une clientèle pub à midi, mode et opéra le soir. Un nouveau rendez-vous parisien.

PETIT SAINT BENOIT (LE)
4 rue St-Benoît (6°)
42 60 27 92
De 12h à 14h30 et de 19h à 22h. Fermé sam et dim. Env 100F. A deux pas du Café de Flore, la terrasse du Petit Saint-Benoît, reste bizarrement assez préservée du passage

des voitures. Tables serrées sur le trottoir, très convoitées : il faut s'y prendre tôt pour trouver une place. Cuisine traditionnelle pour ce bistrot où l'on déjeune ou dîne vite, au coude à coude, pour pas très cher. Service sans rondeur.

PITCHI POI
7 rue Caron - Pl du Marché-Ste-Catherine (4°) 42 77 46 15
Tous les jours de 12h à 14h30 et de 19h30 à 22h30. Env 150F. Une jolie terrasse ensoleillée à midi sur l'une des places les plus charmantes de Paris. Ici pas de voiture, vous serez entourés par les terrasses des autres restaurants. Cuisine d'Europe de l'Est et yiddish. Clientèle cosmopolite et du quartier.

PIZZA-LIVIO
6 rue de Longchamp (Neuilly)
46 24 81 32

Tous les jours de 12h à 14h30 et de 19h à 22h45. Env 150F. Près de Bagatelle, la trattoria chic qui a vu défiler nombre de stars. Rendez-vous de la pub, on peut, à la belle saison, déjeuner ou dîner dans un charmant patio. Réservation obligatoire.

RESTAURANT PAUL
15 pl Dauphine (1°)
43 54 21 48
De 12h15 à 14h15 et de 19h30 à 22h. Fermé lundi et mardi. De 200 à 250F. Trois ou quatre tables sur la charmante place Dauphine. Solide cuisine de bistrot chic pour une clientèle d'avocats. Mieux vaut réserver le week-end.

RITZ (LE)
19 pl Vendôme (1°)
42 60 38 30
Tous les jours de 11h à 1h. Env 350F.
Dans le patio-jardin de cet hôtel de luxe, un

L I E U X

TERRASSES-SALONS DE THE, COFFEE-SHOPS

cadre romantique de platanes et de statues pour déjeuner aux beaux jours en terrasse ou venir prendre un thé. Cuisine française sophistiquée à déguster dans le calme et la compagnie de célébrités incognito.

STUDIO (THE)
41 rue du Temple (4°)
42 74 10 38
Tous les jours de 19h30 à 24h. De 150 à 200F.
Dans la cour de l'hôtel particulier du Café de la Gare et face aux studios de danse, une terrasse agréable pour une cuisine "Tex-Mex" simple. Clientèle de jeunes gens en bande plutôt modes et serveurs cosmopolites.

TERRASS HOTEL
12 rue J.-de-Maistre (18°) 46 06 72 85
De 12h à 14h30 et de 19h à 22h30. Ouvert en juin, juillet et août et septembre (et par beau temps!) Env 300F. Une

grande terrasse fleurie, à ciel ouvert sur le toit de cet hôtel de la Butte Montmartre. Cuisine traditionnelle légère. Clientèle d'hommes d'affaires. Vue surprenante sur tout Paris.

YAKITORI
34 pl du Marché-St-Honoré (1°)
42 61 03 54
De 12h à 14h15 et de 19h à 22h45. Fermé le dim. Env 150F. Une terrasse calme les soirs d'été installée sur la place du Marché-Saint-Honoré malheureusement abîmée par la vilaine caserne des pompiers (mais bientôt le réaménagement de la place!). Pas de réservation mais il faut être patient. Petits menus de brochette japonaises, service efficace, clientèle sympathiqueet et agréablement mélangée.

TERRASSES
SALONS DE THE COFFEE-SHOPS

A PRIORI THE
35 galerie Vivienne (2°)
42 97 48 75
Tous les jours de 12h à 19h. Le dim de 13h à 19h. Env 120F.
A Priori-Thé prolonge son salon de thé en terrasse, comme un jardin d'hiver dans la charmante galerie Vivienne. Bien à l'abri sous la verrière de la galerie, vous pourrez en profiter et même par temps pluvieux. Clientèle plutôt mode et cuisine de salon de thé tendance américaine : grandes assiettes composées, chili, desserts maison...

COMPTOIR DU SAUMON ET CIE
49 rue Censier (5°)
43 36 49 05
De 10h30 à 14h et de 16h à 20h. Le dim de 10h30 à 14h. De 150 à 200F. Minuscule

L I E U X

terrasse nichée derrière l'église Saint-Médard. Sympathique à l'heure du déjeuner dans ce quartier au charme provincial. A la carte : des assiettes composées, des petits plats ou des petites entrées pour déguster les bonnes choses des pays du Grand Nord. Tarama, anguille avec salade de pommes de terre, saumon mariné, épicé ou à l'aneth... A l'intérieur, un petit coin-bar et un comptoir de vente à emporter. Prix en fonction du choix mais plutôt cher pour les assiettes composées.

EBOUILLANTE (L')

6 rue des Barres (4°)
42 78 48 62
De 12h à 20h. Fermé le lundi. De 60 à 120F. Ce tout petit salon de thé situé derrière l'église Saint-Gervais dispose d'une des terrasses ensoleillées les plus agréables de Paris. Dans

cette rue piétonne en escalier, vous serez à l'abri du bruit et du passage dans un coin resté "très province". La cuisine quoique originale (bricks ou blinis) est moins exceptionnelle mais le charme est partout présent.

MOSQUEE (LA)

39 rue G.-St-Hilaire (5°)
43 31 18 14
Tous les jours de 10h à 20h. La meilleure façon de boire un thé à la menthe accompagné de loukoums dans un petit patio oriental. Clapotis d'une mini fontaine et figuiers en prime pour le dépaysement.

MUSCADE

67 galerie de Montpensier (1°)
42 97 51 36
Tous les jours de 12h à 15h et de 18h30 à 21h. Env 150F. Terrasse de charme dans les jardins du Palais-Royal. Ce restaurant devient salon

de thé entre le déjeuner et le dîner.

PAGODE (LA)

57bis rue de Babylone (7°) 47 05 12 15
Tous les jours de 16h à 21h45. Dim de 14h à 20h. Une petite salle "zen" moderne sans intérêt avec mobilier de bambou pour boire un thé avant ou après une toile dans le merveilleux cinéma. Comble du charme, on peut l'été se rafraîchir dans le petit jardin à la japonaise de cet édifice de rêve : peu de tables.

TEA FOLLIES

6 pl G.-Toudouzé (9°)
42 80 08 44
De 9h à 21h en semaine. Jusqu'à 19h le dim. Env 100F. Quelques platanes ombragent cette petite place près de Pigalle où ce charmant salon de thé tient terrasse aux beaux jours. Clientèle jeune et lookée pour des tartes maison et des salades.

M O D E

ACCESSOIRES BIJOUX

DECALAGE
33 rue des Francs-Bourgeois (4°)
42 77 55 72
Une petite boutique sympathique qui associe l'Art Déco aux créateurs contemporains. Vous y trouverez des meubles et des objets mais aussi un grand choix de bijoux (à tous les prix) anciens ou modernes mais souvent d'un style assez pur.

GARLAND
13 rue de la Paix (2°)
42 61 17 95
Une bonne adresse pour les bijoux anciens, XVIIIe XIXe et XXe siècles.Très beaux bijoux 1930 et aussi des idées cadeaux.

GAS
44 rue E.-Marcel (2°)
40 26 07 05
André Gas vend ici en exclusivité parisienne ses bijoux : or ou argent et cristal, pierre dure ou bois précieux selon l'inspiration indienne, mexicaine ou éthiopienne.

IGNACIO TOLEDO
19 av Gambetta (20°)
43 49 47 88
Une jolie boutique show-room pour ce créateur de bijoux fantaisies en étain doré qu'il marie aux matières naturelles comme le papier, le lin, le bois et même la terre ou la résine sablée façon verre dépoli : colliers, bracelets, broches, boucles d'oreilles et quelques ceintures...

NAILA DE MONBRISON
6 rue de Bourgogne (7°)
47 05 11 15
Une galerie de bijoux plus qu'une boutique. La sélection rigoureuse de Naïla de Monbrison : bijoux ethniques et créations contemporaines de Martiel Bero, Elisabeth Garouste et Mattia Bonetti, Tina Chow, Paul Oudet...

PETILLAULT
28 rue D.-Casanova (2°)
42 61 16 66
Une petite boutique aux couleurs de terre avec un comptoir en forme de vague pour des bijoux "haute couture", à tous les prix, représentés par une sélection de créateurs français et étrangers. Les bijoux-sculptures martelés et découpés à la main de Van der Straten, ceux en pâte de verre de P. Ferrandis, les bracelets en ébène de D. Aurientes, les colliers-collerettes et les boucles d'oreilles d'Eric Beamon, les perles baroques d'Alexi Lahellec... et les collections Saint Laurent et Lacroix.

SCOOTER
10 rue de Turbigo (1°)
45 08 89 31
29 bd Raspail (7°)
45 48 24 37
12 rue Guichard (16°)
45 20 23 27
Bijoux d'inspirations

M O D E

ethniques (africains, marocains...) aux coloris or, bronze, cuivre, argent. Grosses boucles d'oreilles, colliers, bracelets, broches et bijoux pour coiffure.

CEINTURES

HERMES
24 rue du Fg-St-Honoré (8°) 40 17 47 17
Pour hommes et femmes tous les modèles Hermès sport, classiques ou "habillés" déclinés dans tous les coloris et les cuirs de la maison du veau au box en passant par le crocodile ou l'autruche. Des modèles classiques comme "l'Etrière" pour hommes, des ceintures plus marquées en style avec des thèmes d'inspiration "cellier", "mexicaine" ou "hublot", des ceintures "collier de chien". Et aussi le modèle avec un H doré. Sur commande ou en magasin, toujours

dans la tradition de sellier Hermès.

LOSCO
45 rue Dauphine (6°) 46 34 14 15
Une boutique de fabricant, tout en bois, entièrement consacrée aux ceintures et aux boucles. Pour hommes, femmes ou enfants, dans tous les styles : classique, sport ou mexicain. A noter également, une collection de boucles fabriquées par des artisans du Nouveau-Mexique.

MULBERRY
45 rue Croix-des-Petits-Champs (1°) 40 41 07 69 14 rue du Cherche-Midi (6°) 42 22 95 05
Dans ces boutiques de sportswear-classique anglais, de très belles ceintures simples ou tressées pour hommes et femmes, dans des cuirs de grande qualité pour accessoiriser vos tenues de week-end.

REGENT BELT
2 rue F.-Duval (4°) 48 04 57 52
Une boutique de cadeaux de style anglais pour un choix de ceintures en cuir tressé ou non et de bretelles à pinces ou à boutons interchangeables. Dans ce magasin, on trouve aussi des bagages, des flasques de whisky et divers accessoires.

UPLA
17 rue des Halles (1°) 40 26 49 96 22 rue de Grenelle (7°) 45 44 24 81
Pour ses ceintures d'un style "sport-classique" aux boucles simples de sellerie en cuir tressé ou non, à des prix raisonnables.

CHAPEAUX, ECHARPES, GANTS, CRAVATES

CLASSIQUE

ANAM
15 av V.-Hugo (16°) 45 00 63 97

M O D E

Dans cette boutique bien connue pour ses cachemires de grande qualité, vous trouverez aussi de superbes étoles et écharpes. Egalement un grand choix d'accessoires en soie des Indes ou anglaise, aux couleurs ou aux impressions très classiques : cravates, pochettes, carrés de soie... et des robes de chambre sur mesure.

CHARVET
28 pl Vendôme (1°)
42 60 30 70
Incontournable pour les accessoires masculins. Plusieurs milliers de cravates en soie brochée ou imprimée aux dessins classiques ou baroques déclinés dans une gamme de coloris très large. Des noeuds papillon dont un modèle assez large créé pour le duc de Windsor. Un choix important de pochettes (souvent à pois) imprimées ou unies et les fameux boutons de manchette

"Charvet" en passementerie de toutes les couleurs et en argent, vermeil ou or. Et aussi, des ceintures, des mouchoirs en coton, des feutres...

CHRISTIAN DIOR
30 av Montaigne (8°)
40 73 54 44
Pour son décor délicat tout en gris et blanc et pour ses accessoires sophistiqués, notamment les gants "très couture".

GELOT POUR LANVIN
15 rue du Fg-St-Honoré (8°) 43 48 49 49
Des chapeaux pour hommes en prêt-à-porter de qualité : feutres, panamas, casquettes... fabriqués par Gélot, autrefois chapelier sur mesure.

HELION
22 rue Tronchet (8°)
47 42 26 79
Depuis 1925, un spécialiste-gantier pour femmes et hommes. Du gant sport au gant

habillé, pour chaque saison. Des matières comme le chevreau, le pécari, l'autruche, l'agneau ou l'antilope.Un grand choix de couleurs. Egalement des gants de mariées et des gants du soir en satin ou en peau comme le "16 boutons".

HILDITCH AND KEY
252 rue de Rivoli (1°)
42 60 36 09
Des accessoires raffinés pour hommes, dans cette boutique au cadre authentique début du siècle. Grand choix de cravates dans des soies lourdes dont certaines sont imprimées à la main, des cravates tissées, toujours fabriquées dans des tissus anglais, par des petits artisans qualifiés ; des chaussettes en trois longueurs ou sans élastique à porter avec des fixe-chaussettes ; des mouchoirs, des bretelles, des caleçons, des robes de chambre.

Losco

MADELIOS

23 bd de la Madeleine
(8°) 42 60 39 30
Pour son choix
d'accessoires pour
hommes (situé au
premier étage), et son
rayon chapeaux où vous
trouverez trois marques
institutionnelles
anglaises "Christys'
London", "Herbert
Johnson" et surtout les
fameux feutres "Lock".
A noter également un
grand choix de marques
anglaises dans le rayon
prêt-à-porter.

MERIAU

81 rue du Bac (7°)
45 48 90 6 5
L'un des derniers
gantiers de qualité à
Paris pour habiller vos
mains de gants
classiques proposés en
deux ou trois longueurs
pour la plupart des
modèles. Beaucoup de
chevreau dans une
gamme de 35 coloris (à
la demande), de
l'agneau, du pécari, de
l'antilope, un peu de
cerf. Des modèles
"habillés" en lycra, des
gants dentelles pour
l'été et des doublés soie,
cachemire ou jersey de
laine pour le froid.
Egalement des modèles
pour hommes. Une
exigence de qualité, un
accueil souriant.

MOTSCH ET FILS

42 av George-V (8°)
47 23 79 22
Une authentique

M O D E

boutique de chapelier au charme inchangé depuis 1887. Une devanture et un décor d'époque tout en boiseries et de nombreux modèles de chapeaux classiques pour hommes et femmes. Capelines, panamas, borsalinos, feutres, melons, trotteurs... Tous faits à la main, et remis en forme à votre tête.

MURIEL

4 rue des Saussaies (8°) 42 65 95 34
Tiroirs aux murs, comptoir en bois pour une tradition de gantier depuis 50 ans. Des modèles pour hommes ou femmes, sport ou habillés avec un choix important de tailles et même des quarts de taille. Beaucoup de gants en cuir, notamment des pécari dans de nombreux coloris, des pécari mariés avec du crochet ou des pécari tressés. Mais aussi de l'agneau,

de l'autruche, de l'antilope et du chevreau. Des modèles arlequin, bordés de marmotte, de vison ou cloutés pour le soir.

PEINTURE

18 rue du Pré-aux-Clercs (7°) 45 48 18 52
Atmosphère très anglaise pour cette boutique avant tout spécialisée dans les tissus "Liberty". Côté accessoires : de grands foulards impression "Liberty" et aussi des châles ajourés en laine dans une très belle gamme de merveilleux coloris.

WOLFF ET DESCOURTIS

18 galerie Vivienne (2°) 42 61 80 84
Une boutique au charme authentique où Virginia Wolff propose sa sélection de tissus très couture. Vous y trouverez aussi de ravissants châles qu'elles réalisent dans

les tissus aux coloris et aux impressions classiques achetés aux fabricants de la haute couture notamment italienne. Impressions cachemire, fleurs ou géométriques dans des harmonies de couleurs en coton, en laine, en soie ou dans des mélanges laine et soie ou lin et coton.

CREATEURS ET STYLE EXOTIQUE

BARNABOOTH

18 rue Monttessuy (7°) 47 53 79 16
Une boutique de cadeaux remplie d'accessoires scrupuleusement choisis parmi les collections des créateurs anglais ou italiens ou dessinés par la styliste de Barnabooth. Un style simple et raffiné. En permanence, les bagages en tissu "Barnabooth" ou ceux de Mulberry et de

M O D E

Felisi, des bijoux italiens en résine ou anglais en métal. Des pulls, des écharpes, des châles, de belles ceintures en cuir, des montres, des sacs... Et toujours des nouveautés.

BONNE RENOMMEE (A LA)

26 rue Vieille-du-Temple (4°) 42 72 03 86
1 rue Jacob (6°) 46 33 90 67

Des sacs forme cabas, des petites trousses, des bourses, des petits sacs de toutes les formes à porter en bandoulière, des porte-monnaie, des petits chapeaux, des écharpes... tous en patchwork de tissus et de passementeries.

CFOC

24 rue St-Roch (1°) 42 60 65 32
163 bd St-Germain (6°) 45 48 00 18
65 av V.-Hugo (16°) 45 00 55 46

113 av Mozart (16°) 42 88 36 08

A marier avec toutes vos tenues, des accessoires venus d'Orient. Beaucoup de foulards en soie comme les shibori, ou plus sport comme les écharpes en bourrette de soie. Des chapeaux et des gants fourrés l'hiver. Des ceintures de kimonos unies, imprimées ou brodées... Des coloris profonds et lumineux et de belles matières.

LAIMOUN

2 rue de Tournon (6°) 43 54 68 00

Inspiré par les vêtements traditionnels de son pays et amoureux des techniques artisanales, ce créateur libanais dessine en plus de ses créations de vêtements, linge pour le bain et art de la table, des accessoires originaux, exotiques et modernes. Ceintures tissées métier,

foulards en soie imprimés au pochoir, chapeaux en matières naturelles... et de petits sacs-bourse en textile tissé - métier.

MARIE MERCIE

56 rue Tiquetonne (2°) 40 26 60 68
23 rue St-Sulpice (6°) 43 26 45 83

Deux boutiques pour la créatrice Marie Mercié et ses chapeaux sur mesure pour toutes les occasions : en paille, en velours ou en satin, en organza... Des créations élégantes avec une pointe d'humour à assortir aux sacs à main, aux gants, aux lunettes ou aux bijoux. Un chapeau pour chaque tête!

PHILIPPE MODEL

33 pl du Marché-St-Honoré (1°) 42 96 89 02
79 rue des Sts-Pères (6°) 45 44 76 79

Pour son "classique", la chaussure en gros grain

M O D E

ACCESSOIRES-CHAUSSURES

élastique qui évolue chaque année dans ses formes et ses couleurs (devient ballerine ou bottine) et pour ses escarpins en satin. Sans oublier, les chapeaux pour la journée, le soir et même une "garden-party". Formes simples l'été, en paille "panama" ou plus travaillées en paille d'Italie ou à l'ancienne. L'hiver, le taupé formé sur moule prend des formes et des couleurs recherchées. Egalement, gants, foulards et sacs à main.

P O U R L E S P O R T S W E A R

AU PETIT MATELOT
27 av de la Grande-Armée (16°)
45 00 15 51
Les vrais accessoires du bord de mer : chapeaux de marin en ciré jaune, bonnets rayés assortis aux gants et aux écharpes, chapeaux à pompon rouge, et aussi des bobs pour l'été en coton blanc ou bleu.

AUTOUR DU MONDE
12 rue des Francs-Bourgeois (3°)
42 77 16 18
54 rue de Seine (6°)
43 54 64 47
Les jolis bandanas aux impressions "Autour du Monde" sur le thème du voyage, en coton ou en soie. Egalement de bonnes chaussettes sport, des chapeaux "brousse" ou safari, des ceintures, les fameuses tennis "Bensimon", des chaussures sport en cuir à grosses semelles... et même des montres, des lunettes, des pin's. Tout pour accessoiriser vos tenues de sportswear version globe-trotter citadin.

E T A U S S I

DROGUERIE (LA)
9 rue du Jour (1°)
45 08 93 27
Une boutique pleine d'idées pour faire soi-même ses accessoires. Des rubans, des galons, des boutons, des perles et du fil à tricoter. Le tout dans une gamme très large de couleurs. Et aussi, des fiches explicatives pour des modèles exclusifs de bijoux ou de tricots.

CHAUSSURES

CLASSIQUE ET NOUVEAU CLASSIQUE

F E M M E S

ACCESSOIRE DIFFUSION
8 rue du Jour (1°)
40 26 19 84
36 rue Vieille-du-Temple (4°) 40 29 99 49
6 rue du Cherche-Midi (6°) 45 48 36 08
9 rue Guichard (16°)
45 27 80 27
Connu pour sa ballerine en cuir très souple fermée par élastique qui évolue suivant la mode dans ses formes et ses couleurs, Accessoire Diffusion propose des collections de chaussures souvent plates pour les femmes

MODE

jeunes et actives. Les derbys et les richelieus cousus à l'anglaise, en toile l'été et en cuir ou en nubuck l'hiver.

CLERGERIE

5 rue du Cherche-Midi (6°) 45 48 75 47
Un créateur qu'on ne présente plus depuis longtemps, célèbre pour avoir lancé le style masculin au féminin : tous les derbys en cuir, en toile et cuir, cousus "Goodyear". Et aussi, des collections de chaussures très à la mode (bottines, boots, escarpins, sandales en été...).

HAREL

64 rue François-Ier (8°) 47 23 96 57
8 av Montaigne (8°) 47 20 75 00
De toutes les couleurs, dans tous les cuirs et même du lézard et de l'autruche, en trois hauteurs de talon et deux largeurs de pied, les escarpins sont

toujours à l'affiche. Egalement, toute une collection de mocassins dans une gamme de cuirs et coloris très large et quelques petits trotteurs féminins. De très belles peaux et cuirs, une fabrication de grande qualité pour cette institution.

K. JACQUES

16 rue Pavée (4°) 40 27 03 57
Une petite boutique avec une loggia pour le créateur de la sandale tropézienne, style spartiate en cuir naturel déclinée aujourd'hui dans toutes les couleurs et tous les cuirs simples ou à impression reptile. Et aussi, un grand choix de chaussures plates pour l'hiver style derbys bas ou montants, classiques ou colorés dans des cuirs imprimés lézard, des accessoires, et même quelques objets, (verres et céramiques) de l'artisanat du Sud.

LAURENT MERCADAL

3 pl des Victoires (1°)
45 08 84 44
56 rue de Rennes (6°)
45 48 64 94
26 av des Champs-Elysées (8°)
42 25 22 70
31 rue Tronchet (8°)
42 66 01 28
Toujours des modèles d'escarpins classiques en satin, en ottoman, et en cuir de différentes variétés : en plusieurs hauteurs de talon jusqu'au 7 cm et dans toutes les couleurs même celle de votre choix.

PARALLELES

1 rue Montmartre (1°)
42 36 85 46
9 rue de Sèvres (6°)
45 48 90 53
20 rue Boissy-d'Anglas (8°) 42 65 01 32
96 av P.-Doumer (16°)
42 88 52 97
Un style plutôt classique et citadin, pour ces boutiques dont le grand succès est la ballerine, style

M O D E

danseuse, ultra-plate unie dans tous les coloris (vert, jaune, rouge, bleu, noir, blanc, beige...) et même bicolore. Egalement des modèles à talons et des escarpins.

REPETTO
22 rue de la Paix (2°)
44 71 83 20
Lancée par Brigitte Bardot, la fameuse ballerine des danseuses : plate ou à petits talons, de toutes les couleurs unies ou bicolores et même des modèles à lacet. Jetez aussi un oeil du côté des cache-coeur, des jambières, des bodies ou des collants résilles.

HOMMES

ALEXIS BOTTIER
5 rue Dupont-des-Loges
(7°) 45 55 11 78
Avec ses petites lunettes, sa grande moustache et son tablier en cuir, ce jeune cordonnier exigeant vous reçoit avec dynamisme et enthousiasme. Vous pouvez lui confier les yeux fermés, votre paire préférée pour un ressemelage, une rénovation de cuir et même un polissage. Une bonne adresse aussi pour sa sélection de modèles classiques et sport pour hommes : Alden, Paraboot, Ireland Made, Allen Edmonds ou pour faire réaliser sur mesure votre modèle préféré. Très bon choix de cirages et de brosses.

ALLEN EDMONDS
115 av V.-Hugo (16°)
47 27 56 10
Les inconditionnels de la marque ont désormais leur boutique. Un décor très anglais associant bois rouge, pierre, marbre et moquette pour les collections très classiques de chaussures fabriquées aux Etats-Unis dans les meilleurs cuirs et entièrement cousues. Des derbys à bouts fleuris, des richelieus... des modèles classiques, confortables qui vieillissent bien et des accessoires pour en prendre soin.

BOWEN
40 rue St-Honoré (1°)
42 33 98 48
11 rue Monsieur-le-Prince (6°)
43 29 02 60
50 rue du Bac (7°)
42 22 52 21
17 rue Chomel (7°)
45 49 12 43
30 rue de Miromesnil
(8°) 42 65 82 09
14 av Mozart (16°)
46 47 41 46
5 pl des Ternes (17°)
42 27 09 23
4 rue Commandant-Pilot
(Neuilly) 46 40 13 78
Chaque quartier à sa boutique. La plus belle (rue Chomel) est installée dans une ancienne pharmacie: devanture tout en bois pour des chaussures de fabrication anglaise cousues "Goodyear". Tous les modèles classiques ou sport :

M O D E

Bowen

richelieus à bouts simples ou fleuris, derbys, tous les mocassins, boots à bandes élastiques ou à lanières. Pour l'été : mocassins-bateau, tennis et modèles en nubuck blanc. Bon choix d'accessoires, de cirages et bon rapport qualité-prix.

CHURCH'S
42 rue Vivienne (2°)
42 36 22 92

4 rue du Dragon (6°)
45 44 50 47
23 rue des Mathurins (8°) 42 65 25 85
85 rue de Courcelles (17°) 42 27 23 17
Des boutiques, tout en bois pour tous les modèles Church's, classiques ou sport et toujours typiquement anglais. Parmi les musts les plus vendus : le "Burwood" à lacets et à bouts fleuris, le "Westbury" à boucle, le mocassin "Hilton" classique et le "Keats" à pompon.

J. DONEGAN
38 rue St-Dominique (7°) 45 51 69 15
103 rue de la Pompe (16°) 47 04 78 84
Des chaussures anglaises pour hommes, cousues "Goodyear" et doublées cuir, directement importées par leur fabricant. Tous les modèles classiques :

M O D E

mocassins, boots, richelieus, chaussures anglaises à lacets...

J. FENESTRIER

23 rue du Cherche-Midi (6°) 42 22 66 02
Rachetée récemment par R. Clergerie, J. Fenestrier continue à créer et fabriquer des chaussures pour hommes, simples et de qualité, cousues "Goodyear". Modèles classiques en cuir, à lacets, richelieus, chaussures surpiquées, et aussi des modèles déclinés en nubuck ou en toile dans divers coloris.

JOCKEY CLUB

226 bd St-Germain (7°) 42 22 76 02
Une petite boutique à l'anglaise pour les modèles classiques de chaussures anglaises de Church's et de John Lobb's, les américaines Allen Edmond's et les mocassins sport italiens Tod's.

JOHN LOBB'S

51 rue François-ler (8°) 45 62 06 34
La première boutique parisienne du célèbre bottier anglais (1850). Un grand espace en bois blond, confortable pour présenter sa collection très anglaise et classique : richelieus, mocassins, bottines, chaussures à lacet... Et avec six mois d'attente et un budget encore plus confortable, le sur mesure. Egalement, des accessoires comme le coffre de rangement créé par Rena Dumas. En vente également chez Hermès.

WESTON

49 rue de Rennes (6°) 45 49 38 50
114 av des Champs-Elysées (8°) 45 62 26 47
98 bd de Courcelle (17°) 47 63 18 13
97 av V.-Hugo (16°) 47 04 23 75
Pour les mocassins, les "golf" et les boots

devenus des incontournables dès l'adolescence. Des magasins très fréquentés. Le plus calme, boulevard de Courcelles, est notre préféré .

AUBERCY

34 rue Vivienne (2°) 42 33 93 61
Un décor feutré pour cette institution de la chaussure classique et de qualité fabriquée dans le respect de la tradition. Des ballerines et des escarpins pour femmes en box, veau velours, pécari ou lézard. Pour lui, les modèles traditionnels de richelieus et mocassins. Des chaussures en prêt-à-porter mais aussi du demi-mesure et même du sur mesure, et un atelier de réparation.

COW-BOY DREAM

110 rue St-Denis (2°) 42 36 38 15

M O D E

Les bottes américaines à petits talons pour hommes et femmes. Des exclusivités comme les Nocona Boots. Les musts comme les Lucchese faites à la main dans des matériaux rares (lézard, hippopotame, requin, crotale...). Pour les motards : les Biker Boots et pour les sportifs des villes : les Wolwernie Shoes.

EDER
32 rue du Dragon (6°)
45 44 41 84
Pour ses collections hommes et femmes de chaussures sport ou ville avec toujours de bons derbys à bouts ronds ou plus fins, des boots à lacets dans le même style, et pour le week-end, des classiques revisités au look sympathique et confortable montés sur semelle de cuir.

FREE LANCE
22 rue Mondétour (1°)
42 33 74 70

30 rue du Four (6°)
45 48 14 78
Carreaux blancs pour la boutique des Halles et métaux rouillés pour celle de Saint-Germain. Les chaussures mode des teenagers: de la ligne Jean-Paul Gaultier au style mexicain ou chicano en passant par le land-army.

SARTORE
Mixte
14 rue Cambon (1°)
40 15 00 24
Femmes
13 rue du Cherche-Midi (6°) 45 48 90 50
Sartore s'est fait connaître par son style "western détourné" ou "sport mode" et ses beaux cuirs: box et nombreux reptiles (autruche, lézard, croco). Des boots à lacets ou style western, des mocassins en cuir ou en lézard, un grand choix de modèles assez fermés et à lacets pour elle et lui. Mais aussi,

des escarpins et des ballerines.

STEPHANE KELIAN
21 bd de la Madeleine (1°) 42 96 01 99
6 pl des Victoires (2°) 42 61 60 74
36 rue de Sévigné (3°) 42 77 82 00
13bis rue de Grenelle (7°) 42 22 93 03
26 av des Champs-Elysées (8°) 42 56 42 26
66 av des Champs-Elysées (8°) 42 25 56 96
Précurseur de la mode, le créateur Stéphane Kélian invente de nouvelles formes et impose son style. Beaucoup de recherches dans les talons, les coloris et les matières. Sans oublier la grande spécialité, le cuir tressé souvent main pour des modèles mode ou classiques.

TOKIO KUMAGAI
52 rue Croix-des-Petits-Champs (1°)
42 33 47 46

M O D E

ACCESSOIRES-CHAUSSURES

32 rue de Grenelle (7°)
45 44 23 11
Ce styliste japonais
lança les bouts carrés et
les chaussures ludiques :
souris ou grappes de
raisin. Aujourd'hui pour
femmes, des escarpins,
des souliers plats tressés
ou des bottines toujours
très typés. Pour les
hommes des classiques
revisités : richelieus à
fermeture Eclair,
pantoufles en daim...

SPORTSWEAR ET SPORT

AU PETIT MATELOT
27 av de la Grande-
Armée (16°)
45 00 15 51
Véritable institution du
sportswear marin, "Au
Petit Matelot" propose
toute l'année, une
sélection de modèles de
chaussures de pont ou
de chaussures sport
choisis auprès des
marques classiques :
Timberland, Paraboot,
Sebago.

AUTOUR DU MONDE
12 rue des Francs-
Bourgeois (3°)
42 77 16 18
54 rue de Seine (6°)
43 54 64 47
Dans cette boutique
pour explorateurs des
villes, des chaussures
hommes et femmes
pour le macadam ou la
campagne. Des clarks
signés Bensimon, des
grosses chaussures de
montagne pour les
grands froids et des
chaussures de marche
en daim naturel.

GOOD LIFE
3 rue de Solférino (7°)
47 05 55 40
33 rue de l'Assomption
(16°) 45 24 56 50
Un choix de chaussures
sportswear classique :
les Sperry top sider en
toile ou les mocassins
de bateau de la même
marque, et aussi un très
joli modèle de boots
cavalières pour hommes
et quelques chaussures
plus citadines à boucles
ou à lacets de Alden.

MARIE LALET
16 rue du Bourg-Tibourg
(4°) 40 27 08 05
Décor minimaliste :
carrelage ancien de
mosaïque au sol, murs
en pierre, poutres
apparentes, un grand
bureau, quatre fauteuils
en châtaigniers inspirés
du style Nouveau-
Mexique créés par
Marie Lalet. Ouvert
par l'importatrice en
France des chaussures
Dr Martens, cette
boutique dispose d'un
grand choix de modèles
pour hommes, femmes
ou enfants. Egalement,
une collection de sacs
de voyage et de sacs à
dos vraiment épais, en
cuir tanné dans l'huile,
qui vous suivront toute
la vie.

MARINA DE BOURBON
112 bd de Courcelles
(17°) 47 63 42 01
Dans cette intéressante
boutique de cadeaux, un
rayon important de
chaussures sportswear

M O D E

Western House

choisies parmi les meilleurs marques internationales : Sebago, Timberland, Johnston and Murphy, Cartujano et aussi les boots anglaises à élastique marrons ou noires Crockett et Jones.

PARABOOT
9 rue de Grenelle (7°)
45 49 24 26
Tout le style Paraboot réuni dans cette grande boutique. Toujours une ligne très sportswear, confortable équipée de semelles de gomme mais aussi des collections plus citadines cousues "Goodyear" ou "norvégien" et des modèles plus mode. Beaucoup de chaussures à lacets et le classique Paraboot qui se décline dans toutes les couleurs d'automne et acidulées.

Pour hommes, femmes et enfants.

SEBAGO
18 rue du Vieux-Colombier (6°)
42 84 19 54
Pour tous les inconditionnels des deux modèles incontournables de Sebago : le Loafer Sebago, ou le mocassin Docksides, la chaussure de pont fabriquée en deux largeurs.

M O D E

TIMBERLAND

52 rue Croix-des-Petits-Champs (1°)
45 08 41 40
Un décor tout en bois, façon cabane de bûcherons canadiens revue et corrigée, consacré à l'univers de Timberland. Au sous-sol, tous les modèles de chaussures du mocassin de bateau aux bottines fourrées en passant par les mocassins à grosses semelles-crampons et les éternels "workers". De quoi faire face à toutes les intempéries et aux sols les plus difficiles.

WESTERN HOUSE

11 rue des Rosiers (4°)
40 29 94 93
23 rue des Canettes (6°)
43 54 71 17
Les meilleurs marques de chaussures sportswear et sport à la mode pour adultes reprises au quotidien par les juniors qui ne jurent que par ces marques: Clarks, Sperry

top Sider, Docksteps, Sebago de Docksides, Timberland (Binubuck, Boat ou Chukka), Tod's, Palladiums en toile et en nubuck, Cole Haan à lacets avec des semelles de gomme, mocassin Sebago et aussi une sélection de Reebok.

LUNETTES

GUALDONI

228 rue Rivoli (1°)
42 60 77 44
8 av Mozart (16°)
42 24 77 87
Authentique décor début du siècle et choix important de lunettes de marque : Beausoleil, Ray-Ban, Persol, Armani... chez cet opticien de grande qualité. Egalement des modèles sur mesure pour choisir sa forme et sa couleur. Une institution depuis 1901.

HERVE DOMAR

48 rue Dauphine (6°)
46 33 88 99
Un grand espace au

décor dépouillé réchauffé par des présentoirs en merisier rouge. Une sélection très pointue de montures de lunettes de vue ou de soleil, véritables accessoires de mode choisies pour leur style du plus dépouillé au clin d'oeil aux années 70. Les collections de LA Eyeworks, de Matsuda, de Air Titanium, de Gouverneur Audigier... Une boutique-galerie ouverte à la création et au design où Hervé Domar expose ses coups de coeur et ses créations.

LAFONTAINE - DAUPHIN

54 rue du Fg-St-Honoré (8°) 42 65 47 20
Moquette et boiseries, ambiance feutrée pour cette boutique d'opticien qui offre un éventail très bien choisi de montures de lunettes des meilleurs marques

M O D E

classiques ou à la mode. A noter : les modèles Ray Ban et Persol mais aussi des lunettes Mikli, Gaultier, Armani...

MEYROWITZ

5 rue de Castiglione (1°)
42 60 63 64
Véritable institution fondée en 1875 en Amérique présente à Paris avant 1924 (date de l'ouverture de la boutique de la rue de Castiglione). Créatrice des lunettes d'aviation dites "Goggles", Meyrowitz continue de fabriquer en série ou sur mesure une ligne de montures toujours classiques en écaille, en or et dans différentes matières plastiques.

PHOTON DES VOSGES (LE)

9 rue du Pas-de-la-Mule (4°) 42 77 45 22
L'exemple même de l'opticien nouvelle génération, alliant le sérieux d'un métier aux exigences de la mode et au charme d'un décor

personnel mi-moderne, mi-Marais avec des carreaux de céramique espagnols aux murs, des meubles anciens, des murs en pierre et des poutres au plafond. Très belles montures de lunettes de vue ou de soleil souvent légères, sélectionnées parmi les collections de Frédéric Beausoleil, Oliver Peoples et LA Eyeworks.

M O N T R E S

GARDE-TEMPS

43 galerie Vivienne (2°)
42 96 04 49
Des montres anciennes des années 30 à nos jours de Seiko, Rolex, Breitling, Tag Heuer... et la diffusion exclusive des montres Island, propriétaire de cette boutique style années 50. Tous les modèles sont soigneusement sélectionnés. Vous pourrez aussi y vendre vos montres de collection.

MONTRES (LES)

58 rue Bonaparte (6°)
46 34 71 38
6 rue G.-Courbet (16°)
47 04 85 06
Dans des vitrines "à l'ancienne", les best-sellers de nos marques favorites : Jaeger Le Coultre, Breitling, Longines, Ebel, Gérard Perregaux, Omega, Van Cleef Arpels... Uniquement des montres-bracelets.

ROYAL QUARTZ

10 rue Royale (8°)
42 60 58 58
Décor luxueux de marbre et de boiseries pour un temple de l'heure. Du petit prix au plus fou, des montres de toutes les marques mais toujours belles : Swatch, Seiko, Ebel, Rolex...

P A R A P L U I E S

ANTOINE

10 av de l'Opéra (1°)
42 96 01 80
Une boutique tout en vitrines et en boiseries

M O D E

pour un choix étonnant de parapluies. Du parapluie à manche amovible pour le ranger dans une valise, au "parapluie-épée" en passant par tous les modèles classiques et le très pratique parapluie poids-plume pour sac à main. De l'uni, ou des motifs classiques ou fantaisies, des pommeaux de toutes les formes et aussi des cannes et des ombrelles. Encore une institution.

GEORGES GASPAR
17 bd Malesherbes (8°)
42 65 13 84
Grande maison et petite boutique pour un choix de parapluies noirs de la "City" à poignée en jonc. Des cannes anciennes ou contemporaines, des ombrelles. Et en plus, un atelier de réparation.

MADELEINE GELY
218 bd St-Germain (7°)
42 22 63 35
Depuis 1834, la famille

poursuit la tradition auvergnate du parapluie. Il y en a pour tous les goûts et de toutes les tailles. Egalement, une collection de vieilles cannes en acacia ou en bois d'amourette à pommeau d'argent ou d'ivoire.

SACS ET BAGAGES

BOTTEGA VENETA
48 av V.-Hugo (16°)
45 01 70 58
Un univers de meubles vernissés pour une ligne de sacs ou de pochettes en cuir tressé. Pour le voyage, une collection de valises et de sacs en toile enduite noire et cuir fauve. Egalement, des agendas et des accessoires: pochettes de soirées et cravates.

GOYARD
233 rue St-Honoré (1°)
42 60 57 04
Une superbe devanture, un étonnant décor tout en acajou avec ses

boiseries et son double escalier central préservé par les générations successives de la famille Goyard, depuis 1853. Spécialiste de tout bagage, du petit porte-monnaie à la malle cabine en passant par les sacs à main ou de voyage. En toile de coton tissé sur métier jacquard garni de cuir ou tout en cuir et aussi à la demande et sur mesure. Une institution : qualité et tradition.

HERMES
24 rue du Fg-St-Honoré (8°) 40 17 47 17
Pour le grand classique de Hermès, le sac Kelly créé en 1930 et lancé plus tard par la princesse Grace de Monaco, qui continue d'être un des best-sellers de la maison, et aussi pour les autres créations classiques ou non. Des sacs cousus sellier : en crocodile, en agneau, en chèvre, en lézard, en autruche ou le tout assorti.

M O D E

ACCESSOIRES-SACS ET BAGAGES

Goyard

HERVE CHAPELIER
55 bd de Courcelles (8°)
47 54 91 27
13 rue G.-Courbet (16°)
47 27 83 66
Toute la gamme des
sacs en nylon Chapelier
unis, bicolores avec ou
non des renforts en cuir.
Du sac à dos devenu le
sac universel, aux sacs
de voyage en passant
par toute une gamme de
tailles et même des
petites trousses de
toilette ou des porte-
monnaie.

IL BISONTE
*7, 9 et 11 galerie Véro-
Dodat (1°)*
42 08 92 45
*17 rue du Cherche-Midi
(6°) 42 22 08 41*
De beaux sacs de
voyage et des sacs à
main, dans des cuirs
naturels clairs au ton
chaud, souples et bien
épais. Egalement, des
collections plus
classiques de sacs et
d'accessoires déclinés
dans différents coloris :
marron glacé, vert

anglais, rouge... Si vous
en avez l'occasion, allez
à la boutique show-
room installée dans la
galerie Véro-Dodat.

JEAN-PIERRE RENARD
*3 pl du Palais-Bourbon
(7°) 45 51 77 87*
Dans son atelier caché à
l'intérieur d'une petite
cour pleine de pots à
l'italienne et de plantes
vertes, Jean-Pierre
Renard officie pour une
clientèle très privée. A
la demande, il réalisera

M O D E

le sac de vos rêves, en lézard, en autruche ou en box, en un ou deux mois de délai. Pour les impatientes, une collection classique créée par lui-même.

LINBLAD

1 pl A.-Deville (6°)
42 84 05 83
A deux pas de la rue du Cherche-Midi, une boutique tout en bois blond pour des collections de sacs à main mode ou sport. De très beaux modèles dans les gammes sport, en toile ou en cuir vraiment pratiques avec leurs multiples poches intérieures et extérieures. Des créations orginales, simples, de belles matières et des coloris gais et variés.

LONGCHAMP

390 rue St-Honoré (1°)
42 60 00 00
Pour ses sacs de voyage en nylon noir garni de cuir, ou encore ceux de la ligne "City" en veau

foulonné plus féminins et déclinés dans plusieurs coloris. Un style sport classique et une fabrication de qualité : finitions réalisées à la main.

MULBERRY

45 rue Croix-des-Petits-Champs (1°)
40 41 07 69
14 rue du Cherche-Midi (6°) 42 22 95 05
Des collections de bagages et des sacs à main classiques. Des couleurs naturelles, de très beaux cuirs et peaux et même du cuir tressé, des formes simples et toujours le style sport anglais de Mulberry.

PRADA

5 rue de Grenelle (6°)
45 48 53 14
Des formes simples et classiques, sport et sophistiquées. Des matières basiques anoblies par Prada comme le nylon (associé ou non de cuir, simple ou doublé) qui a

fait leur réputation en France auprès d'une clientèle mode. Et aussi, des petits sacs du soir et une ligne dans de très beaux cuirs. Et des idées cadeaux : flasques, thermos, ceintures, gants...

RENAUD PELLEGRINO

10 rue St-Roch (1°)
42 60 69 36
15 rue du Cherche-Midi (6°) 45 44 56 37
Des sacs et des pochettes pour tous les instants de la journée. Des créations où le chèvre poussière concurrence avec l'autruche ou le croco. Beaucoup de modèles de petits sacs du soir en taffetas, moire, satin ou duvet de cygne. Des créations originales, élégantes, pleines d'humour et de fantaisie.

UPLA

17 rue des Halles (1°)
40 26 49 96
22 rue de Grenelle (7°)
45 44 24 81

M O D E

Le grand classique de Upla c'est le sac style besace avec rabat et deux poches plaquées, en cuir gréné ou en tissu uni et imprimé, fabriqué dans des formats et des coloris divers. Pour chaque modèle, une collection de petites maroquineries (porte-monnaie, portefeuilles, porte-clefs...) assorties.

VETEMENTS FEMMES

STYLE CLASSIQUE ET NOUVEAU CLASSIQUE

ARMANI

GIORGIO ARMANI
16 pl Vendôme (1°)
42 61 70 60
Et
EMPORIO ARMANI
25 pl Vendôme (1°)
42 61 02 34
L'élégance de la simplicité, un style intemporel, dépouillé, l'utilisation de tissus masculin et le souci du confort sont les points

forts de Armani. Un style décliné pour deux collections: Giorgio Armani (ensemble veste-pantalon ou jupe, chemisier en soie...) plus "classique" et Emporio Armani plus "jeune, coloré, contemporain", une garde-robe complète du sporstwear aux robes du soir en passant par les accessoires.

ARTHUR AND FOX
40 rue Vignon (9°)
47 42 00 32
Et
CHARLES BOSQUET
19 rue C.-Marot (8°)
47 20 56 75
Plus connues pour les hommes, ces boutiques ont également une collection pour femmes. De bons classiques indémodables, bien coupés dans des tissus de qualité : tailleurs, pantalons en flanelle, chemises...

CERRUTI 1881
42 rue de Grenelle (7°)
42 22 92 28

15 pl de la Madeleine (8°) 47 42 10 78
17 av V.-Hugo (16°) 45 01 66 12
Un classicisme intemporel signé Cerruti, des lignes souples, des tissus nobles et exclusifs, une élégance confortable: un style féminin ou un esprit masculin au féminin. Manteaux, tailleurs, vestes, robes du soir brodées, tailleurs du soir... Cuir, daim, maille, soie, crêpe...

CHARVET
28 pl Vendôme (1°)
42 60 30 70
Pour la qualité des chemises en prêt-à-porter ou sur mesure dans une gamme infinie de tissus.

CORINNE SARRUT
4 rue du Pré-aux-Clercs (7°) 42 61 71 60
Une mode pour une femme parisienne, charmante et discrète faite de vêtements confortables dans de

M O D E

belles matières (grain de poudre, soie lavée, crêpe de viscose) et de petits pulls dans une grande gamme de couleurs raffinées.

MURIEL GRATEAU

132 galerie de Valois (2°) 40 20 90 30
Des vêtements et des accessoires intemporels, sobres et élégants. Des classiques redessinés, de belles matières, des couleurs pures ou recherchées et profondes (safran, vert foncé, brun, rouge laque...) et une qualité parfaite. Pulls, robes, jupes, tuniques en cachemire ou en viscose, blouses en soie, pochettes, sacs à main et chaussures.

SAINT LAURENT

6 pl St-Sulpice (6°) 43 29 43 00 38 Fg-St-Honoré (8°) 42 65 74 59 12-14 rd-pt des Champs-Elysées (8°) 45 62 00 23 19 av V.-Hugo (16°) 45 00 64 64

SAINT - LAURENT DIFFUSION
21 rue de Tournon (6°) 43 29 38 14
Une collection hyper classique et ultra féminine, élaborée et affirmée par l'expression des couleurs, le choix des matières (soyeuses et nobles) : lignes (appuyées ou vaporeuses). Un total look tout en nuance pour Saint Laurent diffusion destiné à une clientèle de femmes sophistiquées.

VICTOIRE

10 pl des Victoires (1°) 42 60 96 21 12 pl des Victoires (1°) 42 61 09 02 1 rue Madame (6°) 45 44 28 14 38 rue François-1er (8°) 47 23 89 81 16 rue de Passy (16°) 42 88 20 84
Difficile à classer, Victoire est la référence des femmes modernes,

élégantes qui aiment être à la mode avec sobriété. Françoise de Chassagnac qui fut la première à proposer une sélection de créateurs jeunes et plus connus, anime ses boutiques avec passion. Elle aime les belles matières, les lignes simples, les vêtements faciles à porter de Angelo Tarlazzi, Jérôme L'Huillier, Christophe Lemaire, Marc Audibet, Paul Ka, Moschino, Dolce et Gabanna, Roméo Gigli, etc. Egalement la ligne "Victoire" plus classique (chemisiers féminins, tee-shirts en soie et robes du styliste italien Cesare Fabri).

STYLE JEUNE ET DECONTRACTE

AGNES B

6 rue du Jour (1°) 45 08 56 56 13 rue Michelet (6°) 46 33 70 20 17 av Pierre-1er-de

M O D E

APC Mode

Serbie (16°)
47 20 22 44
Des collections
intemporelles pour des
vêtements faciles à
porter qui restent dans
le ton de la mode avec
toujours les tailleurs
jeunes et près du corps,
les blousons, les gilets
pressionnés, les tee-
shirts rayés et les
chemises à petits cols.

ALBERTO BIANI
24 pl des Vosges (3°)
48 04 70 20

Décor baroque
contemporain et cabines
feutrées pour les lignes
"Alberto Biani" et
"New York" dessinées
par ce créateur. Connu
pour son style masculin
au féminin, ses
pantalons cigarettes
déclinés dans des tissus
de qualité simples ou
sophistiqués, dans des
coloris classiques
(beige, gris anthracite...)
ou plus vifs pour les
collections d'été.

Egalement vestes et
manteaux à coordonner.
Plus sophistiquée
(cachemire et soie) mais
dans le même esprit, sa
ligne "Alberto Biani"
propose des chemises
pour femmes à poignets
mousquetaires et
finitions main.

APC MODE
4 rue de Fleurus (6°)
42 22 12 77
Un style à la fois
moderne et sobre,
propre au créateur de

M O D E

APC Mode: pantalons cigarettes (ce fut l'un des premiers), vestes courtes ou longues cintrées, chemises simples... Une ligne épurée près du corps, de belles matières nobles ou modernes, des tons neutres et sourds dans les unis et les imprimés. Des créations fortes dans leur rigueur, leur qualité et leur sobriété. Egalement une collection pour hommes.

A ET T GILLIER

51 rue de Rennes (6°)
42 22 04 48
Ligne féminine intemporelle pour des vêtements en maille (laine, poil de chameau l'hiver et en été: maille viscose, lycra...). Belle qualité pour des pièces près du corps et des matières (fil mohair, maille chenille, angora) déclinées dans des coloris: marine, anthracite, écru, noir, couleurs de terre, tabac, ficelle, sable. Et aussi tailleurs, jupes et pantalons.

CLAUDIE PIERLOT

4 rue du Jour (1°)
42 21 38 38
29 rue du Vieux-Colombier (6°)
45 48 11 96
Une ligne sobre et classique dans les tons bleu marine, noir, gris, rouge, vert anglais pour des vêtements à porter tous les jours. Un côté "Claudine à l'école": vestes, pantalons et robes en lainage pour l'hiver, robes légères imprimées ou unies l'été, brassières rayées, petits pulls, cardigans... La fantaisie de Claudie Pierlot c'est le béret, les petits foulards à pois, les boutons en cuivre et métal : une fantaisie subtile et sage.

CORINNE COBSON

28 pl du Marché-St-Honoré (1°)
42 60 01 00
Plus un état d'esprit et une façon d'être, les vêtements de Corinne Cobson sont faits pour être portés tous les jours : lignes contemporaines près du corps ou plus amples, une grande sobriété dans les couleurs : noir, marine, verts, bruns, corail. Aussi, des accessoires: bijoux de style "grand chic" (comprendre touche fantaisie), sacs, ceintures, chaussures.

DOROTHEE BIS

33 rue de Sèvres (6°)
42 22 00 45
Depuis toujours un grand spécialiste de la maille résolument moderne dans ses formes, ses matières et ses couleurs.

ERES

4 bis rue du Cherche-Midi (6°)
45 44 95 54
2 rue Tronchet (8°)
47 42 24 55
Une mode tout près du corps, maille structurée et travaillée mate ou soyeuse : caleçons,

M O D E

jupes, combinaisons, superbes bodies. Des unis et toujours des imprimés. Très belles qualités : strech, visconti et velours. Pour le soir, la plage ou tous les jours.

IRIE

8 rue du Pré-aux-Clercs (7°) 42 61 18 28
Pour ses caleçons imprimés, ses petits tailleurs près du corps, ses grandes chemises en soie, ses matières chatoyantes ou résolument modernes et ses couleurs unies ou ses imprimés. Une boutique qui ne désemplit pas.

SCOOTER

*10 rue de Turbigo (1°) 45 08 89 31
29 bd Raspail (7°) 45 48 24 37
12 rue Guichard (16°) 45 20 23 27*
Des variations sur le thème du tailleur modernisé et rajeuni avec une collection plus

décontractée ou mode et une plus "habillée": jupes courtes ou longues, vestes, pantalons, shorts dans plusieurs coloris à assortir. Belles collections de maille et des accessoires.

TEHEN

*5 rue des Prêcheurs (1°) 40 26 86 23
5bis rue des Rosiers (4°) 40 27 97 37
28 rue de Grenelle (7°) 45 44 80 42
17 rue G.-Courbet (16°) 47 55 17 27*
Maille sophistiquée, formes recherchées fluides ou près du corps, couleurs végétales souvent chinées ou du gris et de l'écru.

E T   A U S S I

AU VRAI CHIC PARISIEN

8-10 rue Montmartre (1°) 42 33 15 52
Sur un petit air de Trenet, dans cette boutique ouverte au printemps 90, on trouve

les vêtements inspirés par ceux que portaient nos parents en 1940 : pantalons, vestes, petits gilets, chemises, chaussettes, tee-shirts. Coupes rétro, tons sobres et belles matières. Tout en fredonnant "Nationale 7" ou "Le Temps des cerises", vous vous promenerez entre les vêtements tous signés "Au Vrai Chic Parisien", les jouets anciens (seaux de plage en métal peint, boîtes de couleur) et le rayon enfant.

TENDANCE MODE

ANGELO TARLAZZI

*74 rue des Sts-Pères (7°) 45 44 12 32
67 rue du Fg-St-Honoré (8°) 42 66 67 73
3 rue de Boccador (8°) 40 69 69 77*
Sa mode est faite de vêtements très simples et jamais conventionnels. Il associe les couleurs

M O D E

comme seul un italien sait le faire. Ses créations de maille deviennent un must de la mode, ses robes drapées en tissu élastique sont sa signature. Il aime mieux le style séduisant qu'agressif. Il pense que le grand luxe est d'être à l'aise dans ses vêtements.

AZZEDINE ALAIA

7 rue de Moussy (4°)
42 72 19 19
et aussi dans les boutiques
JOSEPH
Le styliste qui a redonné à la femme ses formes galbées, qui les a structurées et "sculpturées". Il les "déshabille" pendant les défilés de petits shorts courts et propose dans son superbe hôtel particulier (show-room et boutique), des collections plus sages (imperméables, jupes, tailleurs, vestes...) très bien coupées, dans de

belles matières et des coloris classiques. Autre point fort: la maille.

JEAN-PAUL GAULTIER

6 rue Vivienne (2°)
42 86 05 05
Et
GAULTIER JUNIOR
7 rue du Jour (1°)
40 28 01 91
Que dire encore sur Gaultier. Lui, s'arrange pour faire parler de lui avec ses défilés "provocants", Yvette Horner, Madonna, ses costumes de la chorégraphe Régine Chopino... Dans la galerie Vivienne, il a bâti un temple à son image. Une mode avant-gardiste, excentrique ou plus "classique" avec des détails qui la griffent. Pour les plus jeunes, une collection junior plus facile à porter et moins chère.

JOSEPH

44 rue E.-Marcel (1°)
42 36 87 83
68 rue Bonaparte (6°)

46 33 45 75
Pour sa maille sexy ou décontractée (jupes courtes ou longues, caleçons), les très beaux pulls en hiver, et aussi les collections d'Azzedine Alaïa.

KASHIYAMA

147 bd St-Germain (6°)
46 34 11 50
22 bd Raspail (7°)
42 84 15 30
Une boutique au décor dépouillé à Saint-Germain-des-Prés pour trouver les créations des stylistes qui font la mode: Dolce et Gabanna, Roméo Gigli, Sybilla, John Galliano, Rifat Ozbek...

LIONEL CROS

21 rue du Roule (1°)
45 08 83 41
Plus une boutique de fripier qu'une boutique de mode pour ce jeune créateur qui fait un tabac chez les rédactrices de mode. Ses horaires sont modulables comme son humeur. Ces

M O D E

admiratrices se précipitent sur ses tenues "indiennisantes", ses robes mini en latex ou ses pantalons en skaï années 70. Look de la nuit pas bon marché.

MARIA LUISA

2 rue Cambon (1°)
47 03 96 15
Les collections de créateurs connus et moins connus, choisis chacun pour leur style, Jean Colonna, Martine Sitbon, Véronique Leroy, Jérôme L'huillier, Galliano, K.Hamnet, Costume National, Helmut Lang, Sybilla, Philippe Ben, Mario Chanet, Ann Demeulemeester, Marc Audibet, Carlos Rodriguez et d'autres.

MICHEL KLEIN

6 rue du Pré-aux-Clercs
(7°) 42 60 37 11
Des créations fortes dans leur simplicité, intemporelles mais modernes. Un style pur, féminin et sobre avec toujours des collections

de maille. Des couleurs simples : noir, brun, marine, écru... Et aussi sa ligne moins chère "Klin d'Œil".

MYRENE DE PREMONVILLE

38 rue de Bac (7°)
45 49 46 96
32 av George-V (8°)
47 20 02 35
Deux univers conçus par le décorateur Jacques Grange pour présenter les créations de Myrène de Prémonville. Des collections très personnelles pour des femmes jeunes et modernes. Des lignes élégantes avec un grand sens graphique aussi bien dans les formes (découpes et boutonnages asymétriques) que dans les couleurs (détails de mosaïque). Et aussi des accessoires dans le même esprit.

PAULE KA

20 rue Mahler (4°)
40 29 96 03

192 bd St-Germain
(6°) 45 44 92 60
Les grandes silhouettes de Paule Ka c'est le tailleur masculin (au féminin), le tailleur-robe, les robes fantaisies (soir ou cocktail). Un esprit "couture" dans la recherche des matières et la qualité des finitions, un esprit "basique" dans le style facile à porter et les couleurs (noir, marine, écru et blanc). Dans chaque collection également des pièces très colorées et quelques accessoires. Une élégance faisant référence au style des années 50-60 version Jackie Kennedy.

ROMEO GIGLI

46 rue de Sévigné (3°)
42 71 08 40
Pour sa superbe boutique-loft avec verrière, ses matières nobles, ses coupes recherchées, ses broderies somptueuses

M O D E

et ses couleurs subtiles. Des lignes souples et fluides.

SYBILLA

62 rue J.-J.-Rousseau (1°)
42 36 03 63

Au fond d'une cour d'un hôtel particulier XVIIIe, dans un espace de 400 m^2 sous verrière, la créatrice espagnole Sybilla et le designer de meubles Kiké Sisera ont su recréer dans l'esprit de la Tienda de Madrid, une atmophère des plus agréables et un décor de bois, corde, fer forgé. Vous y trouverez toutes les créations de cette jeune styliste: prêt-à-porter (chaîne et trame, maille), chapeaux, lunettes, parapluies mais aussi le linge de maison.

ZUCCA

34 rue St-Sulpice (6°)
40 51 86 75

Pour son style masculin au féminin : vestes taillées comme pour les hommes et pantalons. Des matières naturelles,

beaucoup de bleu marine, des écrus, des beiges, très rarement de blanc pur mais souvent une couleur forte par collection. Et aussi pour ses chemises très travaillées, à plastron ou plissées et à petits cols.

TENDANCES EXOTIQUES

CFOC

24 rue St-Roch (1°)
42 60 65 32
163 bd St-Germain (6°) 45 48 00 18
65 av V.-Hugo (16°)
45 00 55 46
113 av Mozart (16°)
42 88 36 08

Soyeux, lumineux , à motifs ou unis, des tissus importés de chine (coton ou soie) dans lesquels sont fabriqués en France des vêtements inspirés des tenues traditionnelles chinoises remises au goût occidental. Vestes (bleu de chine) de travail chinoises, pantalons en soie montés sur élastique, tee-shirts

souples, ensembles de jupes et de vestes-kimonos, gros manteaux bleu de chine l'hiver, vestes matelassées... Des couleurs profondes et belles dans les soies.

LAIMOUN

2 rue de Tournon (6°)
43 54 68 00

Des vêtements inspirés par les habits traditionnels du Liban, adaptés au goût occidental moderne. La "Abaya" (intraduisible, mais sorte de djellaba ouverte), grande enveloppe rectangulaire devient robe du soir, manteau ou imperméable. De beaux pantalons resserrés en bas et montés sur élastique, des chemises à col rond et boutonné, des jupes longues. Les tissus sont superbes : coton tissé main rayé et soyeux, velours, soie, drap de laine. Des lignes pures alliées à la richesse des matières et des couleurs.

M O D E

Arthur and Fox

POUR SURAH

7 rue du Trésor (4°)
42 77 11 21
Une petite boutique de
créatrice pour toutes
celles qui aiment les
formes kimono amples,
les très belles soies et
leurs somptueuses
couleurs chatoyantes.
Des chemises, de
grands jupons, des
pantalons larges, de
grands manteaux aux
formes simples.

VETEMENTS HOMMES
STYLE CLASSIQUE

ARTHUR AND FOX

40 rue Vignon (8°)
47 42 00 32
Cinq boutiques à Paris
pour les mêmes
collections classiques
pour hommes. Des
costumes droits ou
croisés (deux ou trois
boutons), des manteaux
et des vestes 100%

cachemire, des
chemises en popeline,
en fil à fil, en oxford,
unies, rayées ou à
carreaux avec quatre
cols au choix
(américain, anglais,
italien ou français), des
pantalons, des
accessoires (pochettes et
cravates en soie,
écharpes en
cachemire)... Toute une
garde-robe de qualité en
prêt-à-porter ou en

M O D E

demi-mesure. Il ne manque que les pulls.

BARNES
61 av V.-Hugo (16°)
45 00 98 10
Voir texte Arthur and Fox, même rubrique.

BERTEIL
7 rue de Solférino (7°)
45 51 00 53
3 pl St-Augustin (8°)
42 65 28 52
Que peut-on encore écrire sur Berteil. Il y ceux qui aiment, il y a ceux qui n'aiment pas. Disons que c'est toujours une bonne maison, qu'on a du plaisir à y passer, et aussi à y acheter vestes, pulls, impers... C'est mieux côté sportswear (parfois un peu cher) mais il n'est pas interdit d'y faire faire ses costumes.

BRUNO RUBINSKI
20 rue du Vieux-Colombier (6°)
45 48 30 22
Pour hommes classiques et modernes:

un grand choix de pulls de la marque "Ballantyne" en geelong ou en cachemire. Et aussi, des chemises col ville ou boutonné (chambray, popeline double retord, lin pour l'été...) rayées, à petits carreaux ou unies dans les tons délavés. Deux coupes pour les pantalons quatre pinces ou américain (taille haute avec deux pattes) en velours, flanelle, super 100, whipcord. Et une coupe droite pour les vestes coupées dans les matières aux coloris classiques. Le tout (sauf les pulls) fabriqué par Bruno Rubinski.

CHARLES BOSQUET
13 rue Marbeuf (8°)
47 20 56 75
Voir texte Arthur and Fox, même rubrique.

CIFONELLI
31-33 rue Marbeuf (8°)
43 59 39 13
Une adresse connue pour sa qualité et son

style classique et élégant, qu'une clientèle fidèle et traditionnelle d'hommes d'affaires se donne de bouche à oreille. Une famille d'italiens-tailleurs qui travaille encore dans le respect et le souvenir du père venu à Paris en 1926. Au n°31, le prêt-à-porter haut de gamme mis au point par le tailleur dont l'atelier est installé en appartement au premier étage (n°33). Ici, on fait attention à la ligne du costume, à la morphologie du client, au choix des tissus toujours de haute qualité et bien sûr aux finitions. Egalement, des pulls cachemire, des chaussettes, des mouchoirs et des cravates (réalisés de façon traditionnelle par des artisans).

COSTARDO
69 rue Richelieu (2°)
49 27 03 79
9 av Niel (17°)
40 55 03 55
Déjà deux grands

M O D E

espaces dépouillés pour cette marque bâtie sur un concept (qui ne se prend pas au sérieux) de "vulgarisation du costume"... d'où le nom. Le but : proposer une garde-robe complète pour hommes à des prix très étudiés. La méthode : peu de coupes déclinées dans différents tissus classiques et une perspective de diffusion assez large. Trois coupes pour les costumes dont un croisé trois boutons (caviar, prince de Galles, cachemire, lin pour l'été...), une coupe pour les pantalons deux pinces. Costumes, vestes et pantalons également en demi-taille. Retouches "immédiates" et gratuites. Et bientôt une ligne plus sportswear (shorts, polos...). Egalement des chemises (voir rubrique).

DELAUNAY
159 bd St-Germain
(6°) 45 48 37 80

Voir texte Arthur and Fox, même rubrique.

HARTWOOD
40 rue du Bac (7°)
45 48 81 21
123 rue du Fg-St-Honoré
(8°) 43 59 43 29
Une garde-robe complète masculine d'inspiration anglaise. Coupes classiques et tissus de qualité. Costumes droits ou croisés, vestes plus sport en laine et en cachemire, blazers, pantalons (whipcord ou velours en hiver), chemises, belles cravates à pois ou à motifs, chaussettes mi-bas, caleçons, écharpes en cachemire, manteaux, imperméables, et survestes... Au choix le PAP ou le demi-mesure.

JOHN DEMERSAY
133 rue de la Pompe
(16°) 45 53 05 10
Voir texte Arthur and Fox, même rubrique.

MARCEL BUR
138 rue du Fg-St-Honoré
(8°) 42 56 03 89

Depuis 30 ans, Marcel Bur habille les hommes politiques, les patrons de grandes entreprises et aussi des artistes. Une clientèle exigeante, traditionnelle et très classique à qui il propose non pas une mode mais un style. En bas, la boutique pour le prêt-à-porter (qualité-mesure). Au deuxième étage, l'atelier-tailleur pour le sur mesure: manteaux, costumes, pantalons. Tissus toujours purs, impressions ou tissés classiques. Et aussi, les chemises (qualité-mesure standardisée), dans les meilleurs étoffes, col souple, deux longueurs de manche, poignets simples (deux boutons) ou mousquetaires à un prix raisonnable : sur place ou par correspondance sur catalogue.

OLD ENGLAND
12 bd des Capucines
(9°) 47 42 81 99
Un temple de l'élégance anglaise avec un *corner*

MODE

VETEMENTS HOMMES

de la marque institutionnelle "Chester Barrie" pour un choix important de costumes, pardessus, vestes, blazers et pantalons très bien coupés dans des tissus de qualité : tweed-laine peignée, cachemire et soie, et boutons en corne. Egalement les fameuses chemises "Turnbull and Asser", les trench "Aquascutum", les pulls cachemire "Murray Allan", les chaussures "Church's", les panamas et les chapeaux "Herbert and Johnson", les parapluies "Brigg"...

PHIST

19 rue du Vieux-Colombier (6°)
45 48 57 84
3 rue Vavin (6°)
43 25 30 90
14 rue Marbeuf (8°)
47 20 70 31
19 rue Tronchet (8°)
47 42 34 23
130 rue de la Pompe
(16°) 47 27 47 41

Des vêtements classiques à des prix étudiés. Le secret: une seule coupe pour les pantalons quatre pinces, les vestes droites et amples et les costumes déclinés dans des tissus aux coloris classiques (laine, coton, lin, cachemire mélangé). Des chemises en popeline ou en oxford. Rue de la Pompe, également une collection pour femmes.

WELL'S

22 rue Gay-Lussac (5°)
46 33 66 18
Ceux qui ont commencé à s'intéresser à leur habillement dans les années 60 connaissent cette adresse. Ca n'a pas beaucoup changé, c'est toujours un peu confidentiel mais très bien. Peu de choix mais de bonnes vestes en tweed, des costumes classiques, des alpagas à des prix défiant toute concurrence. Une adresse à revisiter.

CHEMISES PRET-A-PORTER

CHARVET

28 pl Vendôme (1°)
42 60 30 70
Une institution de l'élégance masculine depuis 1838 avec un rayon très important de chemises en prêt-à-porter. Un choix immense de tissus dans chaque taille, un modèle de col classique et une qualité de fabrication très soignée aux finitions parfaites : des popelines, des oxfords, du fil à fil (unis, rayés, à petits ou grands carreaux, pour femmes et hommes.

COSTARDO

69 rue Richelieu (2°)
49 27 03 79
9 av Niel (17°)
40 55 03 55
Une garde-robe complète pour hommes à des prix étudiés (voir ci-dessus) et aussi un rayon chemise. Une coupe "américaine", coutures intérieures

M O D E

Old England

roulottées, trois longueurs de manches et de chemise et deux styles de col (classique sans bouton et col cassé). Du 100% coton, un peu de coton (rayé, uni, vichy) égyptien et de voile, et du chambray.

HARTWOOD

40 rue du Bac (7°)
45 48 81 21
123 rue du Fg-St-Honoré
(8°) 43 59 43 29
En prêt-à-porter ou en

demi-mesure, des chemises classiques pour hommes dans un large choix de tissus de qualité (coton double fils, double retord italien...). Beaucoup de rayures fines et de petits carreaux mais aussi du chambray (bleu, rose, noir ou rouge). Au choix: quatre formes de col (italien, américain, anglais et un col "Hartwood" sans bouton mi-italien, mi-

français) et deux formes de poignets simples ou mousquetaires. En demi-mesure pour un prix raisonnable variable en fonction du choix du tissu.

HILDITCH AND KEY

252 rue de Rivoli (1°)
42 60 36 09
Cette véritable institution connue pour la qualité de ses chemises sur mesure (voir rubrique), propose

M O D E

également un grand choix de chemises en prêt-à-porter (fabrication exclusive "Hilditch and Key"), dans les mêmes popelines. Grand choix de coloris classiques : trois formes de col (italien, boutonné ou droit), deux styles de poignets (simples ou mousquetaires). Finitions irréprochables et même soin apporté qu'au sur mesure.

LOFT

12 rue de Sévigné (4°)
48 87 13 07
56 rue de Rennes (6°)
45 44 88 99
12 rue du Fg-St-Honoré
(8°) 42 65 59 65
175 bd Péreire (17°)
46 22 44 20

Des magasins décorés dans le même esprit (style usine désaffectée) pour une mode "basique" et confortable. Côté chemises, des modèles classiques à rayures

dans les tonalités bleues. Egalement du chambray à associer au reste de la collection : pantalons, pulls, tee-shirts... Basiques aussi les couleurs (noir, gris chiné ou anthracite, écru...) et des prix bien pensés.

OLD ENGLAND

12 bd des Capucines
(9°) 47 42 81 99
Pour son rayon "Turnbull and Asser", les fameuses chemises du Prince Charles: col rétro et souple, rayures classiques ou fantaisies (contrastées), poignets simples à deux boutons.

PAPE

4 av Rapp (7°)
47 53 04 05
Monsieur Pape est tailleur, il habille une clientèle traditionnelle qui trouve chez lui costumes, manteaux... (en prêt-à-porter ou sur mesure), pulls lambswool ou cachemire, accessoires, eau de cologne... tous

signés "Pape", pour un style classique-anglais. Les chemises en prêt-à-porter sont coupées avec la même exigence que le sur - mesure : couture milieu du dos pour former l'omoplate, patte d'ampleur sur la longueur, réglage longueur des manches, choix du col (italien, anglais, classique).

RHODES ET BROUSSE

14 rue de Castiglione
(1°) 42 60 86 27
Cette maison traditionnelle, très sensiblement moins chère que ses voisines mais peut-être plus classique, apporte même qualité et soin dans les choix et les finitions de ses produits. Très bon rayon de chemises en prêt-à-porter. Et aussi, de très beaux pulls en cachemire ou alpaga, cravates en laine ou soie anglaise. Accueil réservé et discret et clientèle très fidèle. Les "Rhodes et Broussiens"

M O D E

ne jurent que par cette maison, une des dernières du genre à Paris.

SULKA
2 rue de Castiglione (1°)
42 60 38 08
On pourrait se croire en Californie. Certains pourraient même croire qu'ils se sont égarés... A ne pas négliger toutefois pour le sportswear, les chemises et les accessoires.

CHEMISES SUR MESURE

CHARVET
28 pl Vendôme (1°)
42 60 30 70
Charvet habille depuis 1838 les plus grands noms de ce monde, de Proust à Kennedy en passant par le général de Gaulle. Un choix de plusieurs milliers de tissus différents pour les chemises sur mesure que l'on peut commander même à l'unité. Trois semaines de délai, un essayage, tous les modèles de

poignets et de cols existants au choix. Tissus double retord, cotons les plus fins, oxford, lin, soie, popelines, voiles, fil à fil...

COURTOT
113 rue de Rennes (6°)
45 48 54 86
Dans ce magasin un peu vieillot, vous pourrez commander vos chemises sur mesure (par trois lors de la première commande). Grand choix de tissus (popelines anglaises ou suisses), toutes les formes de col, plusieurs essayages. Prix raisonnables.

HILDITCH AND KEY
252 rue Rivoli (1°)
42 60 36 09
Dans un cadre heureusement préservé, au premier étage, l'atelier de chemises sur mesure animé par un patronier-chemisier qui aime son métier et travaille avec la même exigence que les

chemisiers d'antan. Commande de trois chemises la première fois. Plusieurs essayages minutieux sont nécessaires pour la réalisation de la toile et de la première chemise. Tout est possible de la chemise simple à la chemise pour habit : finitions et broderies faites à la main et choix infini de tissus de grande qualité.

JEAN-CLAUDE
78 av de Wagram (17°)
46 22 23 75
C'était un chemisier sur mesure comme il y en avait autrefois dans chaque quartier bourgeois. Une des adresses qu'on se donnait entre nous pour y faire "recopier" ses chemises achetées à Londres. C'est toujours le cas. Manque un peu de fantaisie dans le choix des tissus.

LISTE ROUGE (LA)
25 pl Vendôme (1°)
42 60 32 95

M O D E

On prend un ascenceur et on débouche sous les toits dans quelques chambres de bonne devenues magasin plus ou moins confidentiel. Chemises sur mesure (et chaussures) sont d'honnête qualité. Ne rêvons pas, ce n'est pas Jermyn Street bien que tout se veuille terriblement britannique.

STYLE NOUVEAU CLASSIQUE

AGNES B
5 rue du Jour (1°)
45 08 56 56
22 rue St-Sulpice (6°)
40 51 70 69
17 av Pierre-Ier-de-Serbie
(16°) 47 23 36 69
Même esprit que pour la femme, le style Agnès B est antimode, basique, confortable et jeune. Toujours du noir et blanc (uni ou à impression) et quelques couleurs fortes dans chaque collection. Des vestes, des pantalons souvent portés par une

clientèle d'artistes (photographes, musiciens, gens de la pub...). Des collections de chemises simples en coton plus ou moins sport ou colorées, les molletons pressionnés, les sweats, les polos zippés... A assortir selon son style, son âge, son humeur. Un classique décalé avec aussi tous les accessoires: chaussures, chapeaux, caleçons...

ARMANI
GIORGIO ARMANI
16 pl Vendôme (1°)
42 61 70 60
Et
EMPORIO ARMANI
25 pl Vendôme
42 61 02 34
Des classiques revisités par Armani pour des lignes souples, une élégance confortable, de belles matières. Deux tendances qui se complètent avec la création d'Emporio Armani (sportswear, costumes et tenues de soirées) pour une

clientèle masculine plus jeune que les fidèles de Giorgio Armani.

CERRUTI 1881
27 rue Royale (8°)
42 65 68 72
L'élégance Cerruti 1881 intègre notion de confort, de fluidité, de souplesse, à une qualité irréprochable de tissus exclusifs et des finitions soignées. Des "nouveaux - classiques" actuels et intemporels, du prêt-à-porter (vestes, costumes, manteaux) au sportswear en passant par les chemises, les imperméables et tous les accessoires.

KENZO
3 pl des Victoires (1°)
45 49 33 75
17 bd Raspail (7°)
45 49 33 75
18 av George-V (8°)
47 23 33 49
Et aussi
AUX TROIS QUARTIERS
23 bd de la
Madeleine(8°)
42 61 04 51
De collection en

M O D E

collection, la silhouette Kenzo Homme se dessine plus classique, toujours jeune, dynamique, confortable par sa "structure adoucie" et gaie par les coloris. Des matières de plus en plus authentiques : soie, laine, lin, cachemire, coton... Et deux grands musts : la cravate (de couleurs vives, à grosses impressions cachemire, ou à fleurs...) et le gilet.

YOHJI YAMAMOTO
47 rue E.-Marcel (1°) 45 08 82 45
Un décor minimaliste en blanc sur deux niveaux pour les collections impeccablement coupées de ce japonais qui privilégie les tenues "classiques" déclinées en noir, marine, vert bronze et gris l'hiver et blanc pour l'été. Superbes manteaux et vestes avec parfois une touche du maître

identifiant son style. Tissus de grande qualité et prix créateur. Le classique de l'an 2 000.

VETEMENTS POUR LES DEUX
SPORTSWEAR
AMERICAIN ET JEAN'S

AU VIEUX CONTINENT
3 rue d'Argout (2°) 40 39 94 94
Installé dans un ancien garage, sur deux niveaux, cette gigantesque boutique style années 50 est une vraie entité avec son coin-salon de thé au décor sud-américain. Un grand choix de vêtements en jean's (la spécialité) de Levi's, Wrangler ou Lee mais aussi d'autres rayons à thèmes particuliers. Un coin-créateurs, un coin "vêtements marins", un rayon enfants, des chaussures... Et aussi les grands succès américains du disque

depuis 1950 et de la vaisselle d'après des modèles de la Marine.

AUTOUR DU MONDE JEAN'S
10 rue des Francs-Bourgeois (3°) 42 77 96 98
"The Denim General Store" pour les 2 à 6 ans et les 7 à 77 ans. Chemises et pantalons dans les meilleures marques. Les classiques : Lee, Wrangler, Levi's... les modernes Liberto, Chipie, Replay, Diesel. Les japonais Hrm, Edwin, les espagnols Cimarron ou Niños de Locca et le must des tout-petits Osh Kosh.

COW-BOY DREAM
16 rue de Turbigo (2°) 42 36 21 64
Le style "vêtement de travail" confortable et intemporel, importé directement des Etats-Unis : doudounes, jean's de travail et vestes en jean's épais "Cahartt", chemise style "bucheron", tee-shirts...

M O D E

COW-BOY DREAM-RODEO
21 rue de Turbigo
(2°) 42 36 21 64
La panoplie complète du cow-boy de l'Ouest américain : chapeaux et chemises western, jean's très épais, ceintures... dans cette boutique où les vendeurs eux-mêmes font de la compétition rodéo. La patron vit à Dallas et suit de près l'évolution des vêtements, dernier modèle US assuré !

LEVIS' STORY (LA GUARDIA)
18 rue des Canettes (6°)
43 26 34 95
Comme son nom l'indique, on trouve dans cette jeannerie, un grand choix de modèles de la marque "Levi's", les jean's 501 (bleu, noir, blanc-cassé ou de couleurs), les blousons, les chemises en jean's et les tee-shirts à manches longues ou courtes de la même marque.

NEXT STOP
58 rue St-André-des-Arts
(6°) 43 25 13 36
80 av de Clichy (17°)
42 94 09 70
De grands espaces sportswear avec un choix de marques très large "Levi's" et les autres. Toute la garde-robe des juniors, du jean's au blouson en passant par les chemises, les polos, les sweats, les tee-shirts, les parkas et chaussures.

WESTERN HOUSE
23 rue des Canettes
(6°) 46 33 71 14
Une sélection de sportswear très junior avec un choix de plusieurs marques de jean's ("Levi's", Cimarron, Aviatic...), des blousons en cuir, des bombers, des sweats et des tee-shirts, des chemises en coton l'été, en velours l'hiver et en jean's toute l'année. Et aussi des accessoires plus "tex-mex" : santiags "Justin" et "Montana", ceintures et bandanas.

SPORT CLASSIQUE

ABERCOMBIE
38 rue du Bac (7°)
45 48 48 85
4 rue G.-Courbet (16°)
47 04 74 24
Le sportswear classique et décontracté et les bonnes marques anglaises et américaines. Chemises en coton, en denim, en oxford, en toile, en velours : "Bd Baggies" (exclusivité), Hartford. Des polos, des tee-shirts, des pulls en pure laine d'agneau de toutes les couleurs. Des pantalons en toile beige, en velours, en flanelle. Des parkas, des riding-coats, des duffle-coats, des vestes d'équitation matelassées, des canadiennes, des doudounes, des vestes en tweed et en coton. Et tous les accessoires.

ALTONA
6-8 rue de l'Odéon (6°)
43 26 31 61

M O D E

Autour du Monde

M O D E

VÉTEMENTS - SPORTSWEAR

Réparti dans deux boutiques, pour femmes et pour hommes, un même style de vêtements de sportswear classique avec tous les bons basiques à porter en week-end ou en semaine. Des créations "Altona" mais aussi une bonne sélection faite auprès des marques. Des pantalons (jean's, velours, toiles de coton), des jodhpurs ou des coupes droites pour les femmes, un grand choix de chemises pour hommes, tous les hauts et les caleçons "Sugar" pour les femmes, de très beaux pulls, des polos, des parkas "Equinoxe"...

CHATTANOOGA
71 av Bosquet (7°)
45 55 25 60
Un style sport-ville avec de très bons basiques pour hommes. Beaucoup de pulls anglais et irlandais ("Alan Paine" et "Bryant"), en lambswool deux fils.

Des vestes en tweed, en coton, en laine fine. Des parkas et des survestes en toile comme les "Smith". Des pantalons en velours, en toile de coton (style militaire). Beaucoup de chemises classiques (Hartford), bariolées ou sport. Des polos, des tee-shirts, des maillots de bain "Villebrequin" toute l'année. Des Docksides, des Timberland, des mocassins "Sebago"...

DANIEL CREMIEUX
6 bd Malesherbes (8°)
42 66 54 50
De la chaussure de marche à la cravate en soie, du costume à la doudoune, une garde-robe complète pour hommes, dans de belles matières. Côté sportswear, créations conçues pour les grands espaces et l'aventure. Superbes parkas matelassées, blousons à capuche, cabans, vestes de chasse, chemises trappeur ou chambray,

pantalons velours, pulls sport... Des authentiques contemporains, confortables et indémodables. Pour femmes, un sportswear plus citadin et des classiques revisités pour les autres jours.

ESPACE AIGLE
141 bd St-Germain (6°)
46 33 26 23
Pêche, équitation, chasse, randonnée et voile sont les cinq univers de référence de "Aigle". L'"Espace Aigle" est le lieu où retrouver l'ensemble des collections de chaussures, les bottes, mais aussi des vêtements tous taillés pour la vie au grand air. Des authentiques à détourner comme les vestes en fourrure polaire, les parkas de chasse et aussi des lignes des collections de sportswear pour la ville (chemises, polos, pantalons et shorts en toile...).

M O D E

GASTINNE RENETTE

39 av F.-D.-Roosevelt
(8°) 43 59 77 74
Le style retour de
chasse en Sologne. Un
beau choix de
vêtements de qualité :
lodens, parkas,
vêtements en toile
huilés "Barbour", pulls
à pont irlandais
rebrodés ou non pour
femmes, manteaux
autrichiens et une ligne
de bagages en toile et
cuir et des accessoires.
Des valeurs sûres et
d'autres au chic
ostentatoire.

GOOD LIFE

3 rue de Solférino (7°)
47 05 55 40
33 rue de l'Assomption
(16°) 45 24 56 50
Pour la ville ou pour la
campagne, les bons
basiques classiques de
vos tenues de week-end.
Un grand choix de
parkas, d'impers, et de
blousons, des pantalons
en gabardine ou en
velours, des jupes
classiques en popeline

ou en velours, des
chemises oxford à col
boutonné, des polos
"Lacoste", des tee-shirts
"Hanes", des pulls en
geelong (première tonte
du mouton), des
casquettes écossaises,
des gants en pécari...
Boutiques ou catalogue
de vente par
correspondance.

HEMISPHERES

22 av de la Grande-
Armée (17°)
42 67 61 86
De bons basiques
fabriqués par
"Hémisphères" ou
sélectionnés (chez des
fabricants de qualité)
parfois revus et corrigés
dans les formes ou les
couleurs. Bon rayon de
cachemire classique
toute l'année. Des
parkas (Equinoxe,
Barbours, Grenfeld),
des duffle-coats
(Invertère). Des
chemises
"Hémisphères" (col
boutonné) dans une
large gamme de coloris

(coton, velours, soie,
chambray, denim). Des
pantalons en coton
beige, des velours ou
whipcord l'hiver. Côté
femmes, un sportswear
plus "habillé".

INTERCHASSE

104 bd Hausmann (8°)
43 87 90 87
12 rue de Presbourg
(16°) 45 00 04 34
Tout le sportswear
classique décliné du
style chasse. Vestes en
toile huilée, parkas,
vestes style autrichien
ou matelassées,
manteaux avec petite
cape sur les épaules,
pulls pour hommes et
petits cardigans à
boutons dorés pour
femmes, chapeaux,
grosses chaussettes...
Et des cadeaux sur le
même thème. Catalogue
de vente par
correspondance
(Tél. : 42 24 15 08).

MULBERRY

45 rue Croix-des-Petits-

M O D E

VÊTEMENTS-SPORTSWEAR

Champs (1°)
40 41 07 69
14 rue du Cherche-Midi
(6°) 42 22 95 05
De beaux magasins, décor anglais et ambiance feutrée pour tout le sportswear chic anglais décliné de la chasse pour femmes et hommes. Imperméables huilés à empiècements cuir, vestes de chasse huilées, impers caoutchoutés, vestes sport en tweed, pantalons et jodhpurs, pull-overs en cachemire ras de cou ou en coton style tennis pour l'été, duffle-coats. Des matières de qualité (tweed, cachemire, whipcord, coton, lin et laine) dans des coloris classiques (couleurs d'automne, bleu marine, écru...).

OK'DUCK
6 rue du Laos (15°)
45 67 98 93
Vêtements et cadeaux autour du thème de la chasse. Des créations "Ok'Duck" fabriquées en France dans des tissus anglais. Les pantalons "Tintin" mixtes (spécialité de Ok'Duck), à porter avec une veste en tweed. Des incontournables : vestes matelassées ou en toile huilée (Barbour), vestes autrichiennes (Steinbock-Tyrol), imperméables (John Partridge). Des gilets en laine unis ou à carreaux, des pulls 100% geelong. Des chapeaux autrichiens, de grandes chaussettes assorties aux écharpes, des gants...

RALPH LAUREN
2 pl de la Madeleine
(8°) 44 77 53 50
Une mode intemporelle, véritable image du style de vie des patriciens de la côte Est américaine vue par Gatsby le Magnifique. Des authentiques détournés, des tendances qui se mêlent, pour passer du crickett, au ranch ou au safari. Le fameux polo, les chemises canadiennes, les chemises rayées ou en denim, les pantalons et les shorts en toile, les pulls crickett, les parkas, les pulls coton ou jacquard...

SAILLARD - FAURE LE PAGE
8 rue de Richelieu (1°)
42 96 07 78
Saillard a quitté le 17° arrondissement pour s'associer avec le célèbre armurier. Ils créent ainsi un espace complet consacré à l'univers de la chasse. Au sous-sol, Saillard propose sa ligne de vêtements de sportswear pour adultes et enfants : veste en laine autrichienne, grande cape-poncho, cape-loden, veste huilée, knicker et accessoires (sacs-besace, chapeaux, gants, bottes de limier, ceintures...). Egalement les collections pour la maison : art de la table,

M O D E

plaids, objets sur le même thème.

SCAPA OF SCOTLAND
Mixte
71 rue des St-Pères (6°)
45 48 99 44
Femmes
38 av V.-Hugo (16°)
45 00 31 31
Un incontournable du style sportswear anglais. Des coupes et des couleurs classiques (pastel, marron, kaki, gris...), des matières naturelles (coton, lin, laine, oxford...). Pour hommes et femmes : les vestes en shetland ou tweed ou coton et lin, les pulls jacquard, les pulls en cachemire aux formes classiques, les duffle-coats... Pour elle, des redingotes, des tailleurs en laine ou en lin. Pour lui, des trenchs raglans et des parkas, des pantalons en flanelle, en velours, en gabardine ou en coton.

A U T R I C H I E N

FINN AUSTRIA
25 rue Gay-Lussac (5°)
43 54 75 40

Une boutique un peu caverne d'Ali Baba, pour adultes et enfants. Tous les vêtements authentiques autrichiens : vestes, lodens, vêtements en laine foulée, gilets tricotés en laine et rebrodés, culottes tyroliennes, knickers en peau.

METTEZ
12 bd Malesherbes
(8°) 42 65 33 76
Une institution classique du vêtement autrichien. Des lodens, des vestes en laine bouillie et grattée et des vêtements plus "traditionnels" comme des gilets et des chemisiers, de longues jupes en coton ou en lin, le tout orné de broderies. Des grands châles à franges unis ou jacquard, des vestes en jean's style autrichienne aux poches soulignées de broderies. Et bien sûr, les fameux chapeaux tyroliens.

B O R D D E M E R M A R I N

AU PETIT MATELOT
27 av de la Grande-Armée (16°)
45 00 15 51
Une devanture arrondie tout en lattes de bois vernies façon coque de bateau pour cette institution, depuis 1790, du sportswear marin. Ambiance feutrée un peu "vieillotte" et toujours les bons basiques du genre : parkas "Goretex", vrais cabans et marinières en gros drap de laine bleu marine, pulls rayés boutonnés sur l'épaule, gros pulls sport unis bleu marine, marinières en coton rayé bleu, vert ou rouge brique, sans oublier les cirés jaunes de marin.

BREIZ NORWAY
33 rue Gay-Lussac (5°)
43 29 47 82
Une boutique comme il en existe dans les ports norvégiens pour y

M O D E

dénicher tous les vêtements de marins bretons et scandinaves : gros pulls irlandais, pulls et cardigans jacquards scandinaves, grosses chaussettes norvégiennes, les cirés bien coupés, les kabigs pour adultes et enfants à partir de un an, et aussi les pulls marins rayés et leurs bonnets, écharpes et gants assortis.

GLOBE-TROTTER EXPLORATEUR

AUTOUR DU MONDE

12 rue des Francs-Bourgeois (3°)
42 77 16 18
54 rue de Seine (6°)
43 54 64 47

Le total look baroudeur version *Out of Africa*. Les shorts longs anglais en toile, les parkas, les vestes de chasse, les blousons en toile, les jupes-culottes, les jodhpurs. Un grand choix de tee-shirts manches courtes ou longues et des sweats

épais. Des chemises en toile et en denim, des pulls sport ou marins, des pantalons en toile beige ou marine, les jean's "Smith" et de très nombreux accessoires très bien choisis : ceintures, chapeaux, lunettes, bandanas, montres, chaussures...

COMPTOIR DU DESERT (LE)

53 rue Vieille-du-Temple (4°) 40 29 90 56
72-74 rue de la Roquette (11°) 47 00 57 80

Ces trois boutiques proposent des vêtements style explorateur : les sahariennes, les shorts longs en toile, les pantalons beiges, les jodhpurs, les tee-shirts et les sweats boutonnés aux couleurs safari et sable, les jupes-culottes, les grandes chemises, les chaussures à grosses semelles et aussi les accessoires indispensables :

ceintures, chaussures, foulards...

CHEMISES

ABERCOMBIE

38 rue du Bac (7°)
45 48 48 85
4 rue G.-Courbet (16°)
47 04 74 24

Dans ce magasin de sportswear mi-classique, mi-américain, vous trouverez un grand choix de chemises de marques françaises (Hartford) ou américaines (exclusivité des "Bd Baggies").
A col simple ou boutonné, en coton, en popeline de coton, en velours, en oxford, à petits carreaux, écossaises, rayées ou unies dans de belles gammes de couleurs.

AGNES B

5 et 6 rue du Jour (1°)
45 08 56 56
17 av Pierre-1er-de-Serbie (16°) 47 23 36 69
Femmes

M O D E

Abercombie

13 rue Michelet (6°)
46 33 70 20
Hommes
22 rue St-Sulpice (6°)
40 51 70 69
Le style mode sage de Agnès B adapté aux chemises. En coton le plus souvent, unies dans de belles couleurs, ou blanches ou avec des petits motifs, parfois décorées de surpiqûres ; elles ont une coupe simple et unisexe avec un petit col.

ALTONA
6 rue de l'Odéon (6°)
43 26 31 61
Toujours un bon choix de chemises sport pour hommes avec en ce moment la marque "Peter Hadley" en lin et coton mélangé ou en denim l'été et en toile de coton pour toute l'année.

DANIEL CREMIEUX
6 bd Malesherbes (8°)
42 66 54 50
Très belles collections

de chemises sportswear. Des authentiques revisités indémodables. Toujours du chambray à rayures fines ou larges, bleu jean's ou bleu gris, et aussi des chemises de trappeur à carreaux et des toiles de conton unies.

EQUINOXE
70 av des Ternes (17°)
45 72 18 64
Hiver comme été, les collections de chemises sport "Equinoxe" pour

M O D E

VETEMENTS-SPORTSWEAR

hommes. Chemises en toile de coton l'été, à poches plaquées et, l'hiver, un grand choix de modèles en toile, en lainage à carreaux ou en velours dans une large gamme de très beaux coloris.

EQUIPMENT

46 rue E.-Marcel (2°)
40 26 17 84
203 bd St-Germain (7°)
45 48 86 82
Des boutiques au décor dépouillé pour un grand choix de chemises. La chemise "Equipment" est simple, unisexe, avec une coupe droite. Elle se décline dans toutes les couleurs unies ou imprimés et dans les matières naturelles de la soie et du coton.

RALPH LAUREN

2 pl de la Madeleine
(8°) 44 77 53 50
Un choix à en perdre la tête de chemises sport toutes en coton de différente qualité, à col boutonné ou non, avec ou sans poche

(plaquées, à rabat...), à manches courtes ou longues, dans toutes les couleurs unies ou imprimées. Egalement différents modèles de chemises en chambray.

P O L O S TEE-SHIRTS ET SWEATS

AGNES B

5 et 6 rue du Jour(1°)
45 08 56 56
17 av Pierre-ler-de-Serbie
(16°) 47 23 36 69
Femmes
13 rue Michelet (6°)
46 33 70 20
Hommes
22 rue St-Sulpice (6°)
40 51 70 69
Bien sûr, tous les tee-shirts à manches longues à petites ou grosses rayures bicolores et les gilets pressionnés en molleton de toutes les couleurs devenus des basiques incontournables mais aussi des polos, des sweat-shirts à col rond ou à col montant avec une fermeture Eclair.

Pour hommes, femmes et enfants.

AUTOUR DU MONDE

12 rue des Francs-
Bourgeois (3°)
42 77 16 18
54 rue de Seine (6°)
43 54 64 47
Un choix important de sweats bien épais, de polos à manches longues style polo de "cow-boy" boutonnés, de tee-shirts bien larges à manches longues ou courtes en coton avec un col polo ou un col rond. Les matières sont confortables et solides et les coloris variés déclinés du style "Autour du Monde" (ocre, beige, vert, sable, marron...). Egalement une collection de tee-shirts imprimés aux motifs "Autour du Monde". Pour adultes, juniors et enfants.

CRIMSON

8 rue Marbeuf (8°)
47 20 44 24
Des pulls mais aussi des polos en fil d'Ecosse, à

M O D E

un ou deux fils, à manches courtes ou longues, dans une grande gamme de couleurs, pour hommes et femmes.

LACOSTE

372 rue St-Honoré (1°)
42 61 55 56
37 bd des Capucines
(2°) 42 61 58 20
2 rue de Sèvres (6°)
42 22 90 50
92 av V.-Hugo (16°)
45 53 39 49
53 av des Ternes (17°)
43 80 10 33

Grosse impasse à ce guide pour le charme des boutiques mais pas pour les modèles toujours incontournables. La chemise-polo "Lacoste" à manches courtes ou longues dans toutes ses couleurs.

RALPH LAUREN

2 pl de la Madeleine
(8°) 44 77 53 50
Du polo de rugbyman classique, raffiné et confortable en coton uni à col blanc, au "Big

Shirt" ample avec une poche plaquée et des manches courtes ou longues en coton piqué pour les sportifs décontractés en passant par le polo traditionnel en interlock ou coton piqué dans toutes les couleurs avec des manches également courtes ou longues. Enfin, les très beaux sweat-shirts en coton uni toujours indémodables. Des coloris classiques.

D O U D O U N E S P A R K A S D U F F L E - C O A T S

ABERCOMBIE

38 rue du Bac (7°)
45 48 48 85
4 rue G.-Courbet (16°)
47 04 74 24
Toute l'année (sauf fin de stock) des parkas, des vestes matelassées de chasse, des cabans mais aussi des duffle-coats ("Gloverall" en principe pour hommes) et des doudounes de

belle qualité. Des modèles plus classiques pour les hommes, plus originaux pour les femmes.

AQUASCUTUM

10 rue de Castiglione
(1°) 42 60 09 40
Le créateur du trench-coat, souvenez-vous : Cary Grant! De très belle qualité, épais et résistant, en coton teint au fil et tissé à l'ancienne ou dans des cotons plus légers : beige, kaki ou bleu marine ; pour hommes et femmes. Egalement des modèles raglan, et pour l'été, de la peau de pêche vert, rouge ou bleu.

AUTOUR DU MONDE

12 rue des Francs-Bourgeois (3°)
42 77 16 18
54 rue de Seine (6°)
43 54 64 47
Bien coupées, toutes simples et douillettes, les doudounes "Autour du Monde" se déclinent

M O D E

dans les coloris classiques ou naturels et se portent à la ville comme au ski.

BURBERRY'S

55 rue de Rennes (6°) 45 48 52 71
8 bd Malesherbes (8°) 42 66 13 01
56 rue de Passy (16°) 42 88 88 24

Historiquement en pur coton, les trenchs et imperméables de Burberry's se déclinent désormais dans différentes matières et coloris : toujours du pur coton mat (le meilleur) ou irisé, blanc cassé, vert chasse, bronze. Du coton aspect peau de pêche et des cotons mélangés. A noter : boulevard Malesherbes, le service client s'occupe de réimperméabilisation, du nettoyage, des retouches ou de la confection de doublure et aussi du remplacement des ceintures ou des boucles

pour les modèles "Burberry's".

EQUINOXE

70 av des Ternes (17°) 45 72 18 64

Pourquoi ne pas profiter du plus grand choix de ce magasin, très connu pour ses parkas. L'été, en polyamide et, coton et l'hiver, bien épaisses et doublées, resserrées ou non à la taille et toutes très bien coupées. Plusieurs coupes dans une gamme de beaux coloris classiques (vert, bleu, marine...) ou vifs (rouge, jaune...).

EQUISTABLE

177 bd Haussmann (8°) 45 61 02 57

Une jolie devanture pour une boutique avant tout spécialisée dans l'équipement pour l'équitation. Vous y trouverez également un choix classique de parkas "Goretex", des vestes matelassées style équitation ou chasse, des survestes et des imperméables

sélectionnés auprès des marques comme Esquimau, Barbour ou Aigle avec pour ce dernier, les vêtements en fourrure polaire pour affronter les grands froids.

GOOD LIFE

3 rue de Solférino (7°) 47 05 55 40
33 rue de l'Assomption (16°) 45 24 56 50

Toute l'année, pour hommes et femmes, des survestes en toile de chasse imperméabilisées doublées de drap de laine ou de clan écossais, des impers trois-quarts en popeline beige claire, des vestes style chasse en coton enduit. Sans oublier la spécialité de "Good Life", le blouson en daim (à porter par temps sec!) à bords côtelés doublé de clan écossais, à fermeture Eclair, décliné en velours de laine épais, en coton imperméabilisé pour la pluie ou encore en cuir

M O D E

de chèvre vieilli. Vente également sur catalogue.

GRUNO ET CHARDIN

8 rue du Mail (2°)
42 96 22 48

Un décor chaleureux tout en bois avec un beau parquet, un grand comptoir vitrine, des portants, de grands miroirs sur pieds et deux fauteuils en cuir accueillants pour les collections pour hommes de blousons, parkas, canadiennes au style authentique, confortables, avec leurs doublures chaudes et leurs poches multi-fonctions, en daim, en nubuck, en peaux dans des coloris d'inspiration végétale et bien sûr du noir. Et aussi, une collection dans les mêmes matières pour femmes (jupes, pantalons, vestes).

GUN'S LEADER

85 rue de Longchamp
(16°) 47 55 48 26

Toute petite boutique d'armurerie de qualité, "Gun's Leader" distribue les classiques de Barbour. Vous trouverez ici, tous les modèles des vestes en toile huilée, à col de velours et doublés écossais jusqu'au trench-coat pour la ville. Egalement, les sacs en cuir ou en toile et cuir (sacs à cartouches ou besaces) et un rayon coutellerie ("Laguiole", couteaux suisses...) à des prix étudiés.

MARINA DE BOURBON

112 bd de Courcelles
(17°) 47 63 42 01

Un magasin très sélectif de cadeaux cosmopolites où vous pourrez trouver hiver comme été, les parkas tous terrains "Goretex" et les fameuses doudounes ou gilets sans manches "Northface".

MULBERRY

45 rue Croix-des-Petits-Champs (1°)
40 41 07 69

14 rue du Cherche-Midi
(6°) 42 22 95 05

Un des classiques de Mulberry: le duffle-coat bien épais et bien coupé dans des coloris classiques.

OLD ENGLAND

12 bd des Capucines
(9°) 47 42 81 99

Duffle-coats "Gloverall" pour hommes et femmes avec plusieurs modèles : pure laine, laine à chevrons, ou laine doublé d'écossais "Old England". Egalement un modèle pour les enfants.

PADD

14 rue de la Cavalerie
(15°) 43 06 56 50

Dans ce magasin spécialisé dans l'équitation (selles, bottes, harnais, couvertures de cheval...), quelques vêtements à porter pour vos week-ends. Les vestes trois-quarts et les imperméables longs en

MODE

toile huilée (Barbour), des vestes d'équitation matelassées (Paddock) et des imperméables en toile de coton écrue trois-quarts ou long. Et aussi, des ceintures plutôt classiques en cuir à des prix vraiment raisonnables.

POISSONS SI GRANDS (DES)
45 bd de Latour-Maubourg (7°)
47 53 96 95
Comme son nom l'indique, voici une boutique spécialisée dans les articles pour la pêche où vous trouverez toute l'année les véritables vestes enduites "Barbour", de très jolis sacs-besace en toile beige et cuir de la même marque ou des modèles plus souples et kaki fabriqués en France par "Gouais" et même de très belles chemises "Patagonia" en toile épaisse.

PULL-OVERS CLASSIQUES

ANAM
15 av V.-Hugo (16°)
45 01 67 32
Une institution de pull-overs cachemire de très belle qualité pour hommes et femmes. Et aussi, des cachemires et soie, des pulls en geelong. Un grand choix dans les formes simples et environ 50 coloris avec de superbes dégradés de bleus, de verts, de jaunes... Egalement du poil de chameaux de très belle qualité à torsades ou non.

BRITISH STOCK
15 rue Tronchet (8°)
49 24 99 44
10 rue Guichard (16°)
45 25 25 52
Dépositaire de la marque écossaise "Shepherd", cette boutique propose de beaux pull-overs en laine dans plus de 50

coloris, des cachemires simples et double fils et pour l'été, des pulls en coton. Pour hommes et femmes, dans les formes classiques et à des prix étudiés.

BURBERRYS
55 rue de Rennes (6°)
45 48 52 71
8 bd Malesherbes (8°)
42 66 13 01
56 rue de Passy (16°)
42 88 88 24
Pour hommes et femmes, et toute l'année des pulls classiques (col V, ras de cou, cardigan, col roulé), en cachemire et en lambswool geelong de toutes les couleurs. Pour l'hiver, quelques shetlands unis ou chinés.

CRIMSON
8 rue Marbeuf (8°)
47 20 44 24
Une belle boutique en bois où trouver de nombreux très beaux pull-overs en laine ou en cachemire double fil dans des formes

Crimson

classiques. Grand choix de coloris classiques ou plus subtil. Et aussi des pulls à torsades et des jacquards à losanges en laine.

HEMISPHERES
22 av de la Grande-Armée (17°)
42 67 61 86
Toute l'année, un rayon pour hommes et femmes de pulls en cachemire, dont les formes classiques ont été revues par "Hémisphères". Egalement du geelong dans toutes les formes classiques. Un choix d'environ 30 coloris qui changent en fonction des saisons.

HERVE CHAPELIER
55 bd de Courcelles (8°)
47 54 91 27
13 rue G.-Courbet (16°)
47 27 83 66
Plus connu pour ses fameux sacs à dos en nylon, Chapelier propose également dans ses boutiques au décor "très british", une collection de pull-overs et d'écharpes écossaises. Des cachemire (pour hommes), des mérinos (pour femmes), des lambswool déclinés dans toutes les formes : classique, col roulé, ras de cou, col V, cardigan à boutons dorés pour les femmes, gilets... Et aussi de beaux shetlands pour l'hiver unis ou chinés. Pour tous, un grand choix de coloris.

HILDITCH AND KEY
252 rue de Rivoli (1°)
42 60 36 09
Une adresse institutionnelle pour des cachemires de très grande qualité deux fils de quatorze équivalent au triple fils. Toutes les formes classiques (ras de cou, col roulé, polo, gilet, cardigan...) et aussi des twin-sets manches courtes pour femmes.

HOBBS
45 rue P.-Charron (8°)
47 20 83 22
Un choix de cachemires impressionnants (du un fil au huit fils). Toutes les formes du polo au col roulé en passant par le col en V et une gamme de couleurs presque infinie.

LAINES ECOSSAISES (AUX)
181 bd St-Germain (7°)
45 48 53 41
Un grand classique de pull-over anglais de qualité. Beaucoup de lambswool dans une gamme de coloris classiques mais aussi plus mode comme des rose fushia, un peu de cachemire, et surtout (difficile d'en trouver à Paris) des shetlands simples ou à côtes et torsadés dans des coloris unis ou chinés fond marron ou bleu... La plupart se décline dans les formes classiques : col V, ras de cou, gilet avec et sans manches. A noter également l'hiver, un rayon autrichien pour

femmes avec des vestes en laine grattée.

OLD ENGLAND

12 bd des Capucines (9°) 47 42 81 99
Un grand choix de pulls classiques en cachemire "Murray Allan" et des pulls geelong pour hommes et femmes. Egalement, des pulls plus sport : jacquard ou irlandais, pulls à torsades, cardigans col châle en laine à grosses côtes avec boutons en cuir naturel.

S P O R T

AU PETIT MATELOT

27 av de la Grande-Armée (16°)
45 00 15 51
Pour tous les vrais pulls de marin : rayés ou unis à maille serrée, boutonnés sur l'épaule. Et de bons gros pulls en laine bien épais bleu marine ou blanc.

BREIZ NORWAY

33 rue Gay-Lussac (5°)
43 29 47 82

De nombreux modèles de pulls authentiques de marins bretons ou norvégiens, à maille serrée et bien épais ou en laine tricotée dans cette boutique aux allures de bazar.

KERSTIN ADOLPHSON

157 bd St-Germain (6°) 45 48 00 14
C'est le spécialiste de la Scandinavie : vous trouverez ici un grand choix de gros pulls norvégiens ou danois, jacquard ou unis, en laine ou coton, tricotés main ou machine. Et aussi, des chaussettes scandinaves jacquard, de grosses chaussettes, des sabots suédois et un peu de maroquinerie sport, en cuir naturel ou en toile.

LOFT

12 rue de Sévigny (4°)
48 87 13 07
56 rue de Rennes (6°)
45 44 88 99
12 rue du Fg-St-Honoré (8°) 42 65 59 65

175 bd Péreire (17°)
46 22 44 20
En plus des pantalons, des chemises, des tee-shirts et des cravates, "Loft" crée pour ses belles boutiques aux espaces dépouillés, de très beaux pulls amples, confortables, aux formes simples (grandes vestes, pulls, polos), dans de belles matières et des coloris naturels (plusieurs tonalités de gris, écru, bleu marine).

VETEMENTS D'INTERIEUR LINGERIE MAILLOTS DE BAIN

F E M M E S

A LA PLAGE

6 rue Solférino (7°)
47 05 18 94
17 rue de la Pompe (16°) 45 03 08 61
Des maillots de bain toute l'année. Des modèles classiques ou plus modes sélectionnés auprès d'une large gamme de marques :

M O D E

Erés, Jean-Louis Scherrer, Dior, Unza, Nantie. Et aussi, de la lingerie pour femmes classiques et sophistiquées (Dior, La Perla, Barbara, Pérèle), et un choix de collants et bas de qualité.

ANN STEEGER
130 rue de Grenelle (7°) 45 55 81 82
Une jolie boutique féminine et intimiste, façon boudoir 1900 où Ann Steeger propose bien sûr ses parfums personnalisés (voir rubrique) mais aussi une ligne de sous-vêtements frais, confortables et féminins en coton ou en viscose finement côtelés et bordés d'une petite dentelle discrète. Des couleurs douces : rose, bleu, gris et même des bodies et des hauts noirs.

CADOLLE
14 rue Cambon (1°) 42 60 94 94

Depuis cinq générations, le monde entier des stars "très chics" se glisse dans les soutiens-gorge, guêpières ou nuisettes de cette institution.

CAPUCINE PUERARI
55bis rue des St-Pères (6°) 45 49 26 90
Pour toutes celles qui aiment le confort sans renoncer à la féminité. Des matières naturelles comme le coton ou la maille de coton bordées de dentelles. Des couleurs tendres et des formes classiques. Et l'été, une ligne de maillots de bain.

ERES
4bis rue du Cherche-Midi (6°) 45 44 95 54 2 rue Tronchet (8°) 47 42 24 55
Pour trouver le maillot de bain une pièce bien coupé et bien stylisé en strech de très bonne qualité. Egalement des

modèles deux ou trois pièces. Des unis et des imprimés. Et des petites jupes ou des caleçons à coordonner.

FOGAL
380 rue St-Honoré (1°) 42 96 81 47
Le "paradis des collants et des bas" des femmes élégantes et exigeantes. Des créations maison pour habiller vos jambes de soie ornée de mille hématites ou de broderies d'or. Et des modèles classiques satinés, opaques ou transparents, en coton, en lycra, en voile ou en soie, dans plus de cent coloris pour certains et dans toutes les tailles. Service de remmaillage pour les collants et bas "Fogal".

PRINCESSE TAM-TAM
9 rue Bréa (6°) 43 54 03 58 23 rue de Grenelle (7°) 45 49 28 73
Des dessous pour jeunes

M O D E

Laurence Tavernier

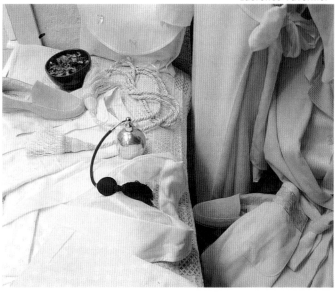

filles ou jeunes femmes modernes et féminines : culottes, soutiens-gorge, porte-jarretelles en coton rayé, brodé, à fleurs. Des pyjamas et des chemises assortis aux sous-vêtements et aussi, des maillots de bain pour l'été. Un style sexy sage et mignon.

SABBIA ROSA
*71-73 rue des St-Pères
(6°) 45 48 88 37*
Une jolie boutique "à l'ancienne" vert amande pour une lingerie de luxe, très raffinée en soie et en dentelle.

SOPHIE D'ANNUNZIA
*17 rue du Cherche-Midi
(6°) 45 44 46 54*
Toute petite boutique bourrée de lingerie sévèremment sélectionnée dans les collections des marques de qualité. Un style jeune, gai et jamais provocant : Capucine Puerari, Princesse Tam-Tam, Chantal Thomass,

Jeune Europe, Anita Oggioni, Occhi Verdi... Les frileuses pourront s'offrir les bodies en laine et soie ou coton rehaussés de dentelles "La Perla" ou les petits hauts douillets de "Lisanza".

H O M M E S

CHARVET
*28 pl Vendôme (1°
42 60 30 70*
Un tailleur-chemisier de renommée pour de

classiques robes de chambre en coton, soie, laine et cachemire, des pyjamas et des caleçons (unis, rayés, à carreaux) en coton et soie, sur mesure ou en prêt-à-porter.

CHATTANOOGA

71 av Bosquet (7°)
45 55 25 60

Dans cette boutique de mode pour hommes, vous trouverez chaque été, une bonne sélection de maillots de bain souvent imprimés choisis parmi les créations de "Villebrequin" ou de "Patagonia".

GOOD LIFE

3 rue de Solférino (7°)
47 05 55 40
33 rue de l'Assomption (16°) 45 24 56 50

Classiques et confortables, des pyjamas gansés rayés, unis ou écossais, des robes de chambre 100% laine également

écossaises. Des caleçons pour hommes, des chaussettes (DD) à côtes et unies basses ou hautes à losanges fabriquées en Angleterre. Sans oublier les maillots de bain surfer vendus toute l'année.

OLD ENGLAND

12 bd des Capucines (9°) 47 42 81 99

Superbes choix de vestes d'intérieur en laine ou en soie dont les typiques écossaises, pyjamas rayés classiques pour hommes, beaux peignoirs-éponges vraiment épais à harmoniser aux draps de bain. Le tout associé à un *corner* de produits de bain, de rasage et à des parfums anglais "Floris".

RHODES ET BROUSSE

14 rue de Castiglione (1°) 42 60 86 27

Honorable maison

respectée de la rue de Castiglione connue pour la qualité de ses choix depuis les sous-vêtements de la marque suisse "Zimmerli" ("les plus fins du monde") jusqu'aux somptueuses robes de chambre en laine (gansées) ou en soie (impression foulard...) en passant par les pyjamas, les chaussettes classiques dans toutes les couleurs et les très beaux mouchoirs roulottés main que vous ferez broder à vos initiales.

ET AUSSI

CRIMSON

8 rue Marbeuf (8°)
47 20 44 24

A coordonner aux pulls, des chaussettes en fil d'Ecosse dans toutes les couleurs de l'arc-en-ciel et même plus. Egalement les classiques chaussettes "caviar" en laine dans tous les tons sobres :

bordeaux, beige, kaki, marine...

LAURENCE TAVERNIER

7 rue du Pré-aux-Clers (7°) 49 27 03 95
Pour hommes et femmes, une collection de vêtements d'intérieur. Des classiques réactualisés en popeline de coton, à rayures à impressions cachemire ou unie blanc passepoilée : pyjamas, chemises de nuit, liquettes, peignoirs, robes de chambre...

F R I P E S

ANOUSHKA

33 rue Marbeuf (8°) 2ème étage 45 61 00 58
Uniquement sur rendez-vous. Une adresse secrète et particulière où il vous faudra prendre rendez-vous pour découvrir des vêtements des années 20 aux années 70 provenant de stocks anciens

authentiques du monde entier pour hommes, femmes et enfants. Egalement des accessoires : chaussures, sacs, chapeaux, gants, foulards, bijoux... ; de la lingerie, des maillots de bain... à acheter ou à louer. En location uniquement : quelques pièces exceptionnelles (robes à paillettes, broderies des années 30).

APACHE

45 rue Vieille-du-Temple (4°) 42 71 84 27
De la fripe des années 20-30, populaire. Tout pour aller guincher dans les guinguettes au son de l'accordéon : robes rétro, costumes rayés, casquettes, spencers... le tout *made in* Europe !

BONNE AVENTURE (A LA)

14 pass des Panoramas (2°) 42 33 51 21
Pour le charme de cette boutique cachée dans le

passage des panoramas et son choix de fripes de 1900 à nos jours. La marchandise se renouvelle souvent, les vêtements sont en bon état et présentés avec soin. A noter, bon choix de vestes des années 40 et 45, de sacs à main et de foulards.

DIABLERIE.S

67 pl Dr-F.-L'Obligeois (17°) 42 29 99 70
Juste à côté de la boutique de Stéphane, son mari (voir texte), Jo se consacre par passion, aux vêtements de fripe pour femmes et enfants de 1900 à 1950. Une sélection très rigoureuse, en parfait état, et déjà nettoyée. Vestes cintrées des années 40 et 45, robes de cocktail, robes bustier, lingerie en dentelle, cache-corset, caraco, imperméables "Burberry's"... et des accessoires (chaussures, sacs, gants, chapeaux).

M O D E

LE COIN DES ENFANTS

Pour les enfants, des robes de baptême, des barboteuses, des petites robes à smocks.

DIDIER LUDOT

19 galerie Montpensier (1°) 42 61 44 54
Sous les arcades du Palais-Royal, cette boutique incontournable tient plus de l'antiquaire que du fripier. Rien que des vêtements et des accessoires exceptionnels de grandes maisons parisiennes : sacs Kelly d'Hermès, tailleurs Chanel, robes de Dior ou fourreaux de Jacques Fath. Et des accessoires. Des prix élevés pour ces articles de collections.

NEXT STOP

*58 rue St-André-des-Arts (6°) 43 25 13 36
80 av de Clichy (17°) 42 94 09 70*
Dans ce magasin de sportswear et de jean's, un choix très éclectique plus ou moins bon selon les arrivages. Classées par styles : vestes américaines à carreaux, vestes autrichiennes, vestes pied-de-poule, unies, rayées... On finit toujours par trouver un modèle pour chaque saison quitte à revenir deux fois sur place. Egalement, un rayon de jean's *second hand*.

STEPHANE

67 pl Dr-F.-L'Obligeois (17°) 42 26 00 14
Fermé le mercredi. De la fripe de qualité, très sélectionnée, en parfait état et déjà nettoyée. Le style anglais des années 40 à 60 pour hommes. Vestes en tweed, smokings complets, borsalinos, imperméables "Burberry's", manteaux et vestes en cachemire, serviettes porte-documents en cuir, chaussures... Et également, des articles d'équitation : selles de cheval, bottes et vestes cavalières.

VERTIGES

85 rue St-Martin (4°) 48 87 34 64
Une friperie typique des Halles installée depuis dix ans sur une rue animée. Un grand choix de vêtements des années 1900 aux années 70 (spécialité de la boutique, mode oblige !). Il faut fouiller, les prix sont très raisonnables, l'état des vêtements variables. Beaucoup de robes, de petits hauts et des pantalons à pattes-d'éléphant en tissu, de bons classiques comme des imperméables, des trenchs, des chemises américaines à carreaux, des vestes autrichiennes.

LE COIN DES ENFANTS
CHAUSSURES

BON POINT

65 rue de l'Université (7°) 47 05 09 09

M O D E

15 rue Royale (8°)
47 42 52 63
Pour l'école, les déjeuners du dimanche chez grand-mère ou les week-ends en Normandie, toutes les chaussures classiques pour enfants.
Chaussures à brides, petits mocassins, boots à élastique, chaussures en cuir de bateau et bien sûr, tous les modèles vernis.

FROMENT LEROYER

7 rue Vavin (6°)
43 54 33 15
103 bd Malesherbes (8°) 45 61 07 37
Un bon choix de chaussures pour enfants dans les modèles plutôt classiques de Froment Leroyer : à barettes ou à lacets et bouts ronds pour les filles, à lacets basses ou montantes pour garçons.
Mais aussi les modèles des bonnes marques à la mode : Clarks,

Paraboot, Sebago, Timberland...

POM D'API

13 rue du Jour (1°)
42 36 08 87
28 rue du Four (6°)
45 48 39 31
6 rue Guichard (16°)
46 47 40 05
La chaussure pas tristounette pour bébés et enfants. Des créations amusantes, modes et très modes ! Tennis et baskets de toutes les couleurs, chaussures à grosses semelles style "Teddy anglais", petits mocassins style "Sebago" ou "Weston".

SIX PIEDS TROIS POUCES

85 rue de Longchamp (16°) 45 53 64 21
78 av de Wagram (17°) 46 22 81 64
Une très bonne sélection de chaussures pour enfants, classique ou fantaisie. De bonnes marques : Clarks, Docksides, Start-rite,

Aster, Mod'8, et tous les modèles à bouts ronds ou à barettes simples ou doubles "Little Mary".

VETEMENTS

AGNES B

2 rue du Jour (1°)
40 39 96 88
13 rue Michelet (6°)
46 33 70 20
83 rue d'Assas (6°)
43 54 69 21
17 av Pierre-1er-de-Serbie (16°) 47 20 27 35
Le style Agnès B dès le plus jeune âge. Décontracté, confortable, très typé mais universel... bref une mode pour tous les jours qui va à tout le monde. De très beaux sweat-shirts aux couleurs délavées, des tee-shirts rayés ou à manches longues, les jupes simples pour les filles, les grandes chemises et les polos pour les garçons et toujours les cardigans

M O D E

pressionnés pour les deux. Pour les tout-petits, des imprimés et des matières amusantes.

ANGELE. GASPARD ET CIE

65 rue P.-Demours (17°) 44 40 07 27
Une grande "mercerie" rafraîchie, créée par une jeune femme qui a voulu faire partager à d'autres mamans son plaisir de créer des vêtements pour enfants de 1 mois à 16 ans. On choisit son modèle d'après les prototypes réalisés dans un coton écru pour laisser libre cours à toutes adaptations. On achète son patron, ses tissus et toute la mercerie (boutons, fils, galons...). Même principe pour le tricot. Et en plus, des cours de couture pour adultes et enfants.

AU PETIT MATELOT

27 av de la Grande-Armée (16°) 45 00 15 51

Tous les authentiques modèles "Au Petit Matelot" pour les enfants à partir de deux ans. Cirés jaunes, bobs, marinières en coton rayé bleu et blanc, cabans, pulls marins à maille serrée, bottes en caoutchouc... De quoi préparer leurs valises pour les vacances en Bretagne.

AUTOUR DU MONDE (ENFANTS)

12 rue des Francs-Bourgeois (3°) 42 77 46 48 54 rue de Seine (6°) 43 54 64 47
Ambiance parquet blond et murs en bois bleu délavé pour les enfants des globe-trotters. Même inspiration que pour leurs parents : jodhpurs, tee-shirts à boutons manches longues, ou en tee-shirts manches courtes impression motifs "Autour du Monde", duffle-coats,

tennis "Bensimon", pulls sport ou marins, salopettes...

BON POINT

67 rue de l'Université (7°) 45 55 63 70 15 rue Royale (8°) 47 42 52 63 64 av R.-Poincaré (16°) 47 27 60 81 184 rue de Courcelles (17°) 47 63 87 49
La panoplie bon chic - bon genre des enfants sages. Des basiques comme les pulls, les pantalons de velours, les polos, les shorts longs pour l'été et aussi les éléments indispensables au style 7°-16° arrondissements comme les petits manteaux à col claudine en velours. Au 84 rue de Grenelle (7°) : les soldes des collections passées.

BREIZ NORWAY

33 rue Gay-Lussac (5°) 43 29 47 82
Dans cette boutique

M O D E

Croissant

M O D E

LE COIN DES ENFANTS

consacrée au style marin breton et scandinave, vous trouverez les vrais kabigs pour enfants ainsi que les cirés, les pulls marins rayés et leurs écharpes et bonnets assortis.

CROISSANT

5 rue St-Merri (4°)
48 87 73 88
Des créations maison comme on aimerait savoir en faire pour nos enfants de 0 à 8 ans. Des vêtements confortables, simples et parfois joliment rétro, dans des matières et des couleurs subtiles, sophistiquées et naturelles. Beaucoup de "Liberty" et des jerseys de lin ou de coton pour les bébés. Pour les grands, des salopettes colorées, des jean's en toile ou en molleton bien épais, des petites robes sages. Pour tous, des pulls finis-main, en laine, coton ou chenille de velours.

CYRILLUS

11 av Duquesne (7°)
47 05 99 19
Du velours, des pulls jacquard ou à torsades, des bermudas, des jodhpurs, des pulls en coton, des polos, des pantalons de velours l'hiver ou en toile beige l'été, des parkas, du bleu marine, des écossais. Toute une collection pour enfants mais aussi pour leurs parents d'un style classique à des prix plutôt raisonnables. Et un catalogue de vente par correspondance.

FINN AUSTRIA

25 rue Gay-Lussac (5°)
43 54 75 40
Pour les garçons, les authentiques culottes tyroliennes en peau dès l'âge de deux ans. Et pour les filles, toute la panoplie du style Heidi avec les petits gilets tricotés et rebrodés et les chaussettes torsadées, rebrodées d'edelweiss blancs et verts...

LAZYBONES

11 rue Campagne-Première (14°)
42 79 90 61
Pour les petits de 0 à 6 ans, des vêtements confortables, simples mais originaux pour tous les temps. Du maillot de bain à petits carreaux aux gros pulls en laine pour l'hiver en passant par les tee-shirts à manches longues et à jolis motifs, les salopettes imprimées, les chemises ou les pyjamas.

OONA L'OURSE

72 rue Madame (6°)
42 84 11 94
Nichée dans cette partie très calme du 16°, un décor intimiste et des collections de

M O D E

vêtements pleins de charme pour bébés et enfants jusqu'à huit ans. Un style bonne famille anglaise évoluée : bermudas, jupes à bretelles, chemises oxford, pull-overs en laine ou en coton dans des coloris subtils, tendres et naturels (paille, beige, sable...) ou classiques comme le bleu marine.

PETIT FAUNE (LE)
33 rue Jacob (6°)
42 60 80 72
Un style devenu classique : des coloris naturels, osés ou classiques, des matières douces au toucher. Pour bébés et enfants jusqu'à six ans des tissus "Liberty", du velours, de jolis pulls raffinés et travaillés. Très jolies brassières-chemisiers avec des cols dentelés, en forme de pétale ou claudine. Les mamans douées en couture

pourront aller à la boutique ouvrages (89 rue de Rennes) et y acheter les patrons et les tissus vendus ensemble.

PETITS CALINS
41 av de la Bourdonnais
(7°) 45 51 22 87
Une boutique sympathique où l'on trouve une sélection des meilleurs modèles de "sportswear-mode" pour enfants : Chipie, Chevignon, Liberto, Compagnie de Californie, Bensimon, Et vous... Jean's, vestes, gros pulls, pulls à col roulé, chemises en denim, duffle-coats, tee-shirts de toutes les couleurs.

SCAPA OF SCOTLAND
6 rue de Grenelle (7°)
42 22 81 76
De 4 à 16 ans, toutes les bases du sportswear version anglaise, blazers en laine, kilts, bermudas en coton ou en flanelle, chemises classiques avec médaillon brodé,

blousons en coton molletonné et doublé d'écossais, pulls et cardigans en laine ou en coton à motifs jacquard, imperméables. Et aussi, cravates, noeuds papillon...

ET AUSSI

DU PAREIL AU MEME
7 rue St-Placide (6°)
40 49 00 33
122 rue du Fg-St-Antoine
(12°) 43 44 67 46
Juste pour le look des vêtements qu'il faut savoir choisir et surtout pour leurs prix, une adresse pratique pour habiller les enfants de 0 à 14 ans. Toutes les tendances y sont réunies de la chemise en jean's, en passant par la petite robe à smocks, jusqu'à la doudoune couleur or ! Ces magasins se réapprovisionnent en permanence, il faut y passer souvent et surtout faire l'impasse sur le décor.

M A I S O N

BOUTIQUES DE DECORATION

STYLE CLASSIQUE REVISITE

ANNE CARACCIOLO

16 rue de l'Université
(7°) 42 61 22 22

Très orientée sur la fin XIX⁰ et Napoléon III, cette décoratrice propose dans son magasin des objets d'antiquité ou de décoration contemporains. Beaucoup de lampes (copies Napoléon III, en laiton...), des vases en bronze, des trompe-l'oeil, des meubles anglais fin XIX⁰. Un mélange de styles pour la boutique et les services qu'offre Anne Caracciolo : elle prend totalement en charge votre intérieur et y apporte son goût pour les belles choses et le classique. Un choix étonnant de tissus d'ameublement anglais ou français comme Le Manach, Braquenié... (rééditeurs de tissus d'après cartons anciens) mais aussi Canovas, Prelle, Veraseta, Lelièvre...

ASSISES

94 rue du Bac (7°)
45 49 10 20

Un espace de 400 m² pour 300 modèles de sièges. Du siège de bureau au siège d'appoint en passant par le siège contemporain, le tabouret de bar ou la bergère Louis XVI. Du style Directoire à Pascal Mourgue avec aussi des rééditions de Mackintosh, Mies Van der Rohe ou Charles Eames.

CHRISTIAN LIAIGRE

61 rue de Varenne (7°)
47 53 78 76

Une gamme de canapés, fauteuils, tables aux lignes épurées et élégantes en bois cérusé, sablé ou acajou et aux cuirs précieux. Des créations signées Christian Liaigre dont le style à la fois dépouillé, harmonieux, et plutôt intemporel dans sa modernité s'est exprimé dernièrement dans la décoration de l'hôtel Montalembert.

ETAMINE

63 rue du Bac (7°)
42 22 03 16

Etamine propose dans ce grand espace clair sa vision globale de la décoration. Un style contemporain loin du métal froid, un mélange de tendances : campagne raffinée, traditionnelle et ethnique. Des matériaux naturels, beaucoup de fer rouillé. Au rez-de-chaussée, les objets (vases, paniers, jarres, chandeliers...), les lampes ("lampe-feuille" ou "lampadaires affolés" de Lieux), la vaisselle, plusieurs modèles de canapés, des meubles, le linge de maison en percale décoré d'un bourdon de couleur ou imprimé. Au sous-sol, les tissus (Etamine et diffusion de tissus anglais), les tapis (cocos et dérivés, kilims, tapis en laine tissés rayés)...

ETAT DE SIEGE

1 quai Conti (6°)
43 29 31 60
21 av de Friedland (8°)
45 62 31 02
Comme dans une ruche, sur chaque rayon une chaise ou un fauteuil exposé. Des rééditions, réinterprétations (Louis XIII à nos jours), les grands classiques du modernisme et les designers actuels. Plus de 3 000 références au catalogue.

GENEVIEVE PROU

18 rue Duret (16°)
45 00 22 40
Colette Janin anime cette boutique raffinée avec personnalité et sensibilité. Elle aime les maisons qui ont une âme et un passé, les mélanges de styles et surtout les intérieurs anglais du XIXe. Elle recherche sans cesse de beaux meubles et de jolis objets d'époque (lampes authentiques anglaises, beaux quilts anglais, cadres en bois, meubles et objets de charme) et les associe avec harmonie à des rééditions de qualité (vaisselle blanc-bleu copie XVIIIe, rééditions d'objets d'argenterie anglaise...).

GERARD DANTON

38 rue de Bellechasse
(7°) 45 55 21 11
Des potiches, des lampes, des bougeoirs, des boîtes, des cendriers et des cache-pot ; blanc-bleu de Chine ou de Thaïlande ou céramiques françaises de Gérard Danton peintes à la main ou émaillées dans des coloris bleu, ocre, vert... Et une ligne de linge de table, de tissus d'ameublement, de tapis, toujours d'inspiration "classique" ou "exotique".

GUNTHER LAMBERT

21 rue Las-Cases (7°)
45 50 23 62
Le show-room de Gunther Lambert : vous pourrez y choisir ses créations, demandez la liste des points de vente mais vous ne pourrez pas acheter sur place. Verreries, meubles en rotin, en métal, quilts, jetés de canapé, lustres, lampes, vaisselle... Des classiques revisités et des créations inspirées par des univers et des styles variés : autrichien, anglais, américain, colonial, oriental.

HUGUES CHEVALIER

17 rue du Cherche-Midi
(6°) 45 48 69 55
228 rue du Fg-Saint-Honoré (8°)
45 63 86 39
Des canapés contemporains

classiques ou d'inspiration 1930. D'après 40 modèles de base, du sur mesure pour les tailles, les revêtements (70 coloris pour le cuir), le choix du bois (sycomore teinté ou naturel). Prévoir quatre à six semaines de délai. Rien n'est en stock, tout est fabriqué selon vos exigences sur des critères Hugues Chevalier.

MADELEINE CASTAING
21 rue Bonaparte (6°)
43 54 91 71
Dès 1941 Madeleine Castaing fit découvrir au monde de la décoration son goût pour les mélanges de styles, d'époques et de couleurs : XIXe, Directoire, néo-classique, néo-grec, Napoléon III, mobilier anglais et meubles en paille... Non contente d'être la grande prêtresse des décorateurs, elle crée

trois pièces de mobilier : un paravent, une table basse et une autre en arc de cercle. Des créations sur commande, originales dans le goût qu'on lui connaît. Aussi des tissus de Madeleine Castaing (une quinzaine de modèles vendus au mètre).

QUELLE BELLE JOURNEE
3 rue de la Renaissance
(8°) 47 23 54 84
C'est dans cette petite boutique chaleureuse que Marie Scali, décoratrice crée son monde à elle et vous accueille toujours avec le sourire. Associée à un architecte-décorateur, elle pourra prendre en charge l'intégralité de votre intérieur. Mais ici, elle présente ce qu'elle aime: des petits meubles chinés XIXe (anglais), des objets anciens et contemporains (bronze, verrerie, petites boîtes, bibelots, vases, cadres,

chandeliers...), des coussins, des tableaux de charme généralement de fleurs, des kilims toujours à motifs fleuris... Des choses sans cesse renouvelées et beaucoup d'idées cadeaux.

YVES HALARD
252 bis bd St-Germain
(7°) 42 22 60 50
Décoration intemporelle représentant la bonne tradition française revue et corrigée par Michelle Halard qui présente ici la palette de ses créations et réinterprétations. Un grand choix de canapés élégants et très confortables, des meubles en fer rouillé, des tissus inspirés de documents anciens français XVIIe, XVIIIe et XIXe (Lauer), des coussins travaillés, des kilims, des paravents, des assiettes colorées en porcelaine et un service de Gien avec plusieurs motifs peints à la main,

des verres soufflés bouche (Cristalleries de Sèvres), des vases, des photophores (Quartz) et des objets en métal argenté (Plassait) aux formes pures pour la maison ou à offrir...

ET AUSSI

HIER POUR DEMAIN

4 rue des Francs-Bourgeois (3°)
42 78 14 29
Ce décorateur-tapissier, propose dans sa boutique un choix important de carcasses de sièges (chaises, fauteuils, canapés), 1925-1930, d'époque à faire tapisser sur place... et des petits meubles d'appoint : coiffeuses, tables basses, guéridons...

STYLE CAMPAGNE REVISITE

NOBLESSE OBLIGE

27bis rue de Bellechasse (7°) 45 55 20 43
Un style campagne très "Nouvelle-Angleterre",

une harmonie entre le rustique et le raffiné. En exclusivité, les tissus anglais "Design Archives", les sièges "Hart Villa" aux lignes plutôt classiques, des "Footstool" (tables basses tapissées), des meubles anglais en bois peint, des tapis au point à motifs fleuris et une ligne de meubles transformables ou pliants. Des créations contemporaines et aussi des objets de charme anciens. Des classiques authentiques revisités avec souvent une note d'exotisme.

LES DESIGNERS CONTEMPORAINS

AVANT-SCENE

4 pl de l'Odéon (6°) 46 33 12 40
Cette boutique-galerie vouée au design contemporain, offre une vue d'ensemble des tendances du design contemporain du style pur et dur au style

baroque ou décoratif. Elle diffuse une sélection de créations de designers : Mark Brazier-Jones (en exclusivité), Franck Evennou, Dubreuil, Marco de Gueltz, Cornu et Malcourant, François Béliard (poteries "Raku"), Dumortier Buisson (objets travaillés en faïence), Tom Dixon (chaises paillées) et de Thierry Peltrault (édité par Avant-Scène).

EDIFICE

27bis bd Raspail (7°) 45 48 53 60
La première boutique de design à avoir présenté les créations de Philippe Starck. Tout pour la maison y est décliné, des canapés aux luminaires en passant par les arts de la table, les tapis ou les poignées de porte. Les créateurs ont pour nom : Ingo Maurer, Oscar Tusquets, Borek Sipek,

M A I S O N

BOUTIQUES DE DECORATION

Mendini, etc. Une avant-garde bien disciplinée pour amateurs de modernité.

EN ATTENDANT LES BARBARES

50 rue E.-Marcel (2°)
42 33 37 87
Des objets et des meubles d'artistes contemporains avec une nette tendance pour les styles "baroque primitif" contemporains. Et aussi : beaucoup de créations de Garouste et Bonetti, sièges d'Eric Schmitt, lampe en résine de Migeon et Migeon, bougeoirs de Patrick Rétif.

GALERIE DE L'OBJET INSOLITE

32 rue des Blancs-Manteaux (4°)
48 87 92 36
Une minuscule galerie consacrée au design contemporain. Elle édite, fabrique, vend et diffuse des créations de petits objets (poignée de porte, miroir, vase,

lampe...) de designers contemporains connus comme Garouste et Bonetti, Pucci di Rossi, Pierre Deltombe... ou d'autres artistes que la galerie soutient. Des pièces en petites séries mais aussi des pièces uniques créées pour une exposition.

GASTOU-HAGUEL (GALERIE)

162 rue de Valois (1°)
42 61 88 99
GASTOU
12 rue Bonaparte (6°)
46 34 72 17
Non content de nous avoir fait découvrir Ettore Sottsass et Shiro Kuramata grâce à ses expositions dans sa première galerie, rue Bonaparte (dont la façade a été dessinée par Sottsass), Yves Gastou nous prouve désormais son goût pour les créations de qualité qu'elles soient des années 40 (Poillerat, Arbus) ou contemporaines.

Mobilier, objets, peinture, et tapis (Dubreuil, Tim Stark, Olivier Gagnère, Garouste et Bonetti et, bien sûr, Sottsass et Kuramata).

GLADYS MOUGIN (GALERIE)

30 rue de Lille (7°)
40 20 08 33
Dans un écrin aux murs bleu-vert et carrelage ancien, cette agent d'art ne présente que des prototypes originaux, des pièces uniques et des séries à tirage très limité de quelques créateurs comme André Dubreuil, Tom Dixon, Christian Astuguevieille, Patrice Butler (pour ses lustres)... et les bijoux de Sylvie Gilbert.

MODERNISMES

16 rue Franklin (16°)
46 47 86 56
Un espace qui représente le mobilier, le luminaire et les tapis contemporains d'une

MAISON

BOUTIQUES DE DECORATION

En attendant les Barbares

M A I S O N

façon intemporelle. De Gilles Derain à Borek Sipek en passant par Philippe Starck ou les collections de Cassina.

NEOTU

25 rue du Renard (4°)
42 78 91 83
La galerie du design d'avant-garde qui a désormais une antenne à New York. On y trouve des meubles et des objets des grands designers internationaux dont certains sont édités par Néotu. Parmi les plus connus : Garouste et Bonetti, Dan Friedman, Martin Szekely (le poulain de la galerie), Jasper Morisson, Borek Sipek...

PERSONA

47 rue de l'Université (7°) 45 48 85 83
Dans le quartier des antiquaires, cette galerie dont la déco a été refaite, en 1986, par Antonia Storia prône,

avec une sélection très serrée (modernité et qualité), le mélange du style avant-garde, nouveau baroque et classicisme dans le design actuel. Une préférence ici pour Borek Sipek, mais aussi des expositions à thème.

VIA

4 cour du Commerce-St-André (6°)
43 29 39 36
Un peu à l'écart de l'Odéon dans ce passage, Via rend hommage aux grands designers comme aux plus jeunes avec, pour ces derniers, la promotion de prototypes. Des expositions thématiques souvent renouvelées. Des travaux et concours d'écoles comme l'Ensad, Cammondo ou l'école d'architecture de Strasbourg exposés dans les 800 m^2 de la galerie répartis sur trois niveaux.

LES CREATEURS DU XXe SIECLE

AIRBORNE

3 rue de Grenelle (6°)
42 22 23 50
Pour le fauteuil AA, devenu un grand classique avec sa toile en forme de cerf-volant dans toutes les couleurs, accrochée à une armature métallique ; pour intérieur et extérieur.

CASSINA

49 rue de Berri (8°)
45 61 04 17
Dans cette boutique, Cassina présente son "mobilier-habitat". Cet éditeur-fabricant s'occupe de cinq fondations : Le Corbusier, Asplund, Rietveld, Mackintosh et Frank Llyod Wright avec rééditions de meubles numérotés et signés pour ces créateurs du xxe siècle. Aussi, une collection de créations d'architectes

Impressions

italiens : Mario Bellini, Magistretti, Andréa Branzi.

ECART INTERNATIONAL
111 rue St-Antoine (4°)
42 78 79 11
Ecart International nous fait redécouvrir, grâce à ses rééditions, les créations de designers-maîtres de la première partie du XXe siècle. Siège transat et miroir "satellite" de Eileen Gray, chaise en métal

de Mallet-Stevens, lampe-parapluie de Mariano Fortuny... Egalement des créations de designers contemporains : Sacha Ketoff, Olivier Gagnère... et celles d'Andrée Putman bien sûr.

FORMES NOUVELLES
43 av de Friedland (8°)
44 21 12 85
Réédition de mobilier de René Herbst (fauteuils, tables en

tubulaire chromé) pour cet éditeur de mobilier composable de bureau.

SENTOU GALERIE
24 rue du Pont-Louis-Philippe (4°)
42 71 00 01
Sentou continue d'éditer la chaise "TS" réversible et pliante et l'escalier à hélices de Roger Tallon, les fauteuils et chaises paillés de Charlotte Perriand. Grande spécialité également, les

M A I S O N

panneaux en bois tramé aménageables de Berthier et Chauvel. Et aussi, la diffusion des "lampes-sculptures" en papier du créateur japonais Isamu Nogushi.

TORVINOKA
4 rue Cardinale (6°)
43 25 09 13
A deux pas de la place de Furstenberg, cette boutique importe directement et en exclusivité les meubles de Alvar Aalto, en édition permanente depuis leurs créations dans les années 1930. Le fauteuil conçu pour le sanatorium de Paimio, les tables roulantes , les tables, les blocs-tiroirs, les chaises, les tabourets aux pieds en laminé courbé... La boutique propose également un choix assez hétéroclite d'objets et d'articles d'art de la table mais vous n'y trouverez pas les verreries de Alvar Aalto.

STYLE ANGLAIS

DAVID HICKS
12 rue de Tournon (6°)
43 26 00 67
Un style classique tendance anglaise, mélange de tradition sophistiquée et de modernité. Des tissus, des meubles, des canapés et beaucoup d'objets raffinés, la plupart en exclusivité comme les sacs à bois en jute (rouge, vert, naturel), les verres gravés autrichiens, les flacons de Murano et aussi de la vaisselle, des châles en laine ou en cachemire, des vanneries, des bougeoirs, des photophores...

IMPRESSIONS (LES)
29 rue de Condé (6°)
43 26 97 86
Une boutique très personnelle et intimiste, décorée comme un intérieur anglais. Très bonne sélection de tissus de tous les éditeurs. Beaucoup

d'éléments de décoration textile : plaids, couvre-lits en coton blanc, coussins faits en application de tissus ou de kilims. Et aussi, trois modèles de canapé à faire recouvrir dans le tissu de votre choix. Petits meubles d'appoint (table-banquette), vanneries modernes et anciennes, lampes-bougeoirs ou classiques, abat-jour anglais, et très beaux kilims anciens.

JADE
57bis rue d'Auteuil (16°)
44 30 19 87
71 av des Ternes (17°)
40 55 02 19
Un style un peu grande surface avenue des Ternes et une boutique plus petite à Auteuil pour un même concept de décoration à l'anglaise. Un choix important avec du bon et du moins bon. Meubles en pin, en acajou, en rotin, kilims, coussins, vaisselle,

M A I S O N

linge de maison, vanneries, cadres, lampes, objets de décoration et une sélection de tissus. Beaucoup de rééditions et quelques antiquités.

JUSTE MAUVE
29 rue Greuze (16°)
47 27 82 31
Un coin de rue où Anne-Marie de Ganay crée l'ambiance d'une maison de style anglais avec sa touche de personnalité : chintz fleuri, vaisselle, pots à pots-pourris, bougeoirs, petits meubles et petits cadres. Papiers peints et tissus assortis.

LAURA ASHLEY
261 rue St-Honoré (1°)
42 86 84 13
94 rue de Rennes (6°)
45 48 43 89
95 av R.-Poincaré (16°)
45 01 24 73
Pour les adeptes du "Home sweet Home". Des tissus d'ameublement (chintz, coton à rayures, à fleurs,

ornés de dessins à l'indienne...) aux papiers peints et aux tapis en passant par les coussins, le mobilier en rotin, les canapés et les fauteuils (Snowdon, Montgomery...), les cadres, les pochoirs, les lampes, les rideaux et les stores bouillonnés (confectionnés sur mesure). Tout ce qu'il faut pour faire une décoration "cosy" et "very british".

ET TOUJOURS LES MEUBLES EN PIN

COMPAGNIE ANGLAISE (LA)
Pl de la Porte-d'Auteuil (16°) 46 51 04 36
Sur deux niveaux, ce grand local à l'atmosphère très "british" propose un choix important de meubles importés de Grande-Bretagne, d'un style classique pour ceux en acajou, plus "country" pour ceux en

pin : buffets, guéridons, commodes, armoires, fauteuils... Egalement une sélection de vaisselle et d'argenterie.

COMPTOIR ANGLAIS (LE)
143 rue de Picpus (12°)
43 42 08 74
Au fond d'une cour arborée, une boutique-atelier où sont entreposés des meubles anglais retapés (et aussi scandinaves) du XVIII° et du XIX°. S'y mêlent des rééditions, quelques objets pour la maison dénichés dans les campagnes anglaises, et aussi des kilims aux prix très abordables.

LAWRENS & CO
12 rue Lagrange (5°)
43 26 04 29
Du mobilier ancien, surtout XIX°, dans les tonalités de bois clair avec une base importante de meubles anglais. Mais aussi, des meubles danois, des meubles peints

MAISON

autrichiens, et une gamme espagnole comme les rocking-chairs et les fauteuils en bois d'olivier. Beaucoup de commodes, de bahuts, de tables et des sièges toujours d'origine remis en état. Chaque client peut choisir sa patine et les aménagements intérieurs (sans supplément).

LOFT (LE)
17 bis rue Pavée (4°)
48 87 46 50
Un véritable grenier de 700 m² en plein Marais pour cet importateur de meubles XIXᵉ anglais ou scandinaves en pin massif. Des meubles à tiroirs, des bibliothèques, des lits, des armoires, des tabourets, des porte-serviettes... Egalement une ligne de meubles en pin, décorés au pochoir par la styliste Evy Body. Une sélection très large,

quelques meubles simples et sympathiques pour la campagne mais souvent très restaurés.

STYLES EXOTIQUES

L ' O R I E N T

CFOC
24 rue St-Roch (1°)
42 60 65 32
167 bd St-Germain (6°)
45 48 10 31
113 av Mozart (16°)
42 88 36 08
Nous préférons la boutique de la rue Saint-Roch, la première de la CFOC, plus petite, bourrée d'objets : elle a du charme et une âme. Vous y trouverez les traditionnels meubles en bambous : étagères fabriquées dans de gros bambous, petits bancs, tables octogonales, chaises "Mao", fauteuils... et d'autres choses suivant l'arrivage. Beaucoup de vanneries, de très beaux cache-pot ou pots carrés

ou bombés (vert, bleu ou rouge brique)... Un artisanat traditionnel de qualité.

GISEH KAN
4 rue de Poissy (5°)
46 34 09 29
Cette galerie d'architecture intérieure crée ou importe tout le décor japonais remis au goût du jour occidental. Meubles bas laqués noir (lit-banquette, portant, table basse, tabouret), cloisons coulissantes sur mesure et paravents en papier de riz, tatamis, futons en laine plus ou moins épais, linge et kimonos imprimés de motifs d'inspiration traditionnelle souvent en noir ou gris et blanc. Une chambre à l'ancienne et une autre contemporaine y sont exposées.

OBJECTIF BOIS
8 rue de Poissy (5°)
46 34 51 59
83 rue du Cherche-Midi
(6°) 42 22 23 93

M A I S O N

Sud du Sud

77 rue Legendre (17°)
42 29 03 61
L'art de vivre japonais :
cloisons mobiles,
paravents et claustra,
tatamis, banquettes-lits
pour matelas-futons,
tabourets japonais, lits-
tatamis ou lits-podiums
en kit avec tiroirs. Et
aussi, des couettes, des
dessus-de-lit matelassés
et des coussins
fabriqués en France
dans des tissus japonais
et une petite sélection
de très jolies
porcelaines japonaises
(bols à thé, vases,
coupelles, théières).

YASUVAJI

15 carrefour de l'Odéon
(6°) 44 07 01 76
Une jolie petite
boutique raffinée
consacrée à la
décoration orientale
avec une sélection de
belles céramiques, petits
objets et grandes jarres
(Japon, Chine,
Thaïlande, Corée); des
petits meubles coréens,
japonais ou chinois ;
des vanneries
contemporaines ou
anciennes du XIX°, des
papiers japonais... Un
choix sans cesse
renouvelé. Egalement
des kimonos (en coton
tissé main, en soie, en
étamine de laine) aux
formes traditionnelles
ou plus épurées.

M A I S O N

BOUTIQUES DE DECORATION

AUTOUR DU MONDE - HOME

8 rue des Francs-Bourgeois (3°)
42 77 06 08
Santa Fé, Shaker et Country: trois tendances à l'honneur exposées sur les deux niveaux de ce magasin. Mobilier peint délavé (tables, chaises, armoires, canapés, buffets...) importé directement des Etats-Unis, quelques objets artisanaux du Mexique. Egalement de la vaisselle, des tissus, des quilts, des paniers, du linge de maison à carreaux torchons. Aussi bien vu que les vêtements de la marque.

CHEVIGNON TRADING POST

49 rue E.-Marcel (1°) 40 28 05 77
4 rue des Rosiers (4°)
42 72 42 40
Dans l'ancien hammam

(malheureusement dénaturé) du quartier Saint-Paul, Chevignon a installé sur 800 m² l'un de ses deux mégastores pour les Parisiens empreints du vieux rêve américain. Trois étages tout en traverses de bois de "chemin de fer", pour une vision de la décoration Nouveau-Mexique et "country" : meubles peints (Santa Fé), linge de maison, dessus-de-lit en coton à carreaux, objets décoratifs, vaisselle... Le tout associé aux vêtements le plus souvent siglés, à un coin-librairie et un arrêt-buffet pour déjeuner-shopping. Même principe rue Etienne-Marcel.

SUD DU SUD (LE)

23 rue des Blancs-Manteaux (4°)
44 59 81 05
De 11h (14h30 lundi et dim) à 20h. Murs en torchis peint en ocre à l'italienne, terre cuite au sol, cet espace avec

mezzanine annonce la couleur et reflète l'esprit et l'art de vivre du Sud. Artisanat venu de tous les pays du Sud et même de Provence. Séries limitées ou pièces uniques : vaisselle et faïence marocaines ou portugaises, verrerie soufflée de Biot, carreaux mexicains ou azulejos portugais, patchworks du Guatemala, hamacs brésiliens, dhurries... Et des créations maison pour les maisons ensoleillées.

VENTILO

27bis rue du Louvre (2°)
42 33 18 67
Dans cette grande boutique de vêtements, on trouve aussi des meubles et des objets d'inspiration sud-américaine. Pour la maison, des potiches indiennes, des rééditions de tapis navajo, des meubles navajo en bois sculpté

et peint du Mexique, des bancs du Nouveau-Mexique, des courges peintes de motifs bruns et noirs, des poteries indiennes... De quoi satisfaire une mode toujours actuelle.

LES CARRELAGES

CERAMIS

130 av de Versailles (16°) 46 47 50 98
De superbes azulejos fabriqués dans la tradition au Portugal par des ateliers artisanaux existants depuis le XIXe siècle. Des reproductions de modèles avec des motifs allant du début du XVe au XIXe, typiques ou d'influence plus européenne et même des créations contemporaines. Des carreaux très décoratifs dont certains résistent au froid et d'autres peuvent s'utiliser au sol, pour salle de bains et cuisine mais aussi les

entrées, patios, jardins d'hiver, panneaux décoratifs et dessus-de-table.

COMPTOIR MEXICAIN (LE)

38bis rue Raphaël (Vanves) 46 44 64 12
Du lundi au ven de 10h à 12h45 et de 15h à 18h30 ou sur rendez-vous. Une petite escapade hors de Paris, pour cette boutique, show-room où vous trouverez de très beaux carreaux mexicains en terre cuite ou au triple émaillage uni ou décoré de motifs typiques pour certains et de dessins plus adaptés au goût européen pour d'autres. 150 références dont certains sont ingélifs, pour les salles de bains, les cuisines, les panneaux décoratifs, les dessus-de-table... Egalement, des vasques de lavabo et parfois des pots pour plantes

coordonnés dans le même esprit.

GALERIE FARNESE

47 rue de Berri (8°) 45 63 22 05
La petite soeur parisienne de la galerie romaine, installée dans un superbe cadre. Des rééditions de carreaux anciens principalement italiens du XVe à nos jours, et des créations contemporaines en terre cuite ou en céramique. Egalement des mosaïques de marbre inspirées des sols de la basilique Saint-Marc à Venise.

STYLE BATEAU

GENERAL MARINE

5 rue de la Manutention (16°) 47 23 95 00
Des éléments de décoration de bateau à détourner pour la maison, et des accessoires du même style en bois pour cuisine et salle de bains.

M A I S O N

Toute une gamme en laiton : taquets à utiliser comme poignées de placards, portemanteaux, barres de salle de bains-supports serviettes. Des petits rangements (porte-bouteilles, porte-revues, supports de verres...) et du mobilier en teck à l'aspect ciré (tables, bancs, transats de pont, bacs à plante...) souvent réalisés à partir de caillebotis, spécialité du magasin.

MARIN MARINE

1 av de la Motte-Picquet (7°) 47 53 91 76
Une charmante petite boutique pour des antiquités et des objets de curiosité contemporains ou anciens. Belles maquettes de bateau, anciens tableaux de noeuds décoratifs, demi-coques en bois, aquarelles de bateau, mappemonde et quelques meubles :

commodes de bateau, tables Butterfly ou coffres en bois. Et aussi, beaucoup d'idées cadeaux pour les amoureux du grand large.

T A P I S
STYLE CLASSIQUE

CASA LOPEZ
32 galerie Vivienne (2°)
42 60 46 85
58 av P.-Doumer (16°)
45 03 42 75
Des tapis jacquard réversibles en piqué de laine à faire réaliser dans les couleurs de sa maison. 90 coloris au choix, 10 dimensions différentes et 11 dessins géométriques ou fleuris. Casa Lopez est également spécialisée dans les tapisseries pour les coussins, les médaillons de fauteuil...

TAPIS DE COGOLIN
5 av de l'Opéra (1°)
42 60 61 16
Depuis 1924, la

Manufacture réalise des tapis sur commande. Tapis aux points noués, tapis bouclés (cinq et sept mois de délai). Tapis tissés main en laine, coton blanc ou écru avec apport de lin, jute ou raphia et teinture à la demande. Et aussi, des tapis naturels en lirette de raphia gansés de coton.

TAPIS D'ARTISTES

ARTCURIAL
9 av Matignon (8°)
42 99 16 16
Centre d'art plastique contemporain: des expositions, une importante librairie spécialisée dans l'art du XXᵉ siècle, et aussi des éditions originales d'artistes: bijoux, foulards, meubles... et des tapis. 35 en tout créés par 17 artistes contemporains de Sonia Delaunay à Gilioli en passant par François-Xavier Lalanne et les

autres. Tous édités en séries limitées, numérotés et réalisés de façon artisanale.

ECART INTERNATIONAL

111 rue St-Antoine (4°)
42 78 79 11
Rééditions de tapis de Eileen Gray.

ELYSEES EDITIONS. ANNE SHELTON GALLERY

50 bd de la Tour-Maubourg (7°)
45 55 79 35
Dans sa galerie Anne Shelton édite des tapis d'artistes tuftés main en pure laine vierge et limités à 8, 25, 50 et 100 exemplaires. Après une première vague de tapis Christian Duc, Nemo, Malevitch, Vasarely et bien d'autres, désormais les oeuvres de Marie-Christine Dorner, Masayuki, Kurokawa, Robert le Héros... Et aussi, une réédition (huit exemplaires) du

tapis de Keith Haring conçu pour contribuer à la recherche contre le sida.

NEOTU

25 rue du Renard (4°)
42 78 91 83
Dans cet espace très dépouillé, temple de la création et du design, on trouve des tapis de Garouste et Bonetti, Gérard Dalman, Martin Szekely, François Bauchet, Pucci di Rossi et aussi de Claude Picasso. Tout autour, meubles et objets de créateurs.

TAPIS DE COGOLIN

5 av de l'Opéra (1°)
42 60 61 16
Editions de tapis d'artistes comme Fernand Léger, Jean Marais... et de designers comme Robert le Héros fabriqués aux dimensions voulues.

TOULEMONDE BOCHART

10 rue du Mail (2°)
40 26 68 83

Editions de tapis d'artistes dans ce show-room où l'on peut trouver (et acheter) des créations de André Puttman, de Christian Duc, Hilton Mac Connico, Pascal Mourgue, Wilmotte, Baume. Pas de rééditions chez cet éditeur.

LES NATURELS

DAVID HICKS

12 rue de Tournon (6°)
43 26 00 67
En coco ou en jute de différents tons, des tapis fixés sur un support de latex et bordés de ganse verte, bordeaux... et aussi décorés de motifs faits au pochoir : réalisés à vos dimensions. (Voir également la rubrique Les dhurries.)

ETAMINE

63 rue du Bac (7°)
42 22 03 16
Au sous-sol du magasin, vous pourrez être conseillés dans tous vos choix de tapis en

M A I S O N

TAPIS

matières naturelles :
coco simple ou travaillé
avec des motifs en relief
ou encore colorés et à
chevrons, sisal, jonc de
mer... à faire poser
comme une moquette
ou à utiliser aux
dimensions de votre
choix comme tapis
gansé de point bourdon
ou de différents galons.

TOULEMONDE BOCHART
10 rue du Mail (2°)
40 26 68 83
Des cocos, du sisal et
ses dérivés au mètre.
Mais aussi des tapis
finis en sisal à vos
dimensions et décorés
d'une ganse de tissu de
couleur ou d'une
bordure de dessin
réalisée au pochoir.

LES KILIMS

GALERIE TRIFF
35 rue Jacob (6°)
42 60 22 60
Des kilims anciens ou
contemporains
principalement
d'Anatolie. Egalement

des tapis de prières ou
des textiles d'Asie
centrale. Un rayon
librairie spécialisé
et un service de
réparation et de
nettoyage pour les tapis
achetés à la galerie.

OURARTIEN (L')
19 rue de l'Odéon (6°)
46 33 07 57
19 rue des Grands-Augustins (6°)
40 51 86 24
Deux véritables "souks"
où l'on vous sert le thé
avec un grand choix de
kilims de Turquie,
contemporains ou
anciens, à des prix
intéressants et dans
toutes les tailles (même
des grands) et des
coloris et des motifs très
divers.

TERRES DU MARAIS
39 rue du Poitou
(3°) 42 78 27 05
Fermé le matin. Dans une
rue un peu triste du
Marais, une boutique
sans décor particulier
pour un grand choix de
kilims anciens

d'Anatolie. Quelques
pièces du XVIII° jusqu'à
des périodes très
récentes mais
uniquement des
fabrications artisanales
de village pour les
kilims plus
contemporains. Les prix
varient bien sûr en
fonction de l'ancienneté
mais ils sont toujours
étudiés et restent
raisonnables.

ET AUSSI

ARTS ET TEXTILES GERARD HADJER
22 rue Drouot (9°)
48 24 96 67
(Voir texte dans la
rubrique Antiquaires de
charme.)

LES DHURRIES

DAVID HICKS
12 rue de Tournon (6°)
43 26 00 67
Des dhurries indiens en
coton, laine ou soie. Et
aussi les moquettes
David Hicks à dessins
géométriques à
coordonner aux
couleurs de votre choix.

MAISON

L'Ourartien

Sans oublier les tapis naturels (voir rubrique).

SHYAM AHUJA
28 rue de l'Echaudé (6°) 43 26 20 46
Un grand choix de dhurries tissés main et dessinés par Shyam Ahuja, styliste indien. Chaque mois, de nouveaux modèles. Beaucoup de teintes pastel sur fond clair mais on peut commander un modèle sur fond foncé. Des motifs simples et géométriques inspirés des dhurries traditionnels mais aussi des dessins fleuris et plus complexes d'inspiration française.

TISSUS DE DECORATION
STYLE CLASSIQUE ET NOUVEAU CLASSIQUE

BISSON BRUNEEL
4 rue Vide-Gousset (2°) 42 96 87 94

Editeur de tissus d'ameublement, Bisson Bruneel offre une gamme complète, riche en couleurs et en matières : tissus, moquettes et tapis. A découvrir également une collection de superbes châles, jetés de canapé, jetés de lit... Show-room, pas de vente au public.

BOUSSAC
27-29 rue du Mail (2°) 42 21 83 00

M A I S O N

Des unis, des imprimés, des jacquards, des tissus en grande largeur pour deux grandes marques réunies dans ce show-room. Romanex avec une gamme traditionnelle et jeune d'un bon rapport qualité-prix. Boussac, dont les débuts remontent à 1762, avec des collections (deux nouvelles par an) plus "décorateur", plus riches et sophistiquées. Pas de vente au public.

BRACQUENIE

111 bd Beaumarchais (3°) 48 04 30 03
Une maison traditionnelle datant de 1824. Un show-room presque musée pour cet éditeur spécialiste des toiles de Jouy et des Perses. Des rééditions d'après documents originaux d'époque du XVIIIe ou d'inspiration plus lointaine encore. Egalement moquettes et tapis à dessins jacquard. Pas de vente au public.

CASAL

40 rue des St-Pères (7°) 45 44 78 70
Pour le charme de cette verrière ancienne située dans une cour et les collections (deux par an) de tissus contemporains créés par un bureau de style dirigé par Claudie Wogensky. Jacquard, uni texturé, rayure-jacquard, rayures tissées, imprimés... Egalement des toiles de bâche dans une large gamme de coloris. Show-room, pas de vente au public.

CHOTARD

5 rue du Mail (2°) 42 61 54 94
Dans un hôtel particulier, un show-room pour choisir les tissus de Christian Benais. Des jacquards, des damas, des imprimés. Couleurs superbes et foisonnement de dessins spectaculaires (une à deux collections par an,

80 à 100 références). Et aussi, des voilages. Pas de vente au public.

COMOGLIO

22 rue Jacob (6°) 43 54 65 86
Un superbe show-room intimiste, où tous les tissus sont mis en scène pour cet éditeur spécialiste des tissus français fabriqués d'après documents anciens XVIIIe et XIXe, illustrant le goût des provinces françaises. Chacun porte le nom d'une ville.

DIASPREE

27 rue de Bourgogne (7°) 45 51 39 06
Une charmante boutique pour cette grande spécialiste de la réédition d'étoffes anciennes XVIIe, XVIIe, XIXe siècles. Des "copies conformes" réalisées sur métier d'époque et choisies avec un oeil contemporain pour leur style intemporel : soieries, canevas de Touraine et imprimés

sur coton. Egalement des couvre-lits anciens (quilts) et, sur commande, des tapis de table, des jetés de canapé, des coussins... Vente au public et aux décorateurs.

EDMOND PETIT

23 rue du Mail (2°)
42 33 48 56
Dans un immeuble fin de siècle dernier spécialement conçu pour "l'acticité des tissus" (verrière et grandes fenêtres), la société Edmond Petit propose, depuis sa création en 1870, ses éditions de tissus et passementeries de style. Des collections classiques : damas, soieries, velours de Gênes, tapisseries principalement dans le style français. Egalement des unis : velours, satins, taffetas, toiles, ottoman, moire avec plusieurs centaines de couleurs en stock. Un service de création à

la demande pour les décorateurs. Show-room, pas de vente au public.

LE MANACH

31 rue du 4-Septembre
(2°) 47 42 52 94
De nombreuses étoffes tissées, des soieries, des impressions, des reproductions de documents anciens de tous les styles. Environ 400 dessins en stock et 4 000 références sur commande. Show-room, pas de vente au public.

LELIEVRE

13 rue du Mail (2°)
42 61 53 03
Velours, soieries, ottomans, lampas, jacquards. Des milliers de documents d'archives, sources d'inspiration et des créations contemporaines. Un choix immense pour des tissus haut de gamme de style classique. Show-room, pas de vente au public.

MANUEL CANOVAS

7 pl de Furstenberg
(6°) 43 25 75 98
Une gamme très étendue de superbes tissus couvrant tous les registres. Des rééditions ou des réinterprétations de documents anciens et aussi des créations contemporaines aux dessins fleuris, motifs géométriques, rayés ou simplement monochromes (1 800 références en stock). Et aussi des accessoires. Vente au public.

METAPHORES

8 rue de Furstenberg (6°)
46 33 03 20
Depuis dix ans, cette jeune maison édite des tissus conçus et fabriqués exclusivement en France. Des créations dirigées par M. Nourry avec beaucoup de recherches d'effets de matières réalisées à partir de techniques anciennes et alliées à un goût moderne. Un intermédiaire entre le classique et le

TISSUS DE DECORATION

contemporain pour des plissés, des moires à l'ancienne, des damas... dans des coloris généralement sourds.

PIERRE FREY

47 rue des Petits-Champs (1°) 44 77 36 00
Des collections complètes de tissus contemporains imprimés avec une grande variété de dessins colorés, des jacquards riches par leurs effets de matière et des unis dans une gamme très large de coloris. L'ensemble associé aux créations d'accessoires textiles et de cadeaux pour la maison de Patrick Frey. Vente au public.

RUBELLI

6bis rue de l'Abbaye-St-Germain (6°) 43 54 27 77
A l'ombre de l'Abbaye Saint-Germain-des-Prés, Rubelli possède une collection à forte personnalité alliant tradition et modernité.

C'est toujours la matière qui est le point fort de Rubelli : damas, jacquards, épinglés, soies, rayures...

THORP OF LONDON

8 av de Villard (7°) 47 53 76 37
La filiale de la maison anglaise créée il y a une vingtaine d'années. Rééditions, inspirations et créations de tissus adaptées au goût européen. Des impressions (des fleurs, des carreaux...), des jacquards, de la soie et surtout un travail sur mesure pour les décorateurs (à partir de 5 à 8 m) avec le choix de la base-support et des coloris. Show-room, pas de vente au public.

ET AUSSI

Pour éviter d'avoir à faire le tour de tous les éditeurs de tissus ces boutiques proposent une sélection sévère faite auprès des plus grands fabricants, pour certains

leurs créations personnelles, et un service de décoration sur commande pour faire confectionner vos rideaux, vos stores..., dans le tissu de votre choix.

BESSON

32 rue Bonaparte (6°) 40 51 89 64
46 av Marceau (8°) 47 20 75 35

DAVID HICKS

12 rue de Tournon (6°) 43 26 60 67

ETAMINE

63 rue du Bac (7°) 42 22 03 16

LES IMPRESSIONS

29 rue de Condé (6°) 43 26 97 86

JUSTE MAUVE

29 rue Greuze (16°) 47 27 82 31

NOBLESSE OBLIGE

27bis rue de Bellechasse (7°) 45 55 20 43

YVES HALARD

252 bis bd St-Germain (7°) 42 22 60 50

M A I S O N

Colefax and Fowler

STYLE ANGLAIS

COLEFAX AND FOWLER

19 rue du Mail (2°)
40 41 97 12
Un petit show-room professionnel où les particuliers pourront se faire conseiller sur le choix de leurs tissus de décoration et demander l'adresse d'un revendeur. Toutes les collections de la marque institutionnelle anglaise créatrice du "Country Style anglais" et les nouvelles collections de chintz (un des points forts), de tissus damassés, de toiles de lin, de tissus muraux, d'étoffes tissées et de passementerie dans une grande variété de motifs et de couleurs. Et aussi des papiers peints.

LAURA ASHLEY

261 rue St-Honoré (1°) 42 86 84 13
94 rue de Rennes (6°) 45 48 43 89
95 av R.-Poincaré (16°) 45 01 24 73
Tissus et papiers peints coordonnés dans des coloris tendres à motifs floraux inspirés des motifs classiques anglais ou à grosses rayures et de très jolies frises en papier peint.

STYLES EXOTIQUES

A F R I C A I N

COCODY

1 bis rue F.-Duval (4°)
42 77 28 82

M A I S O N

TISSUS DE DECORATION

14 rue Descartes (5°)
43 26 92 27
En plus des objets artisanaux, des wax et des tissus africains appliqués teints ou imprimés. Du sur mesure : on peut faire fabriquer dans ce magasin ses rideaux ou même le blouson de ses rêves dans un des tissus choisis. Peu de choix mais de beaux tissages.

TOTO SOLDES
25 av de Clichy (17°)
43 87 34 36
Minuscule boutique en longueur, pour tous les wax venus de javas, des Pays-Bas, les cotons africains, les batiks... Chaque coupon est vendu en 5,50 m de long. Des prix vraiment accessibles et des imprimés très colorés. Des tissus de "boubous" à détourner pour l'ameublement. La seule adressse de la chaîne à fréquenter.

I N D I E N

SONA
400 rue St-Honoré (1°)
42 60 18 97
Importé directement par le gouvernement de l'Inde, un vaste choix de tissus pour l'habillement mais aussi la décoration. Des cotonnades, des ikats et surtout beaucoup de soieries aux couleurs flamboyantes et de belles soies sauvages.

J A P O N A I S

KAZE
11 rue F.- Miron (4°)
48 04 07 04
Fabriqués à l'origine pour la confection des kimonos, les ikats japonais sont vendus ici au mètre en 36 ou 40 cm de largeur. En coton, en rayonne ou encore en soie, les motifs sont très variés, les couleurs ravissantes pour vos réalisations de coussins, sets de table,

bordures de plaids, housses de chaise... Cette minuscule boutique dispose d'un choix varié et propose aussi quelques poteries, des couteaux, papiers pour pliage... venus du Japon.

S U D - A M E R I C A I N

MELO
46 rue Vieille-du-Temple (4°) 42 71 98 43
Une petite boutique discrète et bourrée de très beaux tissus que Mélo fait fabriquer depuis des années au Guatemala dans le respect des traditionnels ikats tissés main dont les motifs originaux sont recolorés pour s'adapter aux modes. Vendus le plus souvent en 90 cm de large, vous y taillerez vos coussins, vos housses de fauteuil ou les utiliserez simplement en jetés. Egalement des tissus anciens guatémaltèques

M A I S O N

et mexicains. Et aussi des vanneries très fines de Madagascar.

E T A U S S I

TEXTILES D'ICI ET D'AILLEURS

5 rue Lobineau (6°)
43 25 01 64
Spécialisée dans les tissus contemporains ou anciens mais toujours authentiques et de grande qualité, cette boutique nous propose un voyage dans les textiles des pays exotiques et d'ailleurs. Des pièces de collection ou des tissus abordables mais jamais de tissu vendu au mètre. Des ikats indonésiens ou thaïlandais, des appliqués de Cuba en raphia, des velours Showa du Zaïre, des pagnes peints à la boue du Mali, des indigos d'Afrique, des mantas de Bolivie. A suivre, les expositions temporaires à thème.

STYLE PROVENCAL

INDIENNES DE NIMES (LES)

19 rue Cl.-Bernard (5°)
45 35 64 40
Un vaste hangar réhabilité voué aux textiles provençaux avec un très grand choix de rééditions de tissus (145/150 cm de large) fabriqués suivant la tradition. Grande richesse de motifs typiques ou plus classiques : "Croix de Camargue", "Cachemire", "Plume", "Herbier", "Dentelle"... Des coloris vifs et francs recomposés d'après d'anciens documents. Des prix raisonnables.

OLIVADES (LES)

1 rue de Tournon (6°)
43 54 14 54
25 rue de l'Annonciation (16°) 45 27 07 76
Une centaine de dessins différents pour des

tissus fabriqués et imprimés en Provence d'après des cartons anciens. Vendus au mètre en 1,50 m de large, 100% coton, dans de jolies teintes chaleureuses (jaune safran, bleu lavande, rouille, vert amande...). Imprimés déclinés également sur un choix de toiles cirées et de papiers peints, des carreaux en céramique.

SOULEIADO

78 rue de Seine (6°)
43 54 62 25
83 av P.- Doumer (16°)
42 24 99 34
Pour recréer l'atmosphère des intérieurs provençaux. Des tissus aux motifs originaux recoloriés, des chintz imprimés, des cotons aux coloris vifs avec galon imprimé sur le bord... et aussi, des toiles cirés, des papiers peints, des carreaux de céramique .

M A I S O N

PLAIDS ET COUSSINS

MARCHE SAINT-PIERRE (DREYFUS)
2 rue C.-Nodier
(18°) 46 06 92 25
Le grand déballage de tissus à Paris dans ce petit quartier dominé par la basilique de Montmartre. Quelques rues agitées, de nombreuses boutiques de tissus, des merceries, des vendeurs de mousse ou de kapok. Côté tissu, ne râtez pas le célèbre immeuble Dreyfus avec ses quatre étages bourrés à craquer. Pas grand choix pour les imprimés mais, suivant arrivage, des toiles blanches ou écrues, des lainages pour faire des plaids, des toiles unies ou rayées pour transat... Prix vraiment compétitifs.

PLAIDS ET COUSSINS

STYLE CLASSIQUE

CHRISTIAN BENAIS
18 rue Cortambert (16°)
45 03 15 55

Christian Benais, décorateur et créateur de tissus pour Chotard, associe meubles et objets anciens à ses créations personnelles. Dans sa boutique, il crée une ambiance : au décor d'une chambre succède le décor d'une table. Coupés dans ses tissus des coussins très colorés, des jetés de table ou de canapé. Vous pouvez faire réaliser vos rideaux et vos stores ou encore lui confier la décoration intégrale de votre maison ou la création de vos meubles. Egalement une belle sélection de plaids et de couvertures en cachemire dans les tons sable et doux.

HERMES
24 rue du Fg-St-Honoré
(8°) 40 17 47 17
Hermès a tellement de cordes à son arc qu'il fallait bien choisir... et pourquoi pas les très beaux plaids classiques, tout en cachemire ou légèrement mélangés cachemire et laine, proposés dans une gamme de coloris unis subtils.

IMPRESSIONS (LES)
29 rue de Condé (6°)
43 26 97 86
Dans cette très jolie boutique de décoration tendance anglaise, vous trouverez toujours une sélection de plaids (en cachemire, en laine, en fausse fourrure...), de merveilleux coussins travaillés de toutes les couleurs et même des coussins à placer en bas des portes en application de kilims ou de tissus et aussi des accessoires déclinés (petites trousses, bourses...). (Voir aussi rubrique Boutiques de décoration.)

NOBILIS
38 rue Bonaparte (6°)
43 29 21 50
Dans cette boutique où tout tourne autour du thème du voyage, des plaids style couverture

M A I S O N

de cheval unis et bordés d'une couleur contrastée en draps de laine que l'on peut faire broder à ses initiales.

YVES HALARD

252 bis bd St-Germain (7°) 42 22 60 50
Toujours un grand choix de coussins très travaillés et décoratifs réalisés à partir de tissus anciens, de tapisseries et des tissus créés par Michelle Harlard pour Lauer... De toutes les formes, avec des volants, avec des pompons, passepoilés, avec des bandes appliquées, en coton, en velours... Des coussins très "couture". Des créations sans cesse renouvelées.

STYLE ANGLAIS

LAINES ECOSSAISES (AUX)

181 bd St-Germain (7°) 45 48 53 41
C'est l'adresse où trouver les vraies couvertures-plaids écossaises dans tous les tons unis ou écossais, en 100% pure laine ou cachemire ou en cachemire et laine mélangés.

STYLE IRLANDAIS

MAINTENANT... L'IRLANDE

34 rue F.-Miron (4°) 42 72 76 88
Une petite boutique remplie d'objets venus d'Irlande. Vous y trouverez de très beaux plaids et couvertures en laine, en mohair, unis dans de jolis coloris ou tissés style tweed, ou encore rayés. Vous pourrez également acheter des tissus d'ameublement "rustiques" tissés main en pure laine ou mélangé de soie, de mohair ou de lin pour recouvrir vos sièges ou confectionner vos dessus de lit. Et aussi, des ceintures de pêcheurs irlandais tissées main en laine à

détourner en embrasse de rideaux.

PATCHWORKS QUILTS ET BOUTIS

BONNE RENOMMEE (A LA)

26 rue Vieille-du-Temple (4°) 42 72 03 86
1 rue Jacob (6°)
46 33 90 67
Des plaids, des jetés de table, des coussins très décoratifs, des boîtes à ouvrages ou à bijoux recouverts de patchwork de tissus aux couleurs d'automne ou vives suivant la mode mais toujours harmonieusement assemblées.

PATCHWORK DU ROUVRAY

1 rue F.-Sauton (5°)
43 25 00 45
Presque une institution pour les patchworks américains anciens. Egalement vente du matériel et des coupons de tissus (grand choix) pour les fabriquer soi-même. Cours de

M A I S O N

patchwork à cette adresse.

ET AUSSI

Vous trouverez chez certains antiquaires des boutis ou des quilts anciens :

FANETTE
1 rue d'Alençon (15°)
42 22 21 73

JOSY BROUTIN
8 rue des Francs-Bourgeois (3°)
42 72 59 80

MICHELE ARAGON
21 rue Jacob (6°)
43 25 87 69

PAUL OLLIVARY
1 rue Jacob (6°)
46 33 20 02.

LUMINAIRES ET ABAT-JOUR
LUMINAIRES
STYLE CLASSIQUE

CHAUMETTE
45 av Duquesne (7°)
42 73 18 54
Des lampes en faïence épaisse décorées de grosses fleurs et aussi

toute une ligne de bougeoirs, de lustres et de lampes en métal au couleur "vert-de-gris" et souvent ornées de lierre en métal découpé.

GERARD DANTON
38 rue de Bellechasse (7°) 45 55 21 11
Des lampes aux formes galbées, émaillées, très colorées ou peintes à la main, ou encore des blanc-bleu. Un style décliné également pour les vases, les poteries, et les nappes assorties.

KOSTKA
116 rue du Bac (7°) 45 44 53 98
Une collection de céramiques émaillées plutôt classiques pour la ligne traditionnelle de Kostka et de nouvelles lignes plus marquées en style avec des noms évocateurs l'"Africaine" au relief de végétaux, la "Marocaine" très colorée et ornée d'or, la "Naturelle", la "Provençale" aux couleurs chaudes, la "Santa Fé" aux motifs

inspirés du Nouveau-Mexique. Chaque série comprend des objets, des bougeoirs, des vases, des potiches et plusieurs modèles de lampes.

LAURA ASHLEY
261 rue St-Honoré (1°)
42 86 84 13
94 rue de Rennes (6°)
45 48 43 89
95 av R.-Poincaré (16°)
45 01 24 73
Des pieds de lampe en céramique unis ou à fleurs, en bois style bougeoir ou en laiton... et une collection d'abat-jour plissés ou non déclinés dans des tissus de décoration de style anglais de Laura Ashley.

STYLE CONTEMPORAIN

ESPACE LUMIERE
17 rue des Lombards (4°) 42 77 47 71
48 rue Mazarine (6°)
43 54 06 28
167 bd Hausmann (8°)
42 89 01 15

M A I S O N

Trois boutiques pour une bonne sélection de luminaires contemporains. Des lampes à suspension, aux lampes de bureau, en passant par les appliques (chromées, en verre, en métal ou aluminium), les éclairages directs ou diffus, et beaucoup d'halogènes. Des modèles-phares devenus des classiques comme la "Pipistrella" de Gae Aulenti ou la "Tizio" de Richard Sapper.

SENTOU
18 et 24 rue du Pont-Louis-Philippe (4°)
42 71 00 01
C'est l'adresse pour trouver les luminaires-sculptures en papier japonais du créateur Isamu Nogushi.

VOLT ET WATT
29 bd Raspail (7°)
45 48 29 62
Du luminaire moderne, du spot aux suspensions en passant par la lampe de bureau. On trouve ici

des créations d'Artemide, Flos, Fontana Arte, Gio Ponti, Gilles Derain, Mario Botta ou Gae Aulenti.

ET AUSSI

BAZAR DE L'ELECTRICITE
34 bd Henri-IV (4°)
48 87 83 35
Une adresse très pratique mais sans aucun charme pour faire monter ses lampes, acheter tout son matériel (fils, douilles, poires, prises, ampoules) et aussi un choix de luminaires contemporains.

ELECTRORAMA
11 bd St-Germain (5°)
43 29 31 30
Jusqu'à 22h mardi et mer.
Un côté grande surface pour ce spécialiste du luminaire contemporain. Lampadaires, plafonniers, halogènes, lampes de bureau, appliques, spots, éclairages d'extérieur. Des créations de Ingo

Maurer, Ettore Sottsass, Pascal Mourgue, Philippe Starck, beaucoup de marques et aussi du sur mesure pour les fabrications particulières. Tous les modèles sont exposés, et on peut les allumer ou les éteindre à volonté grâce à une présentation astucieuse.

ANTIQUITES

Quelques antiquaires pour trouver des lampes en bois anglaises XVIIIe et XIXe siècles.

HAGA
22 rue de Grenelle (7°)
42 22 82 40

UNE MAISON A PARIS
90 bd Malesherbes (8°)
42 25 89 49

PORTOBELLO
56 rue N.-D.-des-Champs (6°)
43 25 74 47

LES ABAT-JOUR

CAPELINE
144 av de Versailles (16°) 45 20 22 65
Un atelier bien connnu

des décorateurs, pour des abat-jour très "haute couture" volantés, plissés, noués, juponnés... toujours très décoratifs. Des créations sur mesure de grande qualité. 3 000 formes et gabarits, de la soie, du chintz et du papier.

CLAIR OBSCUR

2 rue du Capitaine-Olchanski (16°)
42 24 48 42
Les abat-jour sur mesure : en tissu, en papier kraft, en papier reliure, etc. ; décorés, peints, avec ou sans franges... pour ce spécialiste des plissés et des tendus. 4 000 patrons au choix. Seul impératif (rassurant), apportez votre pied de lampe. Montage d'objet en lampe et aussi, vente de tissu.

IMPROMPTU (L')

8 rue G.-Flaubert (17°)
42 27 62 99
Sur mesure : plissés ou

non, décorés de dentelle, dessinés à l'encre de chine, peints à la main (amenez votre motif ou choisissez un des leurs), en papier reliure... tous les abat-jour pour tous vos pieds de lampe. En stock, petits abat-jour ajourés découpés à la main.

PAUL EMILE

10 rue de Jarente (4°)
48 87 21 21
Fabricant d'abat-jour, un peu confidentiel, il vaut mieux téléphoner avant pour savoir s'il est ouvert. Travaille dans la tradition de la célèbre "Mme Printemps" de la rue de Poissy dont il n'a pas la faconde.

SEMAINE

20 rue Nicolo (16°)
45 20 06 69
Grand choix d'abat-jour plissés, en chintz dans tous les coloris unis, chauds et doux ou à motifs vichy, fleuris... On peut également

commander son abat-jour sur mesure dans le tissu voulu et choisir un pied de lampe (en bois ou en faïence craquelée) parmi ceux présentés de cette boutique qui propose également un petit choix de meubles des années 30 et 40, des bibelots anciens, de la vaisselle anglaise, provençale ou suédoise.

ET AUSSI

AU BON MARCHE

22 rue de Sèvres (7°)
45 49 21 22
A retenir pour les abat-jour simples en carton ou en tissus dans une large gamme de coloris et de tailles. Une adresse piquée aux antiquaires où l'on trouve aussi des abat-jour de style anglais à liseret et intérieur doré.

Les petits abat-jour anglais pour lampes et bougies :

On les voit partout dans la presse, ils sont petits

M A I S O N

L'Impromtu

en papier ou en tôle, décorés de frises, de fleurs, de lierre ou ajourés. Ils se posent sur les lampes électrifiées (sans douille) ou sur les bougies à condition qu'elles soient anglaises pour supporter le poids. Ils font de jolis éclairages d'appoint. Vous trouverez différents modèles et les systèmes pour lampes ou bougeoirs dans ces boutiques:

ALIETTE MASSENET
169 av V.-Hugo (16°)
47 27 24 05

LES IMPRESSIONS
29 rue de Condé (6°)
43 26 97 86

OLARIA
114 rue de la Tour (16°)
45 04 18 87

ART DE LA TABLE
VAISSELLE
STYLE CLASSIQUE ET NOUVEAU CLASSIQUE

BAIN MARIE (AU)
12 rue Boissy-d'Anglas (8°) 42 66 59 74
Un immense espace au décor de palace avec une série de tables dressées. On y trouve tout ce qui touche aux arts de la table dans tous les styles et les époques que l'on peut associer : de l'ancien, des rééditions, des réadaptations, du contemporain. De la

MAISON

ART DE LA TABLE - VAISSELLE

cuillère à caviar en ivoire, aux verres en cristal raffinés, en passant par les nappes damassées, l'argenterie indétrônable à marier avec les assiettes graphiques, les couverts, les centres de table, les saladiers, les shakers...

DEVINE QUI VIENT DINER CE SOIR
83 av E.-Zola (15°)
40 59 41 14
Arts de la table français du début du siècle aux années 50. Des services anciens et aussi des rééditions contemporaines comme des assiettes réalisées à partir de chromos anciens, des verres rouges et épais, des rééditions de modèles d'argenterie ancien en étain brillant. Et quelques pièces authentiques à des prix raisonnables. Sans oublier, les couverts dont les manches sont anciens (corne, ébène, bois) et les verres et les carafes en réédition pour les séries.

DINERS EN VILLE
89 rue du Bac (7°)
42 22 78 33
Un temple des arts de la table où se marient les objets XIXᵉ et XXᵉ. Des carafes et des verres décorés, gravés ou en verre ciselé de couleur, des services de table complets classiques ou colorés et décorés, des barbotines, des couverts en argent ou ivoire et argent, des plateaux, des théières et des objets de décoration... Ancien et classique-contemporain se mêlent dans un décor théâtral.

EDITIONS DU PALAIS ROYAL (LES)
172 galerie de Valois (1°) 42 96 04 24
Fermé le matin. Bien connu des amateurs d'antiquités d'art de la table, Dominique Paramythiotis propose également des créations contemporaines de grande qualité en porcelaine peinte à la main à assortir aux services anciens. Au choix, des motifs existants comme le "décor de marbre", "de palmeraie dans la nuit", "d'olivier d'or sur fond couleur", ou "d'arabesque"... mais surtout des créations exclusives et sur commande. Prévoir un délai de quatre à six semaines.

GIEN BOUTIQUE
18 rue de l'Arcade (8°)
49 24 07 77
Choix des formes et des décors très éclectiques, des plus traditionnels (fleurs, oiseaux...) aux graphismes les plus créatifs réalisés pour Gien par des créateurs contemporains comme Isabelle de Borchgrave ou Garouste et Bonetti. Tous les modèles sont peints à la main et

M A I S O N

Dîners en ville

fabriqués selon les techniques traditionnelles de cette institution. On peut également faire personnaliser à ses initiales ou au sigle de son choix, l'un des six modèles d'assiettes proposés.

LAURE JAPY
34 rue du Bac (7°)
42 86 96 97
Des services de table très colorés en

porcelaine unie ou à motifs géométriques, fleuris ou fruités. Ils se marient avec des verres sur pied en cristal avec un liseret de couleur et avec des nappes imprimées. Toujours dans le même style, des objets de décoration : vases, cache-pot, lampes en céramique...

MARIE-PIERRE BOITARD
9-11 pl du Palais-

Bourbon (7°)
47 05 13 30
Cette boutique "luxueuse" a trouvé son écrin place du Palais-Bourbon. Une atmosphère feutrée pour des tables classiques mais personnalisées. Marie-Pierre Boitard aime les mélanges de styles, de décors de porcelaine, de verres... Elle associe les objets choisis chez les artisans du luxe, à ses créations,

aux objets décoratifs de valeur ou anciens : porcelaine, faïence, orfèvrerie, cristal, tapis et linge de table, idées cadeaux... Au sous-sol, un coin plus campagne et un autre pour les listes de mariage.

MURIEL GRATEAU

29 rue de Valois (1°)
40 20 90 30
Sous les arcades du Palais-Royal, un superbe lieu créé par Muriel Grateau. Styliste, elle travaille depuis toujours avec l'Italie pour les matières, les couleurs et la qualité du travail des artisans. Un mélange d'ancien et de moderne. Longues nappes en lin jour Venise ou en brocard de lin, coloris profonds de végétaux, verres anciens de Murano, assiettes, couverts. Ses créations sobres et raffinées se marient avec les antiquités italiennes. Un classicisme intemporel et personnel.

PETER

191 rue du Fg-St-Honoré
(8°) 45 63 88 00
Artisan d'art coutellier (depuis 1785), devenu une institution, Peter propose dans sa boutique, ses créations d'inspiration classique à associer aux couverts en argent ou en métal argenté de Ercuis ou de Puiforcat. Les couteaux Peter sont réalisés à la main. Des manches souvent octogonaux façonnés dans de précieuses matières, ou plus sobres tout en argent et une nouvelle ligne résistant au lave-vaisselle. Et aussi des canifs, des sécateurs sophistiqués, des couteaux de chasse, des rasoirs...

PUIFORCAT

2 av Matignon (8°)
45 63 10 10
Une grande institution depuis sa création en 1920 par Jean Puiforcat. Outre les modèles en argent massif, Puiforcat présente des collections classiques ou Art Déco (inspirées des modèles d'origine) en métal argenté: services à café ou à thé, plats, coupes, couverts... Et aussi des services complets en porcelaine dessinés par des créateurs stylistes contemporains pour Puiforcat.

SEGRIES

13 rue de Tournon (6°)
46 34 62 56
L'atelier de Segriès, créé il y a onze ans dans la région des faïenceries artisanales de Provence, fait revivre cette activité traditionnelle. Des rééditions de modèles existants depuis le XVIIe, des collections inspirées par les thèmes authentiques (monochrome ou polychrome) comme le "Bérin" ou la "Fleur de pomme de terre". Et aussi, des créations contemporaines et des commandes spéciales à la demande. De la faïencerie de qualité réalisée à la main aussi

Segriès

bien pour les formes que pour les décors.

STYLE CONTEMPORAIN

CERAMIQUE
9 pl de la Madeleine - Galerie Madeleine (8°)
42 65 75 70
Pour des tables étonnantes, originales, très colorées et résolument modernes. Cet éditeur associe la qualité d'un fabricant de porcelaine aux oeuvres d'artistes peintres dont les couleurs permettent d'associer les services. Les assiettes de Di Rosa s'harmonisent avec celles de Fabienne Jouvin ou avec celles dessinées par sept peintres du groupe "Les frères Ripoulin". Egalement une ligne de verres plutôt sobres fabriqués par la Cristallerie de Pourtieux et d'autres très marquées en style de Slagerman.

SHIZUKA
49 av de l'Opéra (2°)
42 61 54 61
En exclusivité, des assiettes en porcelaine fine et blanche imprimées de grandes fleurs bleues ou de galets gris, des verres très fins à pieds ou à bords courbés et des couverts en inox très design. Egalement, des services en porcelaine dans des coloris unis (mauve, saumon,

brique, bleu marine) , des assiettes à damier noir et blanc, des tasses en verre sur soucoupes chromées, des carafes, des théières et des thermos... Le tout très design.

XANADOU

10 rue St-Sulpice (6°)
43 26 73 43
C'est l'adresse où trouver des objets dessinés par des artistes du début du siècle avec les rééditions de Mackintosh, Hoffmann, Adelfoos... et des contemporains avec les créations de E. Sottsass, Rossi, Botta, P. Starck, ou B. Sipek. Verres, porcelaines, cafetières ou bouilloires en métal argenté et quelques pièces en argent massif en séries limitées.

S T Y L E
C A M P A G N E

AUTREMENT-
KITCHEN BAZAAR

6 av du Maine (15°)
45 48 89 00

Kitchen Bazaar se tourne cette fois sur la campagne et propose dans une joli décor dépouillé, une sélection des meilleurs articles pour la table de France et du monde entier. Rien de rustique : des objets esthétiques traditionnels étonnamment contemporains. Plats marocains, vaisselle du Portugal ou mouchetée ou bleue unie italienne, assiette "Dieulefit" provençale, pichets et bols à pois savoyards, grès artisanal anglais, verres et carafes en cristal scandinaves... et aussi de la vaisselle chinoise et japonaise.

BRANCHE
D'OLIVIER (LA)

19 rue Monge (5°)
46 34 10 00
En plus de ses poteries et vanneries pour le jardin, ce magasin propose de la vaisselle fabriquée à Vallauris et inspirée des services de

Provence. Toute émaillée aux couleurs provençales (vert ou ocre jaune) ou en terre cuite partiellement émaillée, des lignes complètes pour la table et la décoration : assiettes, bols, bougeoirs, pots, théières, carafes, plats...

CERAMIS

130 av de Versailles
(16°) 46 47 50 98
Un spécialiste de l'azulejo de belle qualité (voir rubrique Boutiques de décoration) qui fait fabriquer également dans des ateliers artisanaux traditionnels au Portugal, des services complets de vaisselle très décorative aux différents motifs anciens créés autour d'un même thème. Des rééditions du XVIIe, XVIIIe et XIXe. Egalement des assiettes-objets de décoration, encore plus précieuses.

M A I S O N

DEJEUNER SUR L'HERBE

6 rue F.-Duval (4°)
42 72 30 18
Autour du thème du déjeuner à la campagne, cette petite boutique sélectionne des articles d'art de la table très charmants: une ligne de vaisselle complète ravissante créée par une anglaise Suzanne Katthouda, tournée et peinte à la main de motifs simples fleuris ou fruités sur fond crème à assortir aux nappes (très belles mais chères), en lin appliqué inspirées de ces dessins et réalisées de façon artisanale en France. Et aussi, de jolies malettes de pique-nique et de la vaisselle traditionnelle hollandaise.

PORTO SANTO

7 rue du 29-Juillet (1°)
42 86 97 81
Réuni dans cette petite boutique chaleureuse, tout l'art de la table du Portugal réalisé par des artisans de qualité. Vaisselle faite et peinte à la main aux motifs d'azulejos, ou fruités, fleuris et graphiques dans de beaux coloris à dominante bleue. Assiettes, tasses, plats, saladiers, cruches ou encore bougeoirs : ils résistent au lave-vaisselle et au four. Egalement des verreries soufflées ou pressées de couleur vives, des patchworks portugais, et des tapis cousus main.

QUINTRA DE SINTRA

42 av de la Bourdonnais (7°) 44 18 05 75
A deux pas du Champs-de-Mars, un magasin voué à l'artisanat portugais. Une enseigne en azulejos annonce la couleur : vaisselle traditionnelle peinte à la main ou plus classique et unie, cache-pot, vases, lampes, objets décoratifs et des azulejos. Des copies d'anciens et de l'artisanat contemporain

venus des quatre coins du Portugal. Et aussi, de la verrerie de Biot, et quelques meubles anglais.

TUILE A LOUP (LA)

35 rue Daubenton (5°)
47 07 28 90
Vaisselle traditionnelle fabriquée par des artisans dans le respect des techniques anciennes. Une sélection sévère mais variée. Des services de Dieulefit, des assiettes en terre mêlée d'Apt en Provence. Pichets, assiettes, et jolis plats à gros pois de Savoie. Des terrines et des plats de cuisson décorés alsaciens. Des plats d'inspiration provençale. Quelques verres soufflés de Provence ou d'Alsace et un rayon de coutellerie suisse et savoyarde.

STYLE ANGLAIS

BRITISH SHOP

1 et 2 rue F.-Ponsard (16°) 45 24 52 13

ART DE LA TABLE - VAISSELLE

Deux boutiques de vaisselle anglaise, en importation directe. Au n°1, tous les modèles en porcelaine "Wedgwood" à choisir sur stock ou sur commande. Au n°2, les collections complètes de faïence de Mason's et de Johnson Brothers : colorées, à motifs anciens fleuris, avec des oiseaux ou d'inspiration orientale.

EVELYNE GRAY

35 rue Daubenton (5°)
43 36 24 34
Le charme de la vaisselle anglaise dans cette petite boutique. De nombreux services aux tonalités bleues ou blanches, à motifs fleuris, mais aussi des Creamwear dentellés de couleur crème. Surtout des rééditions de modèles anciens, et des créations contemporaines mais aussi des assiettes anciennes de collection. Quelques jolies nappes imprimées batik dans les mêmes tons bleutés.

FIACRE (LE)

24 bd des Filles-du-Calvaire (11°)
43 57 15 50
Un choix très important de vaisselle anglaise en faïence de fabrication contemporaine. Vingt-cinq décors en stock, de nombreuses marques comme Burleigh, Johnson Brothers, ou Spode. Et aussi la porcelaine de Wedgwood. Des coloris pastel, des motifs typiques à petites ou grosses fleurs, et des scènes anglaises, déclinés sur des gammes entières : théières, plats, assiettes, saucières, saladiers... Et les modèles de Béatrix Potter pour les tout-petits.

LAURA ASHLEY

261 rue St-Honoré (1°)
42 86 84 13
94 rue de Rennes (6°)
45 48 43 89
95 av R.-Poincaré (16°)
45 01 24 73
De la vaisselle inspirée par d'anciens modèles comme la ligne

"Clifton" aux motifs fleuris et sophistiqués ou la ligne "Chinese silk" plus orientale. Chaque service propose un grand choix de plats : plats à cake, saucières, soupières, théières, pichets, assiettes... En harmonie, des verres et des verreries soufflés, gravés à la main de motifs inspirés du passé.

STYLES EXOTIQUES

AROM

9 rue Augereau (7°)
45 51 97 60
Véritable petit bazar oriental, intimiste. Un choix hétéroclite d'objets d'artisanat exotique. Côté Chine, des blanc-bleu copies d'anciens, de la vaisselle, et de grands tabourets en porcelaine. Côté marocain, des carreaux de céramique, des poteries, des vanneries colorées, des cache-pot, des assiettes en porcelaine aux motifs de mosaïque, des

plats à tajine simples ou décorés. Et aussi, des jetés de lit indiens et des tas de petits objets, sans oublier les bijoux et les épices.

CFOC

24 rue St-Roch (1°)
42 60 65 32
167 bd St-Germain
(6°) 45 48 10 31
Des théières, des bols de toutes les tailles, des assiettes... importés de Chine et d'Orient, fabriqués artisanalement. Traditionnels blanc-bleu à motifs poisson réalisés d'après un modèle ancien, ou au sigle du double bonheur. Des bols plus colorés, des théières blanches avec une anse en vannerie, de belles assiettes en grès de Mongolie... Des verres cylindres et épais verts ou bleus en pâte de verre d'Iran. Et aussi de jolis sets de table, et les paniers à vapeur en bambou.

A N T I Q U I T E S

ARGENTERIE DES FRANCS-BOURGEOIS (L')

17 rue des Francs-Bourgeois (4°)
42 72 04 00
Une grande boutique pleine de métal argenté et d'argent massif. Tout l'art de la table de la fin XIXᵉ aux années 1930. Des théières, des couverts, des chauffe-plats, des plats, des chandeliers. Et une série de couverts en métal argenté vendus au poids.

BLEU PASSE

24 bis bd de Courcelles (17°) 42 67 57 40
Une petite boutique d'antiquités anglaises XIXᵉ pour trouver des services à thé en porcelaine à motifs fleuris décorés d'une bordure dorée, des assiettes à gâteaux assortis, des couverts en ivoire et de l'argenterie. Pour collectionneurs, une étonnante variété de

pots à lait milieu XIXᵉ à motifs en relief.
(Voir aussi rubrique Antiquaires de charme).

DOMINIQUE PARAMYTHIOTIS

172 galerie de Valois (1°) 42 96 04 24
Fermé le matin. Sous les arcades du jardin du Palais-Royal, cet antiquaire spécialisé propose toute la vaisselle des armoires de nos grands-mères, des services souvent imposants et colorés XIXᵉ ou début XXᵉ. Egalement, un choix de verres en cristal de la même époque et des petits meubles. Et aussi, des créations contemporaines sous le nom des Editions du Palais-Royal.

MAISON A PARIS (UNE)

90 bd Malesherbes (8°)
42 25 89 49
Cette charmante antiquaire spécialiste du XIXᵉ anglais aime les services de table et les

choisit pour leur qualité : services en faïence, services à thé, Wedgwood anciens et quelques couverts... (Voir aussi rubrique Antiquaires de charme.)

MC DAULIAC
112 rue du Cherche-Midi (6°)
42 22 14 16
Une adresse à l'écart des sentiers battus pour dénicher de la vaisselle, du métal argenté, des verres, des théières, des couverts et des objets décoratifs pour la table 1930 et art déco. (Voir également rubrique Antiquaires de charme.)

MICHELE ARAGON
21 rue Jacob (6°)
43 25 87 69
Services de table de plusieurs centaines de pièces ou moins importants XIX° français et quelques pièces 1930. Des antiquités de qualité en porcelaine, des services à thé ou à café, beaucoup de barbotines. Egalement

des services de verres (Jean Luce). Parfois, quelques pièces vendues à l'unité pour des idées cadeaux.

E T   A U S S I

CONTES DE THE (LES)
60 rue du Cherche-Midi (6°)
45 49 45 96
Merveilleuse petite boutique déjà très connue des collectionneurs de théières de tout style: 350 modèles différents dans la boutique et jusqu'à 500 possibles sur commande. De la classique anglaise rééditée, à la théière en fonte japonaise en passant par les rééditions de porcelaine et de faïence anglaises et un choix incroyable de théières en forme d'animaux, de meubles, de maisons... et même des samovars russes. Et bien sûr, des "tea-cosy", des thés de "Mariage Frères". Et un

service de vente par correspondance.

KAOLA
38 rue Poussin (16°)
46 51 41 44
Spécialisée dans la peinture sur porcelaine. Vous pourrez faire reproduire le motif de votre choix sur votre vaisselle personnelle (si elle résiste au four). Egalement, une sélection de vaisselle et d'objets en faïence artisanale et des verres soufflés du Portugal ainsi qu'un choix de faïence anglaise fabriquée d'après d'anciens modèles.

LESCENE-DURA
63 rue de la Verrerie `
(4°) 42 72 08 74
Cadre inchangé depuis 1875, ce magasin offre dans une enfilade de salles et d'arrière-salles, un très large choix de matériel de bistrot. Ce spécialiste de la cave propose aussi ces fameux services à café en porcelaine verts à

M A I S O N

bordure dorée (de la soucoupe à la théière en passant par le pot à lait et le sucrier). Des percolateurs, des sucriers boules en métal et encore : de la tonnellerie d'art, des vinaigriers, des verres à vin, et des verres bistrot...

SIMON
36 rue E.-Marcel (1°)
42 33 71 65
Sélectionnée pour son côté pratique mais pas pour son cadre, c'est la boutique-fournisseur des restaurateurs où l'on est sûr de trouver la série complète de la vaisselle bistrot verte à bord doré. Et toute la gamme de service en porcelaine blanche du beurrier au plat à gratin en passant par les assiettes et les plats à terrines.

VERRE ET CRISTAL
STYLE CLASSIQUE

BAIN MARIE (AU)
12 rue Boissy-d'Anglas
(8°) 42 66 59 74

Dans ce "temple" voué aux arts de la table, un grand choix de verres anciens et contemporains pour tous les styles de table classique, moderne ou champêtre. Verres teints, gravés, décorés d'un filet doré ou de motifs en relief. Des verres à pied, des formes gobelet, des coupes à champagne et aussi des carafes.

VERRE ET ROUGE
19 rue de Miromesnil
(8°) 42 65 75 65
Un décor vert et rouge sobre et vieillot pour des collections de verres en cristallin soufflé à acheter tels ou à faire graver. Lignes pures et dépouillées pour les verres, carafes, vases ou cendriers. Gravure des initiales, du prénom à l'ancienne, à l'anglaise ou en bâtons. Pour les logos ou les blasons, le prix de la plaque est en sus. Délai : 48h ou 8 jours avant Noël. Egalement des presse-papiers en sulfure, des

boules d'escaliers en cristal et des boules de voyantes!

ET AUSSI

BACCARAT
11 pl de la Madeleine
(8°) 42 65 36 26
Et

LALIQUE
11 rue Royale (8°)
42 66 52 40
Deux grands noms du cristal comble du luxe et de la perfection. Chez Baccarat, une collection de cristaux d'une grande pureté (service Harcourt...), des services en porcelaine (Bernardaud, Herend, Raynaud...), et de l'orfèvrerie (Christofle, Peter...). Et aussi, des créations contemporaines. Chez Lalique, rééditions de René Lalique et créations en cristal. Du vase au lustre en passant par les flacons. Services de verres et d'assiettes en cristal. Egalement, des modèles de : Haviland, Raynaud, Puiforcat.

M A I S O N

ART DE LA TABLE - VERRE ET CRISTAL

BOUTIQUE SCANDINAVE (LA)
*19 rue des Pyramides
(1°) 42 60 67 51*
Une sélection
intéressante de créateurs
scandinaves. Dans les
contemporains, la série
de Markku Salo en
demi-cristal strié, ou la
gamme "Limelight" en
cristal avec pour
chacune : des assiettes,
des bols, des saladiers...
Mais aussi des créations
des années 50 et 60
comme les vases de
Alvar Aalto en édition
numérotée pour la série
bleue, ou les verres
"mécaniques", de sa
femme.

DAUM
*4 rue de la Paix (1°)
42 61 25 25*
Un des grands verriers
français qui fait
cohabiter dans sa
vaisselle et ses verres,
les créations de l'Ecole
de Nancy, les thèmes

cactus de Hilton Mac
Connico ou ceux de
Garouste et Bonetti. A
côté, des montres
molles de Dali, des
cornes de verre de
Starck ou des bijoux de
Fassianos.

DIVA
*97 rue du Bac (7°)
45 48 95 39*
Une boutique remplie
de verres et d'objets en
verre contemporain
venus pour la plupart de
Murano (Venise) ou de
Florence. De nombreux
modèles de verres à
boire (du plus simple
octogonal au plus
décoré à pied coloré),
des coupes, des vases
(en filigrane, naturel ou
aux coloris mélangés),
des rééditions de lustres
vénitiens... Et quelques
pièces rares signées et
datées.

QUARTZ
*12 rue des Quatre-Vents
(6°) 43 54 03 00*
Un espace de 180 m²
pour le meilleur du
verre contemporain.

Une sélection large et
rigoureuse pour la table
et la décoration à tous
les prix. Ici, cohabitent
le "basique" et le
précieux, l'anonyme et
le signé: une volonté
que l'on vous
expliquera avec sourire
et passion. Ni tout à fait
une galerie, ni boutique
traditionnelle, Quartz
est un lieu ou les
amoureux du verre
rencontrent les verriers
du monde entier.
Egalement des
expositions temporaires.

VIRGINIA MO
*4 pl de l'Odéon (6°)
40 51 78 63*
Une sélection très
pointue de verres
(objets) et de verreries
en pièces uniques ou en
petites séries créées par
la jeune génération des
créateurs maîtres-
verriers : Jean-Paul Van
Lith, Jean-Pierre
Bacquere, Jean-Luc
Garçin, Martine
Durand-Gasselin... Des
flacons, des vases, des

coupes, des plats et des verres tous très décoratifs, très colorés et même parfois émaillés.

A N T I Q U I T E S

ARLEQUIN (L')
19 rue de Turenne (4°)
42 78 77 00
Fermé le matin. Poussé par les boutiques de mode, L'Arlequin a quitté la rue des Francs-Bourgeois pour s'installer un peu plus loin. Un décor inexistant pour un choix de verres classiques du XIX° français vendus à l'unité. A droite, le verre et à gauche, le cristal et partout des verres à pied, des coupes à champagne, des carafes et des petites coupelles.

VERREGLASS
32 rue de Charonne
(11°) 48 05 78 43
Une minuscule boutique un peu brocante, bourrée d'objets et animée par un jeune

homme sympathique et amoureux du verre. Il recherche tout objet en verre et propose ses "coups de coeur" choisis pour leur esthétisme. Les styles sont variés du XIX° à 1970 mais aucune création contemporaine. Il préfère les lignes pures et le verre coloré ; son choix se porte souvent sur les années 50. Beaucoup de verres à boire, des cendriers, des fruits en verre, des coupes, des luminaires, des chandeliers...

LINGE DE MAISON
STYLE CLASSIQUE

CHATELAINE (LA)
170 av V.-Hugo
(16°) 42 27 44 07
Cadre authentique, boiseries et vitrines, pour cette institution. De très beaux draps en coton, en satin de coton, en lin, ou en soie, unis ou à motifs dans des coloris pastel avec broderies de noms ou de

reproductions sur commande. Egalement, des nappes, des sets et des serviettes de table raffinés et bien sûr les trousseaux pour bébés, les vêtements délicats pour les enfants et les petites robes à smocks pour petites filles modèles.

LAURA ASHLEY
261 rue St-Honoré (1°)
42 86 84 13
94 rue de Rennes (6°)
45 48 43 89
95 av R.-Poincaré (16°)
45 01 24 73
Des collections de parures de lit classiques dans le style anglais Laura Ashley : à grosses rayures, à fleurs ou tout simplement en coton blanc brodé. Egalement de jolis dessus-de-lit matelassés en patchwork de coton.

MAISON DOUCE (LA) -
CATHERINE MEMMI
100 rue de Rennes (6°)
45 48 84 10
Cadre chaleureux pour une sélection de linge

M A I S O N

de toilette et de table en lin, en coton dans des coloris doux (sable, blanc, gris pâle, miel...). Sets de table et serviettes en lin, serviettes de bain en coton nid-d'abeilles, jetés de lit en piqué de coton, couvertures en mohair... Et aussi des objets pour la maison (vaisselle en faïence aux couleurs tendres, vases...), des senteurs pour la maison et du mobilier en pin ou en acajou anglais.

NOEL

49 av Montaigne (8°)
40 70 02 41
Une maison centenaire institutionnelle spécialisée dans les parures de lit, nappes et serviettes brodées. Douze mille dessins originaux à commander ou à réaliser soi-même! Tout le luxe hyper raffiné.

NUIT BLANCHE

55 rue Boissière (16°)
47 04 42 43

Une boutique de charme au décor intimiste et chaleureux comme un salon d'appartement. Très beau linge en coton ou en lin (linge de toilette, couvertures en piqué, draps, nappes...) que vous pourrez faire broder ou personnaliser. Le tout dans une mise en scène de jolis objets et meubles, anciens ou non, également à vendre.

PENELOPE

19 av V.-Hugo (16°)
45 00 90 90
Association (loi 1901) créée en 1950 pour aider les femmes en difficulté, Pénélope par une qualité et un service exemplaire se fait fort d'être le fournisseur de l'Elysée et de diverses ambassades. Dans leur boutique (au fond de la cour), de charmantes petites dames vous guideront entre draps, serviettes, napperons,

serviettes de toilette et gants assortis... brodés main. Beaucoup de motifs: fleurs, chasse, poissons, pour enfants... Une des spécialités: la confection de parure de table d'après votre service. Du sur commande et du sur mesure pour les motifs et les tailles. Aussi des robes de chambre pour enfants et des barboteuses.

PORTHAULT

18 av Montaigne (8°)
47 20 75 25
Une institution du linge de maison de luxe et de tradition. Linge de table, parures de lit, peignoirs, coussins, fabriqués dans des tissus de qualité : brodés, volantés, décorés de rubans ou de jolis imprimés... Couvertures de coton matelassées et piquées d'un dessin de courbes serrées. Travail soigné de grande qualité.

M A I S O N

Nuit Blanche

AGNES COMAR

7 av George-V (8°)
47 23 33 85
Linge de table et de
maison. Plaids décorés
d'application, sets de
table en damassé, draps,
linge éponge, et aussi
des coussins, des
bougeoirs et des
services à thé en
céramique.

COTE MAISON

96 rue St-Dominique (7°)
45 55 51 10
85 rue La Fontaine (16°)
42 24 46 96
63 rue St-Didier (16°)
47 27 88 27
1 rue des Acacias (17°)
42 67 41 18
16 rue M.-Michelis
(Neuilly) 47 47 65 63
Des boutiques sans
décor pour cette "mini-
chaîne" qui propose une
sélection de linge de

maison contemporain
de qualité. Beaucoup de
marques et de créateurs
français comme Kenzo,
Pierre Frey et aussi
Delorme pour les draps-
éponges, et une marque
australienne Sheridan.
Un choix varié en style
pour des nappes, des
housses de couette,
dessus-de-lit,
peignoirs... Egalement
de la literie, des
couettes, des oreillers,

M A I S O N

des couvertures, des sous-taies, des cache-sommiers, des plaids...

KENZO

18 av George-V (8°)
47 23 33 49
Des collections (deux par an) de linge de maison dessinées par Kenzo. Des parures de lit complètes exclusivement en coton aux imprimés graphiques plus masculins (rayés bleu-gris) ou fleuris (gros bouquets vifs en couleurs ou fleurs parsemées plus doux) et des unis. Aussi, du linge de toilette dans le même esprit : de l'éponge-bouclette pour une ligne brodée classique et de l'éponge-velours pour des motifs très colorés style péruvien.

MAISON DE RENATA (LA)

2 bd Raspail (7°)
45 48 08 58
L'univers maison de Renata. Superbes

nappes et sets de table en lin nervuré aux formes et aux couleurs de feuillage. Egalement des petits meubles esthétiques et fonctionnels. Et aussi quelques vêtements douillets et confortables.

MURIEL GRATEAU

29 rue de Valois (1°)
40 20 90 30
Superbes nappes très longues en lin aux couleurs profondes et végétales à assortir aux arts de la table de Muriel Grateau, une styliste qui aime l'élégance de la simplicité. (Voir aussi rubrique Art de la table.)

SYBILLA

62 rue J.-J.-Rousseau (1°)
42 36 03 63
Plus connue pour sa mode, Sybilla crée aussi pour la maison de somptueux draps et housses de couette en coton, à ses couleurs, brodés d'étoiles, de

spirales, de lierre, de salamandres et bien d'autres motifs encore. Egalement des peignoirs et des parures de serviettes de toilette brodées et colorées. Cadre étonnant et chaleureux pour l'ensemble des créations mode et maison.

STYLE PROVENCAL

INDIENNES DE NIMES (LES)

19 rue Cl.-Bernard (5°)
47 34 36 48
Les Indiennes de Nîmes vendent au mètre leurs tissus réédités suivant la tradition d'après d'anciens documents et fabriquent également toute une gamme de linge de maison avec une grande palette de motifs, très colorés : taies d'oreillers, courte-pointes, couettes (une ou deux places), nappes, serviettes, sets de table, nappes-châles

et aussi des toiles cirées. Un grand espace avec un choix important à des prix raisonnables.

OLIVADES (LES)
1 rue de Tournon (6°)
43 54 14 54
25 rue de l'Annonciation
(16°) 45 27 07 76
Plus de choix dans la boutique également show-room de la rue de Tournon. Pour la table : serviettes, sets de table, nappes (rondes, carrées, rectangulaires, sur mesure), toiles enduites imprimées de motifs provençaux dans des couleurs vives ou pastel. Pour la chambre: dessus-de-lit, housses de couette et taies (sur mesure uniquement), coussins. Et aussi, les tissus au mètre, des accessoires et de la vaisselle à motifs provençaux.

SOULEIADO
78 rue de Seine (6°)
43 54 62 25
83-85 av P.-Doumer
(16°) 42 24 99 34

Tout le linge de maison décliné des tissus Souleiado aux impressions vives et colorées. Pour la table : des nappes (en stock et sur mesure), sets de table, serviettes, toiles plastifiées, tapis de table matelassés. Aussi, de la vaisselle peinte à la main dans le même esprit. Pour la chambre : des desssus-de-lit, coussins, couvre-lits, etc., sur stock ou sur mesure. Pas de linge de confort mais seulement de décoration.

S T Y L E S E X O T I Q U E S

AUDE INDIA
228 rue de la Convention (15°)
45 31 47 33
Une petite boutique, hors des sentiers battus, vouée à l'artisanat indien. On y trouve un peu de tout mais plutôt une bonne sélection d'objets et d'idées cadeaux. Un grand

choix de tissus indiens imprimés, brodés ou appliqués, carrés ou rectangulaires, à utiliser comme nappe ou dessus-de-lit et même des modèles matelassés à des prix vraiment étudiés.

CYCLO-POUSSE
26 rue des Renaudes
(17°) 47 63 82 14
Dans un angle de rue, une boutique remplie d'objets et de couleurs spécialiste des arts textiles indonésiens. Sur les étagères, un choix impressionnant de tissus (coton) teints selon la technique javanaise du batik. Des fabrications réalisées à Java pour des créations (motifs et couleurs) de Cyclo-Pousse d'après des textiles traditionnels indonésiens ou javanais. Des tissus vendus au mètre mais aussi des nappes, sets de table, dessus-de-lit, jetés de canapé et coussins. Egalement des lampes

peintes, des abat-jour, des objets exotiques et un service de confection sur mesure de rideaux.

LAIMOUN

2 rue de Tournon (6°)
43 54 68 00

Laïmoun propose en plus de ses collections de vêtements et accessoires, du linge de maison sophistiqué inspiré des techniques du Liban artisanales et traditionnelles. Superbes nappes en coton imprimées au pochoir de motifs exotiques, nappes plus "habillées" en coton très chargé de broderies, nappes en coton damassé blanc bordé d'un tissu rayé tissé main. Pour le bain, tout une ligne de draps de bains tissé main en coton écru et soie assortie aux peignoirs de formes amples et aux finitions délicates.

SIMRANE

23-25 rue Bonaparte
(6°) 43 54 90 73

Des piles de dessus-de-lit en coton aux imprimés indiens dans différents tons ou imprimés blanc-bleu façon batik ou encore en soie nervurée aux couleurs douces ou chatoyantes et des housses de coussin assorties, dans toutes les tailles. Juste à côté, la boutique spécialisée dans le linge de table avec toutes les nappes, rondes, rectangulaires ou carrés, les serviettes et les sets déclinés. Des motifs typiquement indiens et d'autres plus stylisés.

SONA

400 rue St-Honoré (1°)
42 60 18 97

Au deuxième étage de cette boutique officielle du gouvernement de l'Inde, vous trouverez un grand choix de couvre-lits (matelassés l'hiver), de jetés de table ou nappes aux impressions indiennes ou en ikat. De

fabrication artisanale et importés en direct ; demandez conseil pour fixer les couleurs lors des premiers lavages.

LINGE ANCIEN

CHRISTIAN BENAIS

18 rue Cortambert (16°)
45 03 15 55

Dans sa boutique pleine de charme, le décorateur Christian Benais propose une sélection de beau linge ancien sophistiqué début de siècle, en lin ou en fil souvent blanc et orné de dentelles ou de broderies également blanches : parures de lit ou de table, dessus-de-lit-dentelle, et un peu de linge de toilette. (Voir aussi rubrique Plaids et coussins...)

TEMPS RETROUVE (LE)

6 rue Vauvilliers (1°)
42 33 66 17
Fermé le matin.

Dans le quartier des Halles, une charmante dame résiste aux modes et mélange dans sa

M A I S O N

petite boutique art de la table et linge ancien. Pêle-mêle, on peut y dénicher des parures de lit en dentelle, des robes de baptême, des serviettes et des nappes du XIXᵉ aux années 1930. Et aussi, des mouchoirs de collection et de la dentelle ancienne au mètre.

E T   A U S S I

MICHELE ARAGON
21 rue Jacob (6°)
43 25 87 69

JOSY BROUTIN
8 rue des Francs-Bourgeois (4°)
42 72 59 80
(Voir textes dans la rubrique Antiquaires de charme.)

BOUGIES ET PARFUMS D'AMBIANCE

ARTISAN PARFUMEUR (L')
24 bd Raspail (7°)
42 22 23 32
22 rue Vignon (9°)
42 66 32 66

24 rue du Chartres (Neuilly)
47 45 10 10
Senteurs fruitées, épicées, fleuries ou boisées pour la maison : des huiles essentielles, des sachets parfumés, des pots-pourris, des boules d'ambre en terre cuite façon bois décoratives et parfumées.

CIR

22 rue St-Sulpice (6°)
43 26 46 50
Toutes les bougies de Cir de la plus simple à la plus kitsch... De toutes les couleurs, simples ou nervurées. Les bougies "Madcolor" qui durent sept heures et ne coulent pas. Des bougies d'anniversaire. Un rayon de bougies liturgiques (cierges d'église) de toutes les tailles. Des torches et des bougies en pot anti-moustique pour le jardin. Beaucoup de bougies fantaisies... Et aussi, des accessoires :

photophores, taille-bougies, bobèches pour protéger vos bougeoirs.

CRABTREE AND EVELYN

177 bd St-Germain (7°)
45 44 68 76
Agréablement présenté dans cette jolie boutique à l'ancienne un grand choix de produits pour parfumer délicatement votre maison : des vaporisateurs aux senteurs fleuries, épicées, sucrées, boisées, des bougies, des encens, des huiles et anneaux pour les ampoules, des pots-pourris (en vrac, en sachet, dans de jolis coussins). Des billes de bois, des papiers parfumés pour tiroirs et armoires, des poudres à mettre dans les aspirateurs. La plupart des produits sont de Scarborough and Compagny.

DYPTIQUE

34 bd St-Germain (5°)
43 26 45 27

M A I S O N

BOUGIES ET PARFUMS D'AMBIANCE

On y va pour l'atmosphère, pour le cadre harmonieux, pour l'ambiance délicatement parfumée. On y reste pour humer les différentes essences des parfums, les pots-pourris, les bougies parfumées. Des gammes exclusives de parfums pour la maison, très raffinés, fruités, boisés, épicés ou fleuris fabriqués par Dyptique et déclinés pour les différents produits.

GENS J

12 rue du Cherche-Midi (6°) 45 48 90 87
Spécialisé dans les plantes odorantes pour la maison, Gens J propose 60 catégories de végétaux séchés à l'état naturel (verveine odorante, olivier, "noix" et "baies" exotiques, jasmin, rose, orange amère...) très joliment présentés dans leur casier en bois. On crée son pot-pourri à parfumer avec l'une des huiles essentielles proposées à base d'épices, de fruits ou d'herbes aromatiques utilisables également sur diffuseur. Une ambiance "zen", un décor dépouillé et des conditionnements raffinés.

GRAIN DE BEAUTE

9 rue du Cherche-Midi (6°) 45 48 07 55
Une boutique à l'anglaise et pleine de charme. Les meilleures marques anglaises de parfums à brûler pour la maison : Penhaligon's, Géo F. Trumper, Floris et Czech and Speake. Des bougies, des cintres matelassés de pots-pourris, des petits coussins parfumés et un grand choix de pots-pourris.

GUERLAIN

2 pl Vendôme (1°) 42 60 68 61
29 rue de Sèvres (6°) 42 22 46 60
68 av des Champs-Elysées (8°) 45 62 52 57
35 rue Tronchet (8°) 47 42 53 23
93 rue de Passy (16°) 42 88 41 62
Pour ses célèbres bougies parfumées dans des pots en verre bleu (quatre parfums : fleurs de pivoine, bois des Indes, fougère et le temps des lilas). Diffuseur électrique pour le pot-pourri Guerlain. Une préférence pour le magasin des Champs-Elysées.

MAITRE PARFUMEUR ET GANTIER

5 rue des Capucines (1°) 42 96 35 13
84bis rue de Grenelle (7°) 45 44 61 57
Jean-François Laporte a su recréer une échoppe vénitienne XVIIIe où le parfum est roi. Des créations originales pour femmes, hommes et la maison. Des pots-pourris et deux

Gens J

collections de gants par an (avec un gantier de Millau) parfumés avec des rhizomes de plantes. Le raffinement à l'extrême.

POINT A LA LIGNE
25 rue de Varenne (7°)
42 84 14 45
67 av V.-Hugo (16°)
45 00 87 01
L'univers de la bougie dans tous ses états. Bougies de couleurs, bougies parfumées, bougies-sculptures,

également des chandeliers des photophores et un peu de vaisselle.

TIMOTHY OF SAINT LOUIS
5 rue des Deux-Ponts (4°) 43 54 31 79
Une charmante boutique très anglaise proposant les senteurs pour la maison des meilleures marques d'Outre-Manche: Floris, Penhaligon's, Czech and Speake, Géo

F.Trumper et Woods of Windsor : huiles à brûler, pots-pourris (en sachet ou au poids), parfums d' ambiance, coussins et cintres parfumés, papier pour tiroirs.

CUISINE

CASSEROLES ET USTENSILES

BODUM
84 bd Raspail (6°)
42 84 05 29
Décor dépouillé pour ce

premier magasin présentant les collections pour la cuisine et la table de la marque danoise. Les lignes traditionnelles de Bodum et celles de créateurs contemporains. Un design pur et fonctionnel, des matériaux sobres : verre, laiton chromé ou doré, bois, plastique mat... Théières et cafetières transparentes (cafetière Santos avec ses deux globes), moulins à poivre et à sel, ronds de serviette, dessous-d'assiette, cloches à fromage, plats en fonte, bouilloires, bocaux.

CARPE (LA)
14 rue Tronchet (8°)
47 42 73 25
Pour tous ceux qui ne peuvent pas faire la cuisine sans être bien équipés, une sélection rigoureuse de petits appareils électroménagers classés par catégories :

machines à expresso, robots multi-usages, percolateurs, toasters de tous styles et même les plus design "Dualit". Tout est fonctionnel et esthétique.

CULINARION
99 rue de Rennes (6°)
45 48 94 76
83bis rue de Courcelles (17°) 42 27 63 32
Une bonne sélection d'articles pour la cuisine : bouilloires, casseroles en cuivre étamé ou onyx, cuit-vapeur, petit électroménager, machine à expresso, mixer, robots de cuisine... Et aussi, les indispensables cocottes "le Creuset" rouges, vertes ou bleues et petits ustensiles. Sans oublier, la vaisselle, les couverts et la verrerie.

DEHILLERIN
18 rue Coquillère (1°)
42 36 53 13
Une vieille maison des Halles spécialisée dans

le matériel de cuisine : moules à gâteaux, poêles, couteaux, ustensiles en bois, batteries de cuisine, cocottes, paniers à oeufs...

GENEVIEVE LETHU
95 rue de Rennes (6°)
45 44 40 35
1 av Niel (17°)
45 72 03 47
Tout pour la cuisine et aussi pour l'art de la table. Côté cuisine : des casseroles en inox, en fonte, anti-adhésif, des moules à gâteaux, des plats à micro-ondes, des bouilloires électriques et une sélection des produits Alessi...
La vaisselle exclusive est présentée par gamme de coloris avec les couverts, le linge de table et les toiles cirées assorties. De la vaisselle bistrot en vert et en noir. Beaucoup de verres à pied et des verreries classiques ou de couleur. Des bougies et des photophores.

M A I S O N

Kitchen Bazaar

KITCHEN BAZAAR

11 av du Maine (15°)
42 22 91 17
Aluminium et noir mat,
tel est le style de la
boutique Kitchen
Bazaar. Chaque objet
est choisi pour son
design moderne mais
aussi pour sa qualité
pratique. Grandes
poubelles cylindriques
en aluminium, étagères
en fil de fer pour la
cuisine, batteries de
casseroles, cocottes en
fonte, moules à
gâteaux... et des milliers
de petits accessoires de
cuisine esthétiques.
En permanence, des
nouveautés
sélectionnées avec
rigueur.

MORA

13 rue Montmartre (1°)
45 08 19 24
Une adresse de
professionnels où les
pâtissiers amateurs
pourront dénicher tout
le matériel nécessaire :
moules à gâteaux,
moules à biscuits,
cercles de tartes,
casseroles pour bain-
marie... et les plus petits
accessoires comme les
fouets ou les grilles à
pâtisserie.

SCANDI BOUTIQUE

9 rue de l'Odéon (6°)
46 33 82 99
Même boutique que rue
de Rivoli (n°3) mais
avec en plus le charme

M A I S O N

de l'emplacement. Des articles pour la cuisine et pour la table très représentatifs du style scandinave et devenu des classiques : verreries suédoises de Kosta Boda, carafes danoises de Holme Gaard, ronds de serviette design de Bodum, plats en verre sur support métal, bouilloires en métal coloré, accessoires... Des marques institutionnelles mais aussi plus artisanales. Et pour le charme, des mobiles et tous les décors de Noël.

SHIZUKA
49 av de l'Opéra (2°)
42 61 54 61
Le design japonais au service de votre cuisine. Des marmites, des cuit-vapeur, des casseroles, des poêles mais aussi des planches à découper en bois, de grands couteaux, et des accessoires aux manches en bois verni.

Du fonctionnel esthétique.

ET AUSSI

ARTS POPULAIRES
7 rue Bréa (6°)
43 26 58 42
Des objets venus d'ailleurs ou de style naturel pour la cuisine: vanneries, paniers, corbeilles à linge de Chine, de Thaïlande, d'Afrique... Un grand choix de vaisselle blanche, des services de tasses "bistrot", des planches à découper, de la verrerie. Et aussi, des objets décoratifs artisanaux.

CUISINIERES A L'ANCIENNE

CORNUE (LA)
18 rue Mabillon (6°)
46 33 84 74
La Rolls des cuisinières fabriquée depuis le début du siècle en noir mais aussi en gris, bleu, blanc, bordeaux ou inox. Son prix est très élevé mais elle fait, à

elle seule, tout le décor de la cuisine.

SALLE DE BAINS

BAIGNOIRES, LAVABOS ET ACCESSOIRES

A L'EPI D'OR
17 rue des Bernardins (5°) 46 33 08 47
Une boutique tout en longueur où sont mis en scène les lavabos, les baignoires, les bidets et les lave-mains.
Beaucoup de pièces anciennes (1900-1930) : lavabo style anglais post-victorien, ou 1930, baignoire sur pied... des lavabos sur piétement de tube d'acier (fabrication à vos mesures). La robinetterie est soit d'origine remise en état, soit rééditée. Egalement, des accessoires (miroirs, luminaires, porte-serviettes) et quelques meubles amusants : fauteuils de barbier, meubles anciens de dentiste...

Aux Salles de Bains Rétro

AUX SALLES DE BAINS RETRO

31 rue des Dames (17°)
43 87 88 00

Créée par un couple amoureux et respectueux des salles de bains anciennes, la boutique est bourrée de sanitaires mais aussi d'objets pour la décoration et pour la beauté. Porte-serviettes, porte-savons, miroirs, luminaires, jusqu'aux flacons. Tout est choisi scrupuleusement pour son authenticité et son esthétisme quelle que soit l'époque : Empire, Directoire, Napoléon III, victorienne, 1900 et même plus ancienne pour certaines pièces. La robinetterie est restaurée avec des pièces d'époque.

BAIGNOIRE DELIRANTE (LA)

26 rue de Lourmel (15°)
45 79 23 19

Ouvert mardi, jeudi, ven et sam après-midi ou sur rendez-vous. Appareils sanitaires authentiques et restaurés du début du siècle jusqu'aux années 30. Ils fonctionnent comme s'ils étaient neufs. Baignoires en grès, cuivre, fonte, marbre ou porcelaine : lavabos sur pied ou encastrés dans un meuble, à plateaux unis ou fleuris, en marbre ou porcelaine ; équipés de

M A I S O N

robinetterie d'époque en laiton et de mélangeurs recréés à partir de pièces anciennes. Egalement des accessoires anciens : porte-serviettes, porte-savons, appliques, miroirs...

BAIN ROSE (LE)

11 rue d'Assas (6°)
42 22 55 85

Meubles de toilette et lavabos anciens rénovés, des années 1900 à 1930. Robinetterie en copie. Et aussi, un choix de lampes, d'appliques, de meubles d'appoint pour salle de bains et quelques jolis objets : porte-serviettes, corbeilles, tapis de bain en lirette de coton, porte-savons, serviettes en coton nid-d'abeilles dans de jolis tons. Une très bonne sélection.

BEAUTE DIVINE

40 rue St-Sulpice (6°)
43 26 25 31

Une jolie boutique raffinée remplie d'objets pour la décoration des salles de bains dans le style début de siècle jusqu'à 1930 ou 1935. Ici pas de rééditions, de l'authentique ou des rééditions contemporaines dans le style de l'époque. Petits meubles, porte-serviettes, porte-savons, luminaires, accessoires pour la beauté, linge de bains, et beaucoup de flacons anciens.

ET AUSSI

BATH SHOP

3 rue Gros (16°)
45 20 10 60

C'est l'adresse pour trouver à Paris les accessoires contemporains et en tout genre pour les salles de bains. Des robinetteries aux porte-serviettes en passant par les bains moussants, les brosses pour le dos, les

porte-savons et les serviettes-éponges. Un choix très important, beaucoup de chromé et un peu de couleur.

BROT

21 bd Henri-IV (4°)
42 78 09 73
130 bd Haussmann (8°)
45 22 47 84

Fabricant de miroirs depuis 1826, la maison Brot réalise de nombreux modèles ronds muraux ou sur pied, grossissants ou non, simples ou avec éclairage incorporé. Egalement des triptyques et des jumelés d'armoire de salle de bains, sur mesure. Des modèles classiques ou au design fonctionnel presque hôtelier. Et aussi, des accessoires en opaline, en chrome ou dorés et des porte-serviettes (circuit à huile) chauffants. Plus de choix boulevard Henri-IV.

M A I S O N

J A R D I N

MOBILIER ET ACCESSOIRES

BRANCHE D'OLIVIER (LA)
19 rue Monge (5°)
46 34 10 00
Côté jardin, cette boutique de décoration de style provençal, propose une sélection de jarres, de pots et de cache-pot venus du sud. Fabriqués en Italie pour les décoratifs sculptés à feston ou à fruits ; à Aubagne les émaillés de bleu, vert ou miel : cache-pot émaillés à motifs du Portugal et une collection de Vallauris. Egalement des paniers, des corbeilles et des cache-pot en vannerie (rotin, tressé lavande, genêts...) et des bouquets simples de fleurs séchées.

CEDRE ROUGE (LE)
22 av Victoria (1°)
5 rue Médicis (6°)
42 33 71 05

Une sélection de meubles et d'objets de décoration d'un style plutôt classique. Mobilier en teck ou en acier peint recouvert de rotin tressé, beaucoup de jarres italiennes en terre cuite ou émaillée, des poteries d'Aubagne, des photophores, des paradsols en bois avec une grande toile blanche, des objets de décoration pour les maisons de campagne.

DESPALLES
76 bd St-Germain (5°)
43 54 28 98
5 rue d'Alésia (14°)
45 89 05 31
87 av Niel (17°)
47 66 52 99
Une sélection de mobilier et d'objets pour vos jardins et terrasses. Grands "parasols de marché" en toile écrue, meubles en teck, en fer forgé, ou en métal comme la collection d'Hervé

baume. Beaucoup de vases, pots, jarres simple ou décoratives comme les italiennes. Malheureusement de plus en plus cher.

GARDEN-JARDIN
25 rue de Varennes (7°)
42 22 97 33
Juste à côté de son magasin d'antiquités, dans un décor mi-serre, mi-véranda, Jean-Paul Beaujard a créé un espace-jardin. Un style personnel avec une ligne de réédition de mobilier de jardin comme le banc circulaire début du siècle, le salon bambou Napoléon III ou la table en métal poli année 1880... Et aussi des créations originales comme les supensions en tôle ou en cuivre, les jardinières en laiton et quelques objets : porte-couverts, porte-verres... Idée cadeau, le tablier en cuir lavable bicolore.

M A I S O N

J A R D I N

JARDINS DE PLAISANCE

72 bd de la Tour-Maubourg (7°)
45 55 98 52
Cette jolie boutique propose en terrasse et à l'intérieur un vaste choix de meubles et d'objets décoratifs ou pratiquepour le jardin. Des meubles en teck (chaises longues, fauteuils, tables basses, bacs à plantes...), des terres cuites naturelles ou émaillées (pots, jarres...) dans les formats même très grands, des vanneries, des objets utilitaires (pulvérisateurs, arrosoirs en laiton) et des objets de charme comme les cigales tire-bottes et les tapis faits de brosses assemblées.

JARDINS IMAGINAIRES

9 bis rue d'Assas (6°)
42 22 90 03
Le monde des jardins et des jardins et des maisons de campagne de charme. De l'utilitaire (toujours beau) au décoratif. Un grand choix de meubles et d'objets de décoration tous choisis avec goût : des paniers, des pots en terre, des jarres décoratives, des vases "Médicis", des cannes, des malles de pique-nique, des outils de jardin, du mobilier en teck, en fer émaillé, des rééditions de meubles de jardin en fonte style XIXe...

SAUVETERRE

20 av Mozart (16°)
42 24 83 02
Une boutique pleine de charme spécialisée dans la poterie horticole. Des terres cuites naturelles ou vernissées dans toutes les formes et tailles provenant des régions du sud de la Bourgogne au sud de l'Italie et des modèles ingélifs réalisés dans une terre riche en fer.

Et aussi des accessoires pour le jardin : arrosoirs en laiton, paniers, photophores, ainsi qu'une sélection importante d'objets et de vaisselle en faïence de Provence ou du Portugal.

TECTONA

3 av de Breteuil (7°)
45 55 28 24
C'est le grand spécialiste du meuble de jardin en teck. On y trouve des bancs, des tables, des fauteuils, des bacs pour les arbustes et aussi de grands "parasols de marché" ronds, carrés, ou rectangulaires avec une grosse toile blanche. Des lignes plutôt classiques et de belle qualité. Livraison dans toute la France.

TERRA COTTA

7 rue du Pont-aux-Choux (3°) 40 27 05 93
Grand spécialiste des pots et cache-pot en terre cuite de Toscane

Jardins de Plaisance

résistants au gel : vases Médicis, bacs, vasques. Toutes les formes (répliques d'anciennes) et toutes les tailles, vernissées ou en terre rouge. A noter, une exclusivité de lanternes vénitiennes en verre soufflé de Murano.

TUILE A LOUP (LA)
35 rue Daubenton (5°)
47 07 28 90
Tout l'artisanat traditionnel réuni dans cette boutique bourrée d'objets que l'on croyait disparus. En plus, de la vaisselle et des plats de cuisson (voir rubrique Art de la table), vous trouverez des pots, jarres et jardinières en terre cuite brute ou vernissée et des vanneries anciennes ou contemporaines. Egalement quelques objets décoratifs : bouquets de moisson, girouettes en métal... Et un coin-librairie régionale.

E T A U S S I

GENERAL MARINE
5 rue de la Manutention
(16°) 47 23 95 00
Cette boutique spécialisée dans le décor de bateau ou de style bateau, fabrique sa collection de mobilier en teck pour l'extérieur : grand transat, tabouret, tables... Beaucoup de modèles réalisés à partir de caillebotis.

ANTIQUAIRES

BOUTIQUES DE CHARME

BOUTIQUES D'ANTIQUITES DE CHARME

MAISONS DE CAMPAGNE XVIIIᵉ ET XIXᵉ FRANCAIS ET ANGLAIS

ANNE GAYET

3 rue de Luynes (7°)
45 44 79 85

Anne Gayet vend ce qu'elle aime et sa boutique est remplie d'objets et de meubles de charme dans le style des maisons de campagne anglaises : du bois clair, peint en trompe-l'oeil, des tons pastel... Petits tableaux et autres trésors.

ANNE VIGNIAL

8 rue de Commaille (7°)
42 22 44 39

Une boutique de grand charme, Anne Vignial a abandonné ses cadres anciens et vend désormais des meubles d'appoint et des objets décoratifs principalement du XIXᵉ et du début du XXᵉ siècle. Les prix sont raisonnables, l'accueil agréable c'est la bonne adresse pour des idées-cadeaux pour la maison : sièges, lampes, tapis, miroirs faïences jardinières...

ANNICK CLAVIER

32 rue de Verneuil (7°)
42 61 08 39

Au coeur du Carré Rive Gauche, Annick Clavier tient une boutique d'antiquités pleine de charme. Depuis plus de vingt ans, elle aime les meubles de jardin d'hiver, les belles salles à manger (buffets, tables, chaises) et nous les fait découvrir. Petits tableaux XIXᵉ et objets de charme signent le décor de ce magasin au style authentique.

BLEU PASSE

24bis bd de Courcelles (17°) 42 67 57 40

Une petite boutique féminine, un peu bohème. Vous y trouverez des meubles peints patinés XIXᵉ (armoires, petites tables, sièges), de l'argenterie et des services à thé anglais XIXᵉ en porcelaine, des nappes brodées, des boutis provençaux et des quilts. Aussi, des objets de toilette : flacons, boîtes à poudre... et une étonnante variété de pots à lait victoriens.

DEUX ORPHELINES (LES)

21 pl des Vosges (3°)
42 72 63 97

Un joli nom pour une charmante boutique d'antiquités françaises située sur la place des Vosges. Un style campagne raffiné, fin XIXᵉ et début du siècle. Meubles, linge de maison, vaisselle, pieds de lampe, verreries, carafes, petits tableaux, objets de curiosités ou de charme. Une antiquaire qui aime son métier et chez qui il faut passer souvent pour dénicher ses nouvelles découvertes.

ANTIQUAIRES

FANETTE
1 rue d'Alençon (15°)
42 22 21 73
Une jolie boutique harmonieuse animée avec chaleur par une mère et une fille, amoureuses de leur métier qui cherchent un peu partout en France de jolis objets et meubles très champêtres des années 1850 à 1900. Meubles de métier ou de jardin, petits meubles d'appoint en bambou, étoffes anciennes, linge de maison damassé et griffé, dessus-de-lit blanc, piqués provençaux, plateaux, lampes, vanneries, petits tableaux et objets de charme... Tous nos rêves de maison de campagne et des idées cadeaux.

JOSY BROUTIN
8 rue des Francs-Bourgeois (3°)
42 72 59 80
Une boutique d'antiquités pour la maison. Uniquement des coups de coeur pour des objets, des meubles et du linge XVIIIe et XIXe. De nombreux boutis provençaux XIXe que Josy Broutin chine assidûment et des étoffes anciennes. Egalement des miroirs, des tableaux de charme, des petites lampes, de la faïence française, et des verres soufflés ou gravés et du linge de maison.

MAISON A PARIS
(UNE)
92 bd Malesherbes (8°)
42 25 89 49
Tout le charme des maisons anglaises XIXe dans cette boutique élégante. Beaucoup de jolis objets et de la vaisselle choisis sévèremment et régulièrement en Angleterre. Des lampes-bougeoirs (souvent par paire), des objets en corne, en bois exotique, pour le bureau ou la décoration (portemanteaux en laiton). Des coussins anciens, des repose-pied typiques (tapissés et perlés) et quelques meubles.

MARTINE DOMEC
40 rue Mazarine (6°)
43 54 92 69
Si vous achetez la maison de campagne de vos rêves et que vous aimez le charme de la fin du XIXe siècle, courez chez Mme Domec pour y choisir, entre autres, meubles en rotin, vases en Minton, barbotines : tout est là.

MICHELE ARAGON
(L'APPARTEMENT)
21 rue Jacob (6°)
43 25 87 69
Des antiquités françaises XIXe associées à un peu de 1930 : superbes et importants services en porcelaine, services à thé ou à café, barbotines... Le tout présenté dans un décor

ANTIQUAIRES

BOUTIQUES DE CHARME

chaleureux comme une maison (où tout est à vendre): tissus et linge de maison (taies d'oreillers, parures de lit en crêpe de soie, chemises de nuit...), nombreux boutis et dessus-de-lit en coton piqué, tapisseries, tapis, lampes, petits meubles en rotin ou en bois, et objets de charme.

PALFERINE (LA)

43 av Bosquet (7°)
45 56 93 81
Autrefois nichée dans une petite rue discrète du 7° arrondissement, La Palferine a maintenant pignon sur avenue. Dans cette vaste boutique, on trouve tout ce qui peut donner du charme à votre maison, surtout si elle se veut manoir : meubles, vaisselle, nappes armoiriées, armoires, chiens de chasse portraiturés et même, à Pâques, des oeufs de faïence peints à la main.

PASTORALE (LA)

118 av Mozart (16°)
45 25 73 56
Une petite boutique où l'on découvre des objets curieux, des meubles XVIIIe et début XIXe, sélectionnés avec minutie, car cette antiquaire aime ce qui est délicat, la beauté fanée des objets qui inspirent des souvenirs de la culture profonde de l'Angleterre et de nos châteaux et l'esprit champêtre mélangé à la richesse. Dessus-de-lit en boutis, patchworks, nappes en lin ou en chanvre, beaucoup de lampes XIXe, des bougeoirs dénichés au fin fond de l'Angleterre.

PAUL OLLIVARY

1 rue Jacob (6°)
46 33 20 02
Un must (depuis 1944) pour ses lits en cuivre ou pour ses charmants tableaux, ses petits meubles en bambou, ses couvertures piquées et

ses boutis. Tout cela dans la bonne humeur et la distinction. Ni esbrouffe ni mode.

PORTOBELLO

56 rue N.-D.-des-Champs (6°)
43 25 74 47
Une boutique chaleureuse, style jardin d'hiver fin de siècle. Des meubles, du linge de maison, beaucoup de couvertures piquées (françaises, anglaises et des patchworks américains), des kilims anciens, des pieds de lampes en bois, en opaline, de la faïence, de la verrerie, de la vaisselle et beaucoup d'objets de charme choisis avec goût et mis en scène comme dans une maison. Une brocante raffinée pour les amoureux du style campagne fin de siècle.

VIVEMENT JEUDI

52 rue Mouffetard (5°)
43 31 44 52

ANTIQUAIRES

BOUTIQUES DE CHARME

Les Deux Orphelines

Uniquement le jeudi de 10h à 20h. Une adresse comme on les aime : intimiste, pleine de charme et de personnalité. Par une porte banale de la rue Mouffetard, on accède à une petite allée délicieuse bordée de maisonnettes avec des jardins-terrasses. C'est dans l'une d'elles que vous découvrirez, comme dans une maison de campagne raffinée: les meubles XVIIIe et XIXe, boutis, terres cuites, objets de charme, objets rares, simples ou précieux chinés un peu partout.

XXe SIECLE

ALEXANDRE BIAGGI
54 rue Jacob (6e)
42 86 08 40
Spécialiste des années 40, il a "sévi" longtemps aux Puces

ANTIQUAIRES

BOUTIQUES DE CHARME

avant de s'installer dans le Carré Rive Gauche. Il aime (et vend) guéridons, chaises, canapés, paravents : tout pourrait venir de chez Boris Kochno et être passé entre les mains de Bérard, Cocteau et Line Vautrin.

DOLCE VITA

25 rue de Charonne (11°) 43 38 26 31
Un choix hétéroclite mais toujours bien sélectionné dans le mobilier et les objets de décoration du XXe siècle (1930 à 1960). Des lampes, des tables, des chaises, de petits objets de charme... dans cette boutique ouverte par une "ancienne" des Puces toujours passionnée par son métier.

GASTOU (YVES)

12 rue Bonaparte (6°) 46 34 72 17
Et
GASTOU-HAGUEL
(GALERIE)

162 galerie de Valois (1°) 42 61 88 99
Les arts décoratifs du XXe siècle et plus spécialement les années 40 et 50 : mobilier, sculpture, tapis, luminaire, verrerie... de Arbus, Leleu, Pascaud, Carlo Mollino, Gio Ponti et un grand faible pour Poillerat et son mobilier en fer forgé. Et aussi les contemporains comme Sottsass et Kuramata que Yves Gastou a su nous faire découvrir.

ET AUSSI AUX PUCES

CHRISTIAN SAPET

Puces de St-Ouen Marché P.-Bert (n°18) 40 12 29 12
Le seul des Puces à figurer dans ce guide. C'est notre parti pris et un choix que nous revendiquons. On le trouve au premier étage de son magasin entouré de ses amis et clients à

moins que ce ne soient ses clients et amis. Il est parmi les meilleurs de la profession, dans la lignée de celui qui reste la référence - Jacques Lejeune (autrefois, le célèbre "Comoglio" de la rue Jacob) - dont il est un émule. Inutile d'en dire plus : il convient de mériter son passage chez Sapet.

M.A DAULIAC

112 rue du Cherche-Midi (6°) 42 22 14 16
Très spécialisée dans le style art déco et 1930, cette boutique mi-antiquaire, mi-brocante propose des objets de décoration (vases, luminaires, coupes, portemanteaux...), des bijoux fantaisies 1930, quelques meubles, et surtout beaucoup d'art de la table (porcelaine, faïence, métal argenté, verrerie...), et de

nombreux accessoires de salle de bains (porte-serviettes, porte-savons, miroirs...) de 1900 à 1930.

MARIA DE BEYRIE

23 rue de Seine (6°)
43 25 76 15
Elle fut l'une des pionnières du style 30. Elle reste discrètement une des meilleures adresses pour cette période avec en plus des surprises : par exemple la peinture qu'elle aime et qui peut être un beau Malaval ou un Hantaï de l'époque surréaliste.

TISSUS ET TISSAGES

ARTS ET TEXTILES HADJER

22 rue Drouot (9°)
48 24 96 67
A deux pas de Drouot, un spécialiste réputé des tissages anciens qui saura vous communiquer sa passion. Tapis, tentures et parfois même

quelques tissus comme des ikats d'Asie centrale. De superbes pièces choisies amoureusement pour leur authenticité : des tapisseries d'Aubusson aux nombreux et très beaux kilims du Kurdistan, de Thrace, du Caucase, d'Anatolie, de Perse et d'ailleurs...

AU FIL DU TEMPS

33 rue de Grenelle (7°)
45 48 14 68
Fermé lundi et sam. Une grande spécialiste des étoffes anciennes jusqu'aux années 30. Les pièces de collection sont visibles sur rendez-vous, mais dans la boutique, vous pourrez voir une sélection du XVIIe au XXe siècle. Des tissus de couleurs ou imprimés : soieries, velours, cotonnades. Des rideaux, des dessus-de-lit, des couvertures piquées. Aussi (sur rendez-vous), des costumes et accessoires anciens de

la haute couture (XVIIe, XVIIIe et XIXe).

INDIENNES (LES)

10 rue St-Paul (4°)
42 72 35 34
Une antiquaire spécialiste des textiles anciens de toutes époques et du monde entier. Egalement des sièges XVIIIe en tapisserie d'époque ainsi que des costumes du XVIIIe siècle.

LES SPECIALISTES
EMPIRE ET NAPOLEON III

25 RUE DE VARENNE

25 rue de Varenne (7°)
42 22 23 96
Jean-Paul Beaujard, qui fut longtemps un des bons antiquaires de New York, ouvre à Paris, à côté de la boutique qu'il a dédiée au jardin, un bel espace. Il y présente surtout les beaux et importants meubles du XIXe, mais en bon professionnel, ne

ANTIQUAIRES

LES SPECIALISTES

résiste pas à toute belle pièce - quelle que soit son époque - pourvu qu'elle soit exceptionnelle.

XIX e SIECLE

WILLIAM FOUCAULT
21 av du Maine (15°)
45 49 44 02
Après avoir commencé dans la décoration, William Foucault a définitivement choisi de montrer et vendre ce qu'il aime depuis toujours: dessins d'architecture et d'ornements, meubles de charme, etc. De plus, l'endroit a un charme fou.

XX e SIECLE

ANNE-SOPHIE DUVAL
5 quai Malaquais (6°)
43 54 51 16
Le magasin est vaste, calme, sent délicieusement bon. On vous laisse regarder tranquillement meubles de Paul Iribe, Ruhlman,

d'Arbus, le paravent de Drian, les luminaires de Chareau, etc. Tout est d'extrême qualité et le choix présenté parfait.

DENISE ORSONI
8 rue de Valois (1°)
40 20 99 57
Etrange endroit, étrange propriétaire des lieux, peu de choses sont montrées : une table, deux lampes, deux miroirs, un lustre, un service de table: le tout plutôt des années 40. Très personnel et donc intéressant.

CHARLES-EDOUARD DE LANGLADE
5 et 8 rue de Beaune (7°) 42 61 00 58 et 42 61 23 43
C'est un passionné qui veut faire partager ses passions. Il est obstiné et, depuis des années, propose objets de curiosité et de maîtrise qu'on ne trouve que chez lui. C'est le cabinet de l'amateur. Aussi beaux meubles.

ERIC PHILIPPE
25 galerie Véro-Dodat (1°) 42 33 28 26
Quel contraste avec ce passage aux cuivres bien astiqués : la boutique d'Eric Philippe, beige, vide, intrigue, le passant. On n'y voit qu'un ou deux meubles (presque toujours d'Arbus dont il est le spécialiste). N'hésitez pas à entrer c'est le lieu de la courtoisie, de l'élégance et de la qualité.

JEAN-FRANCOIS DUBOIS
18 rue des Pyramides (1°) 42 60 40 17
Dans un décor 1930 inchangé, typique des boutiques de fourreurs autrefois installés dans ce quartier, Jean-François Dubois rassemble ses découvertes de mobilier, objets, lampes, tapis... Il s'intéresse aux années d'après-guerre et surtout

ANTIQUAIRES

LES SPECIALISTES

Jean-François Dubois

les années 40 et 50. Un choix personnel et un accueil agréable.

PAUL MAURIN (ARCANA)

83 rue Vieille-du-Temple (4°) 42 78 19 22
On peut passer cent fois devant son magasin (souvent fermé) sans s'apercevoir qu'il s'agit d'un des meilleurs dénicheurs d'objets de Paris. Ses joies : Vienne des années 20 mais aussi le XIXe, et le reste... Un bonheur pour ceux qui aiment être étonnés.

STEPHANE DESCHAMPS

19 rue Guénégaud (6°) 46 33 58 00
Il a abandonné les années 30 à ses voisins un peu tapageurs pour montrer ce qui lui a récemment plu. En ce moment des plâtres exceptionnels de Martel. Mais il y a toujours un petit quelque chose de Jean-

Michel Frank qui traîne ou une "babiole" encore anonyme qui vous fera craquer.

ART ASIATIQUE

LOO

48 rue de Courcelles (8°) 45 62 53 15
Une pagode rouge aux tuiles faîtières, frises en stuc et statues de dragons, singes et chimères, construite en 1928 par Ching-Tsai Loo, pour une magnifique galerie spécialisée dans l'art d'Extême-Orient. Michel Dubosc, petit-fils de C.-T. Loo expose au rez-de-chaussée mobiliers, peintures et paravents anciens ; au premier étage meubles contemporains inspirés de l'ancien, souvent dessinés par lui-même et importés du Japon. Sous un plafond en dalles de verre style 1930, le quatrième étage et sa salle indienne.

PERRET- VIBERT

170 bd Haussmann (8°) 45 62 15 85
Depuis 1906, la galerie Perret-Vibert présente les arts d'Extrême-Orient, Chine et Japon du Ier au XIXe siècle. Dans un décor de Ruhlman de 1920 : armoires en orme XVIIe, meubles en laque-cuir même époque, petite table en Hova Li chinoise (1750) et ses chaises, paravents japonais XVIIe et XVIIIe siècles, lampes et sculptures du XIIe au XVIIe, porcelaines... Et aussi, des bronzes du Ier siècle, un vase du IIIe siècle av. J.-C. ... Des pièces rares de haute qualité.

ART PRIMITIF

ACCROSONGE (L')

17 rue Ste-Croix-de-la-Bretonnerie (4°) 42 77 46 31
Il n'y a pas plus accueillant et agréable que ce magasin où l'on

ne vous regarde pas de haut, où les prix sont raisonnables, où l'on vous expliquera si vous demandez, où l'on vous laissera tranquille si vous le souhaitez. Un hâvre de paix et de qualité.

ALAIN DE MONBRISON (GALERIE)
2 rue des Beaux-Arts (6°)
46 34 05 20
Installé dans le quartier des galeries Rive Gauche, Alain de Monbrison, antiquaire renommé expose les arts primitifs africains et océaniens : masques rituels, statues, statuettes, drapeaux, du Ghana du début du siècle, etc.

ROBIN
10 rue J.-Callot
43 26 31 88
Truculence, diversité, surprises, tout y est. A l'image du propriétaire des lieux, grand spécialiste d'art primitif

et très bon pédagogue. C'est aussi un bon conteur quand il a le temps.

A R T   R U S S E

PETROUCHKA
18 rue de Beaune (7°)
42 61 66 65
Peu connu encore, l'art russe ancien et ses icônes a pourtant ses collectionneurs et amateurs qui trouveront chez cet antiquaire amoureux de la Russie oubliée des icônes en bois, avec oklad, en bronze ; des objets (argenterie, boîtes en malachite) ou bien des dessins de décors de ballets russes de Diaghilev.

E T   A U S S I

ARIGONI
14 rue de Beaune (7°)
42 60 50 99
C'est une petite boutique qui présente un choix éclectique

d'objets décoratifs et souvent de qualité: petits bureaux ou guéridons énormes, lustres et luminaires de toutes sortes, cache-pot. Le mélange est réussi. A vous d'en faire autant chez vous.

GALERIE DU PASSAGE
20-22 galerie Véro-Dodat (1°)
42 36 01 13
Pierre Passebon dans sa nouvelle galerie du passage Véro-Dodat présente les arts décoratifs du XVIIe au XXe siècle. Sur trois niveaux: sculpture, peinture, mobilier, luminaire, tissus anciens (XVIIIe, broderies marocaines...), etc. Des créations de Jean Royère, Jean-Michel Frank, Jacques Adnet... et pour les contemporains : Marcial Berro, Patrick Naggar, Paul Mathieu-Michael Ray, Annabelle d'Huart.

F L E U R S

A FLEUR DE POT

5 rue de Médicis (6°)
40 51 82 90
Face au Luxembourg,
ce fleuriste installe
largement à la bonne
saison, ses fleurs et ses
plantes sur le trottoir
abrité par une
charmante tonnelle en
verre. Ici pas de
spécialités mais
l'intérieur et la terrasse
sont bourrés de jolies
fleurs naturelles ou
champêtres, de roses, de
tubéreuses, et d'arbustes
comme les lilas des
Indes et de plantes pour
l'intérieur et l'extérieur.

AU NOM DE LA ROSE

4 rue de Tournon (6°)
46 34 10 64
De la rose de jardin à la
rose "curé" en passant
par la rose ancienne ou
la rose-tige, cette
ravissante boutique créée
par Dani, offre une
soixantaine de variétés
différentes de roses
coupées, en bouquets ou

en corbeilles. A offrir,
les compositions sur com-
mande, et selon arrivage,
des rosiers en pots.

BONSAI AND CO

41 rue Dauphine (6°)
46 34 56 50
Une boutique très "zen"
au décor dépouillé et
élégant, nichée au fond
d'une cour de Saint-
Germain-des-Prés.
Spécialisée dans les
bonsaïs bien sûr, le
magasin accueille aussi
toutes sortes de plantes
exotiques de collection
et propose des espèces
dans toutes les gammes
de prix ainsi que plu-
sieurs variétés d'orchi-
dées. Egalement tout le
matériel nécessaire à
l'entretien des bonsaïs,
des pots et des cache-pot
japonais et un service de
soin pour les bonsaïs
achetés sur place.

CHRISTIAN TORTU

6 carrefour de l'Odéon
(6°) 43 26 02 56
13 rue St-Florentin
(8°) 42 86 94 69
L'un des fleuristes les

plus à la mode. Des
bouquets créatifs de
fleurs classiques
mélangées à d'extra-
ordinaires feuillages ou
à des fleurs étranges.
Mais vous pouvez aussi
faire faire une compo-
sition de fleurs des
champs. De plus, des
vases, des vanneries et
des cache-pot en écorce
de palmier ou en fibre
de coco. La boutique de
la rue Saint-Florentin où
est installé l'atelier de
création, vous permettra
de mieux faire votre
choix.

COMME A LA
CAMPAGNE

29 rue du Roi-de-Sicile
(4°) 40 29 09 90
Ouvert de 11h à 20h30
et le dim après-midi.
Nom aussi sympathique
que les jeunes fleuristes
créateurs de ce lieu.
Décor de mise en scène,
harmonieux et sophisti-
qué symbolisant la
campagne au travers de
trois grosses tables
fermières où sont
présentés les bouquets

F L E U R S

et d'un lavoir en pierre. De la lumière, des murs blancs et des photos noir et blanc. "Comme à la Campagne" s'est spécialisé dans les fleurs simples et champêtres de saison : tulipes, pensées, tournesols, bleuets... présentées dans de jolis emballages aux matières naturelles.

DESPALLES
76 bd St-Germain (5°)
43 54 28 98
5 rue d'Alésia (14°)
45 89 05 31
87 av Niel (17°)
47 66 52 99
Réparti entre le garden-center à Alésia et le magasin de Maubert, tout ce qu'il faut pour le jardin : plantes d'intérieur ou d'extérieur, meubles et objets. Un nombre incroyable de graines, de bulbes, de plantes rares, vivaces, des arbres, des arbustes... Un choix de vanneries, de cache-pots et jarres en terre cuite, du petit matériel de jardinage, du mobilier.

GUILLON FLEURS
120 bd Raspail (6°)
42 22 83 49
Sophistiquée ou simple, la fleur blanche est la grande spécialité de Guillon Fleurs. Chaque saison, les plus belles espèces pour des compositions très "nature" mais très travaillées avec des panachés de feuillage de saison d'essence différente. Un accueil agréable, un cadre de charme, un service de livraison à partir de 300F mais on peut aussi venir acheter des fleurs à la botte pour la maison.

JULE DES PRES
46 rue du Roi de Sicile (4°) 48 04 79 49
19 rue du Cherche-Midi (6°) 45 48 26 84
Compositions de végétaux séchés très créatives et graphiques, bien alignées dans leurs petits paniers ou entourées d'un lien : roses, pieds-d'alouettes, pavots, lavande, blé,

avoine... Le décor de la boutique très puriste du 6° arrondissement : murs ocre, sol en céramiques anciennes, étagères aux matériaux bruts en bois et pierre vaut à lui-même le détour.

LIEU-DIT
21 av du Maine (15°)
42 22 25 94
Au fond d'une allée paisible et charmante, quatre jeunes "créateurs de bouquets" ont ouvert leur atelier floral. Chaque composition est différente, masculine ou féminine, avec des fleurs, des fruits, des végétaux, même le pot peut être habillé de concombres, d'écorce, de canne à sucre... Ils connaissent généralement bien leurs clients à qui ils livrent directement leurs dernières créations mais l'endroit vaut vraiment le détour et vous pourrez aussi y acheter un simple bouquet de fleurs.

F L E U R S

LILIANE FRANCOIS
119 rue de Grenelle
(7°) 45 51 73 18
64 rue de Longchamp
(16°) 47 27 51 52
Une des meilleures
adresses à Paris pour le
choix et la qualité des
fleurs coupées et des
plantes, pour l'harmonie
des bouquets variés ou
non avec des légumes et
aussi pour l'accueil qui
reste souriant et vrai-
ment agréable malgré le
succès (surtout rue de
Grenelle).

**MAISON DE
L'ORCHIDEE** (LA)
Rue de la Cité -
pl Louis l'Epine (4°)
43 29 66 77
Située sur la place du
marché aux fleurs, cette
petite boutique
spécialisée dans
l'orchidée en propose
de nombreuses sortes.
Simples ou
sophistiquées, rares,
miniatures ou
parfumées. Elles sont
cultivées dans les serres
de Marcel Lecoufle
comme les plantes
carnivores et le

tillandsia, autres
spécialités.
Compositions de
bouquets de mariées et
commande en grand
nombre possible.

MARIANNE ROBIC
1 rue de Bourgogne (7°)
41 18 03 47
Après avoir travaillé
plusieurs années avec
Liliane François son
voisin, Marianne Robic
a ouvert sa boutique
décorée comme une
maison avec des
consoles, des cadres,
des paravents, de
grandes jarres,... Elle
aime les compositions
très pures comme un
simple branchage mais
a un faible pour les
fleurs coupées de
couleurs vives.
Toujours des roses
mélangées mais aussi,
suivant les saisons des
soucis oranges, des
hortensias bleus, des
petits bouquets de
pensées de toutes les
couleurs, des œillets
bordeaux, des canna
couleur lie de vin...

MILLE FEUILLES (LES)
2 rue Rambuteau (3°)
42 78 32 93
Une jolie ambiance à
l'anglaise derrière la
porte en bois vitrée.
Des meubles et des
objets anciens ou des
rééditions, des vases,
un coin-librairie pour le
jardin ou la maison et
partout, dans de gros
pots, des bouquets
anglais composés de
bottes de fleurs très
différentes
harmonieusement
réunies. Livraison sur
Paris. Commande par
téléphone avec carte
bleue.

SYLVAIN EDEN
1-3 rue de la Bûcherie
(5°) 46 34 61 18
Des plantes tropicales
(cactus, bananiers,
palmiers...) et des fleurs
coupées exotiques ou
rares : héliconia,
anthurium, papyrus,
rose branchus, lilas,
amarylis, protéa séchée
ou fraîche... et aussi
des coloquintes
décoratives.

F L E U R S

A Fleur de Pot

C A D E A U X

C L A S S I Q U E S

HAGA

22 rue de Grenelle (7°)
42 22 82 40

Toute une multitude de petits objets d'antiquité Napoléon III et victoriens anglais. Beaucoup de cannes, des boîtes (en loupe d'orme, bois d'ébène, bois oriental et ivoire, cuir et paille), des cadres photos. Le goût de l'insolite et du curieux, des objets pour collectionneurs : loupes en corne et ivoire, Lawn balls, lampes, bougeoirs (montés en lampe sur commande), animaux (bronze, bois...). Aussi, des petits meubles d'appoint (repose-pied). Un très bel endroit pour faire des cadeaux rares et séduisants.

KIN LIOU

81 rue du Bac (7°)
45 48 80 85

Une petite boutique insolite où dénicher des objets introuvables,

parmi les nombreuses antiquités XVIIIᵉ et XIXᵉ : des pots à tabac, des objets de bronze, bois, régule, toute une collection de bougeoirs et flambeaux aux polychromies d'origine terres cuites orientales et françaises, de très beaux paniers anciens, des petits tableaux, verres et vases gravés, appliques, lustres XIXᵉ peints romantiques en tôle, des coupe-papier etc. Un très large choix de cadeaux uniques et pleins de charme.

D E S I G N

ENTREPOT (L')

50 rue de Passy (16°)
45 25 64 17

La boutique du cadeau "in" depuis une dizaine d'années. Un grand loft au décor dépouillé en gris et blanc divisé en départements à thème : gadgets, déco (lampes, cadres, bougies...), confection (gros pulls à capuche, polos,

chemises, sweats...), lingerie (féminine, collants fantaisies, pyjamas, pantoufles...), sacs rigolos en forme d'animaux, bijoux, vaisselle jetable, boîtes de rangement "Cartoform"... Et aussi, un bar pour déjeuner avec des spécialités américaines, et toute la journée cafés, glaces, cookies.

SHIZUKA

49 av de l'Opéra (2°)
42 61 54 61

Un grand espace pour tous les objets de la vie quotidienne du Japon. A l'étage, les verres, les assiettes, les serviettes-éponges et les accessoires de salle de bains : petites boîtes à savon, à pilule et brosses à dent assortis. Aussi des vases, boîtes de rangement en bois rondes... En bas, le rayon papeterie et matériel de bureau : classeurs et boîtes archives en carton noir

CADEAUX

coins métal, poubelles en métal, malettes et sacs... toute une gamme de carnets, cahiers, blocs, enveloppes en papier japonais au design très actuel, crayons, stylos-plumes et papiers façonnés et teints à la main.

CAMPAGNE

FORESTIER
35 rue Duret (16°)
45 00 08 61
Une petite boutique de cadeaux animée par un paysagiste avec un grand choix d'objets autour du thème de la campagne. Beaucoup de céramique (plats, cruches, saladiers) et de cache-pot des quatre coins de France. Des vases et des coupes en terre mêlée (Gerbino) de Vallauris d'un style faisant penser au Nouveau-Mexique. Des photophores, des grattoirs à bottes, des formes-support pour le lierre, des paniers en châtaigniers.... Et aussi d'autres cadeaux pour petits et grands : papeterie, sacs, montres, jouets.

TERRITOIRE
30 rue Boissy-d'Anglas (8°) 42 66 22 13
Les deux boutiques "Territoire" encadrant l'entrée de la galerie de la Madeleine sont devenues des incontournables pour dénicher la bonne idée cadeau pour petits et grands. On y va aussi pour le cadre, l'ambiance et le parfum des pots-pourris "Territoire". Beaucoup d'objets "campagne et nature": paniers à pique-nique, outils de jardinage, appeaux, papillons sous verre, vélos hollandais, matériel à dessin, seaux galvanisés... et aussi des accessoires (ceintures suisses), des pulls à torsade écrus, des livres...

EXOTIQUES

COCODY
1 rue F.-Duval (4°)
42 77 28 82
14 rue Descartes (5°)
43 26 92 27
Toute la production textile ou des accessoires de l'Afrique du Sud (Mali, Niger, Sénégal, Côte-d'Ivoire...). Des "fancy africains" (tissus graphiques), des bretelles "boubou", des calots, des bijoux, des chemises imprimées, des caleçons, des sièges de jeux et des enseignes pleins d'humour. Si vous le pouvez, passez plutôt à la boutique de la rue Descartes.

KIMONOYA
11 rue du Pont -Louis-Philippe (4°)
48 87 30 24
Tous les objets traditionnels du Japon. Des kimonos anciens ou contemporains pour adultes ou enfants, des

petits meubles, de la porcelaine, des objets en laque sur bois, et des pinceaux de maquillage...

SCONI OVER SEAS
7 rue F.-Duval (4°)
42 78 17 10
Une petite boutique très claire et toute simple spécialisée dans l'artisanat textile du Guatemala. On y trouve quelques habits traditionnels des villages mexicains ou guatémaltèques, des vêtements fabriqués dans des tissus sud-américains, des accessoires comme des écharpes ou des châles tissés main de grandes dimensions dans de belles harmonies de couleurs soutenues que l'on peut également utiliser en jeté de canapé.

E T A U S S I

MARINA DE BOURBON
112 bd de Courcelles
(17°) 47 63 42 01

Grande boutique au parquet clair, sorte de mini-drugstore de luxe pour des cadeaux divers très sélectifs. De l'objet de décoration, aux accessoires de mode, en passant par les objets autour des thèmes du voyage et de l'aviation. Un choix des meilleures marques internationales ou des fabrications artisanales pour les créations de Marina de Bourbon: doudounes et bagages "Northface", chaussures (Timberland, Cartujano, Johnston et Murphy...), montres suisses "Heuer", sacs, châles, vaisselle, jumelles...

POUR LES ENFANTS

MILLE FETES
60 rue du Cherche-Midi
(6°) 42 22 09 43
Une jolie boutique de cadeaux pour enfants avec tout ce qu'il faut pour organiser leurs mercredis après-midi ou leurs goûters d'anniversaires : cartes

d'invitation, gobelets et nappes assorties, ballons à gonfler à l'hélium, bougies, cotillons, feux d'artifice, accessoires de maquillage et de déguisement, jeux d'animation comme la pêche miraculeuse et des idées cadeaux pour tous les jours comme les charmants jeux de société avec les dessins de Béatrix Potter.

PAIN D'EPICES
71 rue du Cherche-Midi
(6°) 42 84 23 36
29 pass Jouffroy (9°)
47 70 82 65
On pourrait passer des heures à choisir son bonheur parmi toutes les miniatures de tous les styles (casseroles, accessoires de cuisine de poupées, cahiers, plumiers...) pour décorer les jolies maisons de poupées anglaises ou pour les disposer dans les casiers d'imprimeur. Beaucoup de jouets à

C A D E A U X

l'ancienne en tôle, et aussi des masques, des boîtes à musique...et des tas de petits cadeaux pour les tout-petits.

SI TU VEUX

62 galerie Vivienne (2°)
42 60 59 97
Dans la galerie

Vivienne, les boutiques "Si Tu Veux" ne dénotent pas dans l'atmosphère environnante. Un magasin plein de surprises avec des tas de petites corbeilles où sont disposés tous les petits objets à emporter :

miniatures, crayons de maquillage pour déguisement, vraie spécialité de la maison. On trouve aussi, des malettes "Epicerie" ou "Poste", des jeux et des cadeaux indispensables aux goûters d'anniversaires.

M U S I Q U E

N O U V E A U T E S
I M P O R T

CLEMENTINE
*89 bd du Montparnasse
(6°) 42 22 80 06*
Un bon disquaire pour
le conseil. On trouve
tout et surtout beaucoup
d'import avec des
nouveautés très suivies
(soul, rock, blues).
Intéressant aussi par le
grand choix de disques
laser pas chers (*low
price*) et le rayon
cassettes. Egalement
une agence de
réservations pour les
concerts: informations
par téléphone
n° 45 48 18 35.

R O C K

CROCODISQUES - 1
*42 rue des Ecoles (5°)
43 54 47 95*
A cette adresse: le rock
sous toutes ses formes,
mais aussi la variété
française et les bandes
de films. Disques
d'occasion et neufs
(nouveautés ou disques

rares) et des prix
étudiés.

J A Z Z

CROCOJAZZ
*64 rue de la Montagne-
Ste-Geneviève (5°)
46 34 78 38*
Dans cette troisième
boutique des
"crocodisques", et
comme son nom
l'indique du jazz mais
aussi du blues et du
country. Disques
d'occasion et neufs
(nouveautés ou disques
rares) et des prix
étudiés.

**M U S I Q U E
N O I R E**

CROCODISQUES - 2
*40 rue des Ecoles (5°)
43 54 33 22*
Pour la musique noire:
soul, rock and blues,
funk, et tropicale
(reggae, africaine,
antillaise et
brésilienne). Disques
d'occasion et neufs
(nouveautés ou disques

rares) et des prix
étudiés.

**M U S I Q U E
C L A S S I Q U E**

MILLETRE
*15 rue du Dragon
(6°) 45 44 43 95*
Un des meilleurs
spécialistes du disque
classique. Des disques
laser, des cassettes et de
la vidéo laser. Et
surtout, une grande
connaissance du sujet :
les propriétaires et les
vendeurs sont de
formation classique.

O P E R A

PAPAGENO
*1 rue Marivaux (2°)
42 96 56 54*
Disques, compacts et
cassettes-vidéo pour
passionnés d'opéra, de
musiques de ballets ou
de chant. Des soldes en
permanence.

PHONOGRAPHE
*73 rue Blanche (9°)
45 26 22 22*

M U S I Q U E

Crocodisques

crédit D.R.

Une adresse de charme au décor des années 30, animée par un passionné de la musique lyrique pour des 33 tours et des compacts.

DISQUES ANCIENS : 1950, 60 ET 70

OLDIES BUT GOODIES
16 rue du Bourg-Tibourg (4°) 48 87 14 37
Avant tout, des disques anciens de collection mais aussi du laser. Un très bon choix dans une gamme étendue: blues,

rythm and blues, soul music, rock, sixty pop, beaucoup de jazz et de la variété internationale et française (1950, 60 et 70).

SANINO
123 rue Oberkampf (11°) 43 57 49 46
Des disques anciens 50, 60 et 70 et aussi des neufs (vinyl, compact, compact laser). Les spécialités (nombreuses!) : rock'n roll, rockabilly, country, new wave, western

swing, psychédélic...et variétés.

USA RECORDS
50 rue de l'Arbre-Sec (1°) 42 97 42 35
Spécialiste des années 50, 60 jusqu'à nos jours. On trouve ici un bon choix de disques de rock'n roll, rockabilly, blues, rythm and blues, pop, country. Des disques neufs, des compacts laser et des disques laser (USA et Japon), des rééditions (USA et Japon) et aussi des originaux.

PAPETERIE

CALLIGRANE

*4 et 6 rue du Pont-Louis-
Philippe (4°)*
48 04 31 89

Au n°4, les papiers
italiens pour artistes
"Fabriano" vendus en
grand format et aussi les
papiers à lettres et les
enveloppes vendus au
poids et déclinés dans
une gamme de beaux
coloris. Au n°6, une
sélection d'articles de
bureau plutôt modernes
et originaux, venus
pour la plupart de
l'étranger : stylos,
porte-courriers, sous-
main, agrafeuses design,
agendas...

CASSEGRAIN

81 rue des St-Pères (6°)
42 22 04 76
422 rue St-Honoré (8°)
42 60 20 08

Une institution dans le
domaine de la papeterie
et de la gravure. Cartes
de visite, papiers à
lettres, stylos, presse-
papiers, boîtes et
accessoires pour ranger
le courrier façon loupe.
Exclusivité du stylo
Cassegrain en guilloché
laqué assorti aux
ensembles de bureau, et
la ligne "Smythson":
tous les carnets anglais
pour la chasse, le golf,
ou les adresses de Paris-
Londres-New York.

LETTER BOX

7 rue d'Assas (6°)
42 22 40 03

Une papeterie de style
anglais tout en rouge et
noir et un grand choix
d'articles originaux
déclinés toujours ou
souvent en noir et
rouge. Nombreux petits
carnets, blocs, albums
photos style carton à
dessins. Des stylos
fantaisies et classiques
comme les Pelican, les
Omas ou les Rotring.

MARIE PAPIER

26 rue Vavin (6°)
43 26 46 44

Tout autour de la
boutique, les papiers
grand format vendus à
la feuille. Grand choix
de papiers cadeau :
façon cuir, doré,
argenté, à motifs noir et
blanc, façon carton à
dessins... et beaucoup
de rubans. Des papiers
de soie, de reliure, des
papiers chiffon pour
encadrement, mat pour
photos... Côté papiers à
lettres : beaucoup de
matières (vergé, marbré,
cristal...), et des
enveloppes. Sans
oublier la ligne
d'albums photos, de
boîtes, de mini-cartons
à dessins "Marie
Papier" et l'atelier de
gravure.

MELODIES
GRAPHIQUES

*10 rue du Pont-Louis-
Philippe (4°)*
42 74 57 68

Spécialiste du papier
reliure à la cuve italien
de Florence ("Il
Papiro") et de ses
accessoires déclinés :
boîtes de rangement,

carnets, pochettes, cadres, albums photos, serre-livres, range-courriers, petites boîtes à tiroirs...

PAPETERIE (LA)

203 bis bd St-Germain (7°) 45 48 03 08
Des articles amusants mais aussi des classiques. Un grand choix de cahiers et de blocs-notes dans tous les formats et de toutes les couleurs. De nombreux gadgets (gommes, porte-monnaie, stylos) présentés sur la table centrale. De très beaux papiers cadeau façon croco, à pois, impression carton à dessins. Et aussi, des classiques dans les stylos (Montblanc, Waterman, Pelican, Cross...) et des agendas et recharges Filofax et Mulberry.

PAPIER +

9 rue du Pont-Louis-Philippe (4°) 42 77 70 49
L'une à côté de l'autre les deux boutiques "Papier +" proposent des produits conçus, fabriqués et vendus exclusivement dans ces boutiques. Dans l'une, les cartons à dessins, les nécessaires à correspondance, les livres blancs toilés ou recouverts de papier kraft et les papiers au poids. Une large gamme de coloris tous jolis. L'autre boutique, est consacrée aux grands formats pour les artistes : papiers, boîtes et cartons à dessins, carnets d'esquisse, press-book, et crayons sanguines.

SHIZUKA

49 av de l'Opéra (2°) 42 61 54 61
Papeterie *made in Japan* au rez-de-chaussée de ce magasin avec toute une gamme de petits carnets, blocs et cahiers. Du papier recyclé, papiers pliés, faits mains, teints, vendus à la feuille. Accessoires de bureau, stylos, porte-mines, classeurs au design très pur (noir et métal) et un très large choix de crayons de couleur en bois de cèdre.

A G E N D A S

FILOFAX

58 rue de Babylone (7°) 45 55 53 34
Une mini-boutique consacrée aux fameux agendas Filofax fabriqués dans différents coloris et matières (du cuir grainé au façon croco en passant par l'autruche). Grande variété de recharges et d'accessoires : plannings, enveloppes perforées, papiers millimétré-calque-quadrillé, pochettes plastifiées, guides et plans des grandes villes...

LEFAX

*32 rue des Francs-
Bourgeois (3°)*
42 78 67 87

La boutique de l'ancêtre des agendas créé au début du siècle par un ingénieur de Philadelphie. Des matières de qualité, cuir pleine peau (veau, porc, chèvre, lézard), des cuirs façon crocodile ou reptile, du vinyl, des modèles très minces ou épais et même un double-contenance. Un incomparable choix de recharges et d'accessoires : plusieurs types d'agendas, feuilles de comptabilité, de notes, fiches quadrillées... dans de nombreux coloris et aussi des cartes postales, du papier-avion, des plans et cartes.

MULBERRY

*45 rue Croix-des-Petits-
Champs (1°)*
40 41 07 69
*14 rue du Cherche-Midi
(6°) 42 22 95 05*

Une très belle gamme d'agendas-organisateurs dans de belles qualités de cuirs aux coloris classiques. De très jolies nuances de couleurs pour les recharges papier et les deux plannings: une semaine sur deux pages ou une page par semaine.

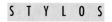

S T Y L O S

CRAYONS DE JULIE (LES)

*17 rue de Longchamp
(16°) 44 05 02 01*

Une jolie petite boutique au décor chaleureux avec des meubles en bois blond. Vous y trouverez non seulement de beaux stylos contemporains (Lamy, Omas, Sheaffer, Montblanc, Parker, Waterman), mais aussi de jolis crayons à papier classiques ou fantaisies, des papiers cadeau, des albums reliés (albums photos, agendas, livres blancs), les agendas Filofax mais aussi des stylos, des porte-mines

et des petits accessoires de bureau anciens. Egalement un atelier de réparation.

GET A PEN

30 rue Dauphine (6°)
46 33 32 50

Tout pour les amoureux de l'écriture dans un écrin sobre et clair. Une sélection de livres sur l'écriture et la calligraphie et surtout une gamme de crayons, porte-mines, stylos-billes et stylos-plumes. On n'a que l'embarras du choix: Montblanc, Parker, Omas, Sheaffer, Waterman, Pilot, Lamy, Cross, Lauren G...

SENANQUES

14 pass Jouffroy (9°)
47 70 44 13

Une petite boutique classique nichée dans le passage Jouffroy. Vous y trouverez un grand choix de stylos sélectionnés auprès des meilleures marques : Cross, Montblanc, Omas, Parker, Pelikan, Rotring, Sheaffer, Waterman...

PAPETERIE

PARFUMS ET BEAUTE

ANN STEEGER

130 rue de Grenelle (7°)
45 55 81 82
Dans cette jolie boutique chaleureuse façon boudoir 1900, prenez le temps de créer votre propre parfum. Vous en sélectionnerez les bases à partir des nombreux extraits proposés (plantes, fleurs, boisés, poudrés...). On vous orientera sur votre choix pour les mélanges et vous pourrez garder le même parfum pour votre ligne de produits pour le bain et le corps. Egalement des parfums créés par Ann Steeger.

ANNICK GOUTAL

14 rue de Castiglione (1°) 42 60 52 82
16 rue de Bellechasse (7°) 45 51 36 13
3 rue G.-Courbet (16°) 45 53 61 62
93 rue de Courcelles (17°) 46 22 00 11
Quatre boutiques au décor de "bonbonnière" aux couleurs beige et or, des emballages dans le même esprit pour les produits exclusifs Annick Goutal : produits de bain, de soin, parfums et eaux de toilette dont le must est l'*Eau d'Adrien*.

ARTISAN PARFUMEUR (L')

24 bd Raspail (7°) 42 22 23 32
22 rue Vignon (9°) 42 66 32 66
24 rue de Chartres (Neuilly) 47 45 10 10
A la manière des cabinets XVIIIe, une ambiance raffinée dans les verts et noir et une gamme de 30 eaux de toilette et de produits pour le corps aux senteurs très variées : épicées, boisées, fruitées, fleuries... dont la plus connue est le *Mûre et Musc*. Des conditionnements sobres et élégants tout noir avec des lettres dorées et des flacons à l'ancienne.

CRABTREE AND EVELYN

177 bd St-Germain (6°)
45 44 68 76
Le charme des boutiques anglaises, une jolie devanture à l'ancienne, un décor agréable et reposant, des emballages imprimés façon "Liberty" ou de dessins de Béatrix Potter et des produits de qualité. Un grand choix de parfums anglais, des lotions, des laits et du talc pour le corps, des savons parfumés et de jolis accessoires (verres à dents, porte-savons...). Et aussi, des produits typiquement anglais pour le petit déjeuner et le thé : marmelades, biscuits, compotes de fruits...

CREED

38 av Pierre-ler-de Serbie (8°)
47 20 58 02
Le parfumeur anglais

PARFUMS ET BEAUTE

Grain de beauté

PARFUMS ET BEAUTE

depuis 1760 des têtes couronnées : 35 eaux de toilette millésimées, des huiles de bain et des savons. Au hit-parade pour les hommes : *Green Irish Tweed* et *Royal English Leather*.

DETAILLE
10 rue St-Lazare (9°)
48 78 68 50
Avec un produit phare le *Baume Automobile* créé en 1905, cette maison aux senteurs d'antan respecte avec toute sa gamme de produits de beauté la noblesse et la tradition des soins de jadis. Des compositions extrêmement naturelles, gardées secrètes. Des crèmes, des huiles pour le corps, le visage, les cheveux ; des poudres de riz "Formule 1900", fards à joues et aussi des eaux de toilette (homme et femme) *Aéroplane, Escrime, 1905*. Des flacons en verre avec en médaillon le portrait

de la comtesse de Presle.

DYPTIQUE
34 bd St-Germain (5°)
43 26 45 27
Une des premières boutiques à Paris à avoir diffusé les parfums anglais. Vous y trouverez désormais la gamme exclusive des produits "Dyptique" composée de huit eaux de toilette pour homme ou femme (*Eau Epicée, Eau Lente, Glycine...*), un vinaigre de toilette et des savons en harmonie et toujours le savon à barbe "Floris". Egalement des accessoires de rasage et d'autres jolis objets.

GRAIN DE BEAUTE
9 rue du Cherche-Midi
(6°) 45 48 07 55
Un nom bien porté pour cette petite boutique chaleureuse et harmonieuse. Les meilleures marques anglaises de parfums : "Floris", "Czech and

Speake", "Penhaligon's" ... et leurs produits. Les parfums, les eaux de toilette, les talcs pour le corps, les huiles pour le bain, les savons et tous les produits de rasage pour hommes.

MAITRE PARFUMEUR ET GANTIER
5 rue des Capucines (1°)
42 96 35 13
84bis rue de Grenelle (7°) 45 44 61 57
Dans un décor de reconstitution d'un cabinet à parfums fin XVIIᵉ, début XVIIIᵉ, Jean-François Laporte privilégie les odeurs rares et sophistiquées. Parfums pour la maison en huiles ou en sachets, pots-pourris, boules-diffuseur. Egalement les parfums pour hommes et femmes et une collection de gants (en collaboration avec un gantier de Millau) parfumés de rhizomes de plantes.

PARFUMS ET BEAUTE

SHU UEMURA
176 bd St-Germain (6°)
45 48 02 55
Une vitrine en arrondie
où l'ex-maquilleur star
d'Hollywood propose
toute sa gamme de
produits cosmétiques :
rouges à lèvres,
crayons, poudres, eyes-
liners... Une gamme de
coloris très étendue.
Des conditionnements
simples, transparents ou
noirs. Des accessoires
aux lignes pures comme
les mallettes en cuir
noir et aussi des
pinceaux japonais pour
des maquillages légers.
Face au grand miroir,
on essaye ses teintes.

**ET AUSSI LES
HERBORISTES ET
LES PRODUITS
NATURELS**

**HERBES DU
LUXEMBOURG** (LES)
3 rue Médicis (6°)
43 26 91 53
Véritable herboristerie
de tradition pour les
adeptes de la vie saine

et naturelle. Vous y
trouverez tous les
produits pour le bain
"L'Occitane" (savons
liquides, bains
moussants, bains
d'algues), des éponges
naturelles, des huiles
pour le corps et le
visage, des laits pour le
corps au suc de carottes
ou au coco, des savons
au lait, à l'argile, au
romarin..., tous
fabriqués à partir de
produits naturels. Et
bien sûr, les produits de
santé, d'alimentation et
les herbes pour tisanes
et décoctions.

**HERBORISTERIE DU
PALAIS-ROYAL**
*11 rue des Petits-Champs
(1°) 42 97 54 68*
4 rue de Passy (16°)
42 88 91 49
700 plantes
d'herboristerie et aussi
une gamme très large de
produits de soin mise au
point par la maison à
partir de plantes et de
produits naturels :

fleurs, blé, miel... Dans
de jolis flacons aux
étiquettes fleuries avec
des noms écrits comme
à la main : des
shampooings, des
traitements pour
cheveux, des vinaigres
pour les rincer sans
oublier le produit phare,
l'huile aux germes de
blé à utiliser toute
l'année et même au
soleil sur le corps et les
cheveux.

**ET AUSSI
LES SAVONS
DE PROVENCE**

Dans ces deux
boutiques connues pour
leur choix d'huiles
d'olive, vous trouverez
de très bons savons de
toilette, naturels,
simples ou parfumés
aux senteurs de
Provence.

SOLEIL DE PROVENCE
*6 rue du Cherche-Midi
(6°)* et **A L'OLIVIER**
23 rue de Rivoli (1°).

ALIMENTATION

CAVES AUGE

116 bd Haussmann (8°)
45 22 16 97
Un bon caviste de quartier qui a eu l'élégance et la bonne idée de conserver intact son décor des années 1850. Tout est resté tel quel : le comptoir en bois, les étagères à colonnettes sur lesquelles sont présentées les bouteilles, le parquet, et la caisse en bois. Un grand choix de vins à tous les prix, de France mais aussi de l'étranger : des alcools classiques et des eaux-de-vie.

LEGRAND

1 rue de la Banque (2°)
42 60 07 12
Une épicerie fine (depuis 1880), près de la place des Victoires, spécialisée dans les spiritueux champagnes. Et aussi, tous les vins du terroir français, des armagnacs de 1893 aux années 60 et de vieilles bouteilles millésimées. A côté des bonbons traditionnels (bergamotes, Négus...), des thés, des cafés, des chocolats et des confitures dont une exclusivité: la gelée de mûroise. Un accueil de vieille maison parisienne.

PETRISSANS

30bis av Niel (17°)
42 27 83 84
De 12h à 22h. Sam10h à 13h. Fermé dim et en août. Un vrai caviste traditionnel de qualité avec une partie cave et une partie restaurant pour goûter les vins dont la carte est changée tous les quinze jours. Plus de 1000 références en vins et spiritueux: bordeaux, bourgogne..., un très bon rayon de whiskies, cognacs, armagnacs... et de très grands crus classés : Château-Lafite, Mouton-Cadet, Château-Margaux, Bourgogne domaine, Romanée-Conti... Aussi des armagnacs millésimés de 1900 à 1975.

REPAIRE DE BACCHUS (LE)

13 rue du Cherche-Midi (6°) 45 44 01 07
23 rue M.-Michelis (Neuilly)
46 24 33 59
Environ dix magasins sur Paris pour cette famille de boutiques de vins au décor généralement de style anglais. On y trouve une bonne sélection de petits vins pour tous les jours mais aussi des crus plus rares. Egalement des alcools, notamment des portos et des whiskies (bon choix de malt en scotch). A Neuilly, la boutique est plus spécialisée dans les whiskies mais celle de la rue du Cherche-Midi, a vraiment du charme avec son bar-dégustation

ALIMENTATION

où vous pourrez vous arrêter à midi pour quelques tartines de pain "Poilâne".

RYST DUPEYRON

79 rue du Bac (7°)
45 48 80 93
Un décor feutré tout en boiseries. Fondée en 1905, la maison Ryst Dupeyron, producteur d'armagnac propose aussi une sélection rigoureuse de vins de Bordeaux (Graves, Médoc, Margaux, Pauillac, Pomerol...) et d'alcools de qualité (porto, whisky...). Des millésimés rares (et même très rares pour certains) dont on peut faire personnaliser la bouteille, mais aussi quelques bons petits bordeaux à des prix raisonnables.

TAILLEVENT

15 rue Lamennais (8°)
45 61 91 07
Une institution avec environ 600 références: du blanc (Côtes-du-rhône-Hermitage 83,

J.-L. Chave, Bourgogne Chevalier-Montrachet 83, V. Leflaive: tous deux très rares), des vins moelleux, des bordeaux rouges en très grandes bouteilles aussi (Château-Pétrus 1970 appelation Pomerol), des bourgognes rouges... Les champagnes Taillevent (cinq champagnes) et les têtes de cuvée des grandes maisons. Des vins étrangers (USA, Hongrie, Italie, Allemagne, Australie et Espagne). Des whiskies: toute une gamme de production artisanale de 1 an à 22 ans d'âge, des eaux-de-vie et aussi des chartreuses millésimées VEP (vieillissement exceptionnellement prolongé) vendues à l'unité allant de 1950 à 1958.

BOULANGERIES

AUX DELICES DE SEVRES

70 rue de Sèvres (7°)
47 34 65 00
Aucun charme malheureusement dans le décor de cette boulangerie mais une qualité irréprochable de pain : baguette, pain de campagne, pain aux raisins, au cumin, au pavot, le pain-couronne avec épis. Et en plus des pains miniatures de toutes les sortes, très jolis à table.

MOULIN DE LA VIERGE (LE)

105 rue Vercingétorix (14°) 45 43 09 84
82 rue Daguerre (14°)
43 22 50 55
166 av de Suffren (15°)
47 83 45 55
Retour à la tradition et à l'ancienne pour ce jeune boulanger nouvelle génération. Trois boulangeries au décor d'antan, du pain fait à base de farine "bio", levé au levain et cuit au bois. Egalement des confitures, des miels biologiques, du pain d'épice.

ALIMENTATION

POILANE

8 rue du Cherche-Midi
(6°) 45 48 42 59
49 bd de Grenelle (15°)
45 79 11 49

Dans ces boutiques aux allures de vieilles boulangeries, on trouve bien sûr le fameux pain "Poilâne" (délicieux grillé) mais aussi de très bonnes tartes aux pommes, du pain d'épice, des pavés de seigle aux raisins, du pain aux noix, des sablés... Suivant l'heure il vous faudra être un peu patients, surtout rue du Cherche-Midi.

POUJAURAN

20 rue J.-Nicot (7°)
47 05 80 88

Ce jeune boulanger a le goût et le respect de la tradition. Dans une ancienne boulangerie de quartier, au cadre inchangé, décorée de carreaux émaillés, il fait du bon pain et des pâtisseries comme autrefois. Pain ou ficelle de campagne, petits pains au pavot, au cumin..., tartes aux pommes rustiques, sablés, croquets aux amandes... et aussi des confitures naturelles. Le tout présenté sans mise en scène apparente.

CAFES/THES

BRULERIE DE L'ODEON

6 rue Crébillon (6°)
43 26 39 32

Cette brûlerie de café a conservé, depuis son ouverture en 1853, son décor tout en bois et ses installations que les curieux pourront visiter. A acheter ou à déguster sur place (autour de quelques tables bistrot), du très bon café de toute provenance et même de Jamaïque importé en exclusivité par la maison à Paris. Egalement quelques produits anglais : grande variété de thés, marmelades, biscuits, puddings, chutneys et quelques théières.

MARIAGE FRERES

30 rue du Bourg-Tibourg
(4°) 42 74 65 32
13 rue des Grands-Augustins (6°)
40 51 82 50

Décor style colonial pour ces salons de thé. A l'entrée des deux magasins (notre préféré étant celui du Marais), vous pourrez choisir votre thé en vrac parmi les 400 variétés proposées : classiques, parfumés ou mélanges maison. Et aussi des services à thé et des théières. La prétention du service n'a malheureusement d'égale que sa lenteur. Evitez le samedi et sachez rester patients.

VERLET

256 rue St-Honoré (1°)
42 60 67 39

Depuis un siècle, cette petite boutique tout en bois est un salon de dégustation de café très chaleureux. En vente : 20 sortes de cafés et 70

ALIMENTATION

Poujauran

ALIMENTATION

thés. Dégustation à toute heure avec quelques pâtisseries. Pour les amateurs, une sélection d'excellents fruits secs naturels : bananes, abricots...

CHOCOLATS

A LA PETITE FABRIQUE
12 rue St-Sabin (11°)
48 05 82 02
Une petite boutique dans le quartier des galeries pour les mordus de chocolat. De très nombreux chocolats noirs, aromatisés ou fourrés (café, praliné...) fabriqués artisanalement, des tablettes emballées dans des papiers aluminium de couleurs orange, rouge, vert... Egalement des ballotins.

AU CHAT BLEU
85 bd Haussmann (8°)
42 65 33 18
Une adresse institutionnelle du Touquet, installée à Paris depuis quelques

années pour le plaisir des gourmands. Embarras du choix devant la vitrine de bouchées au chocolat toutes délicieuces : palets, pâte d'amande, ganache, nougatine... Et aussi, des confitures et des gelées de fruits naturelles, des miels et du chocolat en tablette pour tous les goûts.

DEBAUVE ET GALLAIS
30 rue des Sts-Pères (7°)
45 48 54 67
Magnifique boutique au décor authentique des années 1800 bien restauré avec un comptoir en demi-cercle pour présenter les nombreuses bouchées de chocolat. Une spécialité: les pralinées à l'ancienne, base de la plupart des chocolats. Mais aussi de vrais grains de cafés torréfiés enrobés de chocolat, des chocolats au thé, des palets, des tablettes sans sucre avec différents dosages de cacao...

MAISON DU CHOCOLAT (LA)
52 rue François-ler (8°)
47 23 38 25
Un beau magasin en bois et pierre voué au culte du chocolat vendu sous toutes ses formes à boire et à croquer. Du chocolat au poids, ou en tablettes, des gâteaux cuisinés avec des cacaos du monde entier. Un coin-bar accueillant permet de déguster sur place une tasse de chocolat chaud, parfumé et mousseux.

PUYRICARD
27 av Rapp (7°)
47 05 59 47
Décor vieillot et chaleureux pour cette petite boutique envahie de confiseries et de chocolats fabriqués artisanalement sans conservateur ni colorant, près d'Aix-en-Provence. Fort en cacao amer, noisettes, amandes ou crème fraîche: des truffes, des ganaches au Grand-

ALIMENTATION

Marnier... Mais aussi des calissons, marrons glacés ou enrobés, pâtes de fruits, bonbons, amandes, nougats et fruits confits. Service de livraison à domicile.

CONFITURES, MIELS ET BONBONS

A LA MERE DE FAMILLE
35 rue du Fg-Montmartre (9°) 47 70 83 69
Une très ancienne boutique créée en 1761, véritable témoignage du passé avec sa devanture et son décor inchangés. Très connue pour sa sélection de spécialités de confiseries régionales fabriquées artisanalement : nougats de Montélimar, bêtises de Cambrai, anis de Flavigny, calissons d'Aix, bergamotes de Nancy... aussi, des thés, des confitures, du miel, des bouchées au chocolat, des biscuits, des fruits secs.

EPICERIE (L')
51 rue St-Louis-en-l'Isle (4°) 43 25 20 14

Derrière la façade bleue, une multitude d'étagères où sont présentés des produits d'alimentation fabriqués par des artisans sous le nom de "L'Epicerie" : 50 à 60 confitures, 35 miels, 60 moutardes et 75 thés. Egalement les huiles et les vinaigres "A l'Olivier", des anis de Flavigny, des bêtises de Cambrai et des madeleines de Commercy... le tout toujours emballé dans des papiers cadeau.

JADIS ET GOURMANDE
88 bd de Port-Royal (5°) 43 26 17 75
27 rue Boissy-d'Anglas (8°) 42 65 23 23
49 bis av F.-Roosevelt (8°) 42 25 06 04
Des boutiques pleines de charme remplies de sucreries, de chocolats et de confitures artisanales. Des tas d'idées cadeaux personnalisés à base de chocolat : reproduction d'objets en chocolat,

personnalisation de plaquettes... Egalement des bouchées au chocolat, des thés, des pâtes de fruits. Notre boutique préférée, la plus ancienne, est celle du boulevard de Port-Royal, charmante avec sa devanture couleur lie-de-vin mais toutes ont un décor simple en bois et chaleureux.

MAISON DU MIEL (LA)
24 rue Vignon (9°) 47 42 26 70
Une petite boutique toute simple avec un grand choix de miels naturels de toute provenance : France, Canada, Hongrie et Turquie. Tous les dérivés du précieux liquide : gelée royale, hydromel, bonbons...

HUILES

A L'OLIVIER
23 rue de Rivoli (4°) 48 04 86 59
Pour ses trois huiles d'olive différentes de la région de Nice, au goût

ALIMENTATION

plus ou moins fruité mais toujours première pression à froid. Egalement toutes les autres huiles (noix, colza, pépins de raisin, tournesol, arachide...), du vinaigre, des moutardes, des olives à l'huile, des huiles cosmétiques ou des savons à l'huile d'olive. Malheureusement le charme a disparu avec le nouveau décor standard et les bouteilles "redessinées".

SOLEIL DE PROVENCE (AU)
6 rue du Cherche-Midi (6°) 45 48 15 02
Le charme à l'état pur dans cette petite boutique restée traditionnelle avec ses grosses jarres. Des huiles d'olive toujours première pression à froid et aussi des huiles de noix du centre de la France. Des calissons d'Aix, des conserves à l'huile d'olive (sardines,

thon...), des olives vendues au poids, de la tapenade, du miel et aussi des savons de Marseille aux parfums naturels.

PRODUITS ET TRAITEURS ETRANGERS

AMERICAIN : TEX MEX

COFFEE-SHOP
8 rue Perronet (7°)
45 44 92 93
Tous les jours de 11h à 20h. Une nouvelle bonne idée pour l'équipe du Café Parisien et du Coffee-Parisien : désormais un petit "coffee-shop-grocery" avec tous les bons produits frais et d'épicerie américains et italiens. Et aussi, les sandwichs toastés pour déjeuner sur le pouce. Mode mais de qualité.

GENERAL STORE
82 rue de Grenelle (7°)
45 48 63 16
30 rue de Longchamp (16°) 47 55 41 14

Des tacos mexicains, des chips de maïs, de la farine à pancakes, des jus de fruits, des épis de maïs en boîte, des sauces mexicaines ou américaines, du beurre de cacahuètes, des vins de Californie... tous les produits d'épicerie pour cuisiner "Tex Mex" et à l'américaine. Les deux boutiques ont une jolie devanture aux lettres peintes, et les produits sont agréablement présentés sur les étagères en bois ou en fil de fer ou encore dans les paniers. Pour les gourmands : cookies et brownies cuisinés chaque jour.

THE REAL MC COY
194 rue de Grenelle (7°)
45 56 98 82
Une boutique spécialisée dans les produits d'alimentation des USA. Vous y trouverez l'authentique *Peanut butter*, des céréales, des glaces de

ALIMENTATION

"Haggen Däas", toutes sortes de préparations pour cookies, muffins, brownies, pancakes... Une grande variété de sauces, du vin californien, du thé glacé en poudre, des plats "Tex Mex" : tacos, nachos, guacamole, chili... et des bières mexicaines. Quelques plats préparés mexicains, sandwichs et salades à consommer sur place ou à emporter.

ANGLAIS

MARKS AND SPENCER

35 bd Haussmann (9°) 47 42 42 91

Le magasin parisien de la grande chaîne anglaise. Le service d'alimentation est vaste et on est sûr d'y trouver tous les produits typiques de la cuisine anglaise : porridge, muffins, marmelades, pickles, fromages, curries, thés... Pratique, le rayon frais propose des salades (coleslaw, salade de pommes de terre...) et des plats indiens à réchauffer (curries, tandoories).

GREC

MAVROMMATIS-TRAITEUR

47 rue Censier(5°) 45 35 96 50 12bis pl d'Italie (13°) 45 88 77 01 De 9h30 à 22h30 (9h à 22h dans le 13°) tous les jours. Livraison sur Paris : prévoir 48 h à l'avance, commande minimum 600F. Deux adresses au décor moderne, très clair et impeccable pour cet excellent traiteur grec. Un grand choix de produits frais pour composer un dîner. Toutes les entrées : feuilles de vigne, tarama, tzatziki, caviar d'aubergines, d'olives ou de poivrons, hoummus, feuilletés, boulettes d'aubergine, de boeuf, d'épinard et de saumon. Des plats cuisinés : moussaka, aubergines farcies à la viande ou aux légumes. Et aussi les olives, fromages, les vins grecs résinés ou non, les yaourts grecs, et les pâtisseries.

ITALIEN

CUCCINA DE BEPPINO (LA)

111 rue Monge (5°) 47 07 17 50 79 rue de la Croix-Nivert (15°) 40 43 97 16 20 rue des Dames (17°) 42 94 94 44 De 10h30 à 22h tous les jours. Livraison : prévoir 2 ou 3 jours d'avance. Trois adresses pour des traiteurs italiens de qualité. Rue Monge, le cadre est très propre et l'ambiance à l'italienne. On vous fera tester les produits et aimer la cuisine du pays. Toutes les bonnes charcuteries et jambons, les fromages, de vrais cafés

ALIMENTATION

italiens torréfiés par la maison, des pâtes fraîches ou de la marque "Cecco" au rayon épicerie, des sauces préparées sur place pour les accompagner, des entrées typiques, des plats cuisinés, un très bon tiramisù, des vins italiens.

DELIZIA (LA)
1 sq Delambre (14°)
43 35 22 06
20 rue P.-Leroux (7)°
45 67 86 07
Une épicerie italienne appétissante, appréciée par les habitants du quartier. Un accueil agréable et souriant, une boutique très propre pour y trouver tous les produits typiques : pâtes fraîches, fromages, jambons, bresaola et autres charcuteries, les produits Cipriani (pâtes, sauces...), des vins... Et des plats cuisinés le jour même : escalopes milanaises, oignons confits, plat

d'aubergines... sans oublier le tiramisù.

MILLE-PATES (LE)
5 rue des Petits-Champs
(1°) 42 96 03 04
Des pâtes fraîches sous toutes leurs formes et pour tous les goûts. Et des spécialités toscanes et piémontaises : vins (un grand choix), charcuteries, huiles, pâtisseries, cafés... en importation directe et exclusive. Le tout dans un cadre appétissant et sur fond de musique d'opéra.

L I B A N A I S

NOURA TRAITEUR
27 av Marceau (16°)
47 23 02 20
Tous les jours de 7h à 24h. Pour les amateurs de mezzé et autres spécialités libanaises, ce traiteur propose un grand choix de hors-d'oeuvres froids (hommos, tabbouli, moujaddra, bastorma...) et chauds (sambousik,

makanek, falafel, kebbé boulette...). Et aussi, des plats cuisinés avec en plus deux plats du jour. Sans oublier les pâtisseries (baklava, maamoul, carabije...) et les glaces maison. Le tout de qualité et toujours bon. Organisation de réceptions à domicile.

R U S S E E T EUROPE CENTRALE

CAVIAR KASPIA
17 pl de la Madeleine
(8°) 42 65 33 52
Au rez-de-chaussée du célèbre restaurant, un département vente de caviar russe ou iranien, et de saumon fumé de Norvège ou de Suède. Côté alcools, une très bonne sélection de vodkas.

DARU
19 rue Daru (8°)
42 27 23 60
Fermé dim et lundi. A deux pas de l'église orthodoxe, façon datcha

ALIMENTATION

cette épicerie russe propose aux mélomanes de Pleyel des koulibiacs, zakouskis, saumons et blinis à emporter ou à déguster sur place dans les deux petites salles.

DOMINIQUE

19 rue Bréa (6°)
43 27 08 80
Jusqu'à 22h15. Juste à l'entrée du restaurant, un rayon de produits frais à emporter avec bien sûr des saumons, du tarama, des blinis et aussi différents zakouskis, de la vodka... Idéal pour un dîner improvisé à la maison.

FINKELSZTAJN

27 rue des Rosiers (4°)
42 72 78 91
24 rue des Ecouffes (4°)
48 87 92 85
Rue des Rosiers, c'est la maison mère qui a été la boulangerie de la communauté juive pendant 125 ans avec sa petite façade peinte en jaune et rue des Ecouffes c'est la succursale : plus grande avec sa devanture en mosaïque bleue datant de 1932. La famille Finkelsztajn propose toute une gamme de gastronomie yiddish, d'Europe centrale et de Russie. Tarama, gehakte herring, gehakte leber, gefilte fish, fromages hongrois et albanais, caviar d'aubergines, blinis... En pâtisserie : cheese-cake, apfel strudel, lekeh, sacher torte, brownies, houmentachn, babka polonaise et aussi les pains : au pavot, cumin, razowy, beigels et peltzels.

PETROSSIAN

18 bd de Latour-Maubourg (7°)
45 51 38 74
C'est dans cette boutique imposante à la devanture bleue et l'intérieur en boiseries que Petrossian se fait fort d'être l'importateur exclusif de caviars (béluga, osciétre, sévruga, pressé), poissons fumés, oeufs de saumon russes, saumon de l'Atlantique Nord fumé de la veille, blinis, koulibiac, pirojki, vatrouchka... et vodkas. Pétrossian, c'est aussi le foie gras, des confitures naturelles (figues...), des bocaux de confit, etc.

ET AUSSI

IZRAEL

30 rue F.-Miron (4°)
42 72 66 23
Une boutique-souk très exotique où trouver des alcools et des produits en provenance du monde entier : Russie, Mexique, Grèce, Europe centrale, Maroc, Inde... Du chorizo espagnol, des olives, du curry, de la feta, des fruits secs et confits, des fruits frais exotiques, des conserves et toutes les épices. Egalement, un coin-bazar avec des objets artisanaux comme des plats à tajine et des poteries mexicaines.

ART ET CULTURE

MUSEES

ART MODERNE DE LA VILLE DE PARIS

11 av du Président-Wilson (16°)
47 23 61 27
De 10h à 17h30 (mer 20h30). Fermé le lundi.
Fauvisme, cubisme et cinétisme. Sonia et Robert Delaunay, Léger, Soutine, Chagall... Raoul Dufy et sa fée électrique et les expositions temporaires.

ARTS DE LA MODE

(MUSEE DES)
107 rue de Rivoli (1°)
42 60 32 14
*De 12h30 à 18h. Fermé lundi et mardi. Des dessous (de la mode) en passant par les vêtements, et les accessoires qui font l'histoire du costume du XVIII° au XX° siècle. Expositions temporaires et thématiques.

ARTS DECORATIFS

107 rue de Rivoli (1°)
42 60 32 14
De 12h30 à 18h. Fermé lundi et mardi. Du Moyen Age à nos jours, cadre de vie et art de vivre en France. Art déco, design, donation (Dubuffet), papiers (peints), jouets (XVIII° - XX°).

CITE DES SCIENCES ET DE L'INDUSTRIE

30 av C.-Carriou (19°)
40 05 80 00
De 10h à 18h. Fermé le lundi. Des expositions temporaires, la Géode, Explora, le Pont Vert, l'Inventorium, le Planétarium, la Médiathèque, les films scientifiques et documentaires.

GRAND-PALAIS

(GALERIES NATIONALES DU)
3 av du Général Eisenhower (8°)
44 13 17 17
De 10h à 20h (mer 22h). Fermé le mardi.
Expositions temporaires et salons.

JEU DE PAUME - GALERIE NATIONALE

(MUSEE DU)
Pl de la Concorde (1°)
47 03 12 50
De 12h à 19h (mardi 21h30). Sam et dim à partir de 10h. Fermé le lundi. Nouveau Centre d'art contemporain et d'art moderne (toutes tendances et tous horizons).

LOUVRE (MUSEE)

Entrée sous la pyramide, cour Napoléon Ier (1°)
40 20 51 51
De 9h à 18h (mer et lundi 22h). Fermé le mardi.
Antiquités orientales, grecques, romaines, étrusques, égyptiennes (objets, peintures, sculptures) du Moyen Age à 1848.

MARINE

(MUSEE DE LA)
Palais de Chaillot. Pl du Trocadéro (16°)
47 04 67 63
De 10h à 18h. Fermé le mardi. Cinq siècles d'histoire de la marine en maquetttes, instruments de navigation, figures de

proues, canon...
Bibliothèque et
photothèque.

ORANGERIE

*Terrasse des Tuileries.
Pl de la Concorde
(1°) 42 97 48 16
De 9h45 à 17h15.
Fermé le mardi.* Les
Nymphéas de Claude
Monet au rez-de-
chaussée, au premier la
collection Walter-
Guillaume (Cézanne,
Matisse, Soutine, le
Douanier Rousseau...).

ORSAY

*1 rue de Bellechasse
(7°) 45 49 11 11
De 10h (dim 9h) à
17h15 (jeudi 21h). Fermé
le lundi.* Art du XIXe (de
1848 à 1941): peinture,
sculpture, architecture,
photo, art déco et
industriel.
Impressionnistes et
pompiers : Courbet et
Manet...

PALAIS DE TOKYO

*13 av du Président -
Wilson (16°)
47 23 36 53*

*De 9h45 à 16h30 (17h
le week-end). Fermé le
mardi.* Expositions
temporaires. La Photo
avec un grand P.

PETIT-PALAIS (LE)

*Av W.-Churchill (8°)
42 65 12 73
De 10h à 17h40. Fermé
le lundi.* Donation Dutuit
(de l'Antiquité au XVIIe
siècle), collection Tuck
(le XVIIIe en peinture,
tapisserie, mobilier...),
les collections
municipales (XIXe), et
aussi Odilon Redon.
Sculptures de Rodin,
Bourdelle... et
expositions temporaires.

PICASSO (MUSEE)

*5 rue de Thorigny - Hôtel
Salé (3°)
42 71 25 21
De 9h15 à 17h15 (mer
22h). Fermé le mardi.*
Donation des héritiers
de Picasso faite à l'Etat :
peintures, sculptures,
papiers collés,
céramiques, dessins,
estampes...

POMPIDOU

*(CENTRE GEORGES)
120 rue St-Martin (4°)
42 77 12 33
De 12h (week-end 10h) à
22h. Fermé le mardi.*
Musée national d'art
moderne : expositions
temporaires, et une
imposante collection
(de 1905 à nos jours)
sur l'art (français et
étranger) et son histoire.

INFORMATIONS PRATIQUES

L'association inter-
musées propose une
carte (coupe-file) de
forfait de visites
(illimitées) pour 1 à 5
jours donnant accès à
plus de 60 monuments
et musées. En vente
dans les musées, les
monuments...

MUSEES DE CHARME

ARSENAL

*(PAVILLON DE L')
21 bd Morland (4°)
42 76 33 97*

ART ET CULTURE

MUSEES DE CHARME

De 10h30 à 18h30, 11h à 19h dim. Fermé le lundi. Le Pavillon de l'Arsenal, sur 1 600 m², est le centre d'information et d'exposition d'architecture de Paris. Expositions de concours, centre de documentation et photothèque... sous les verrières et structures métalliques datant de 1878.

ARTS AFRICAINS ET OCEANIENS

(MUSEE DES)
293 av Daumesnil (12°)
43 43 14 54
De 10h à 12h et de 13h30 à 17h20. Fermé le mardi et 1er mai. Installé dans un magnifique bâtiment de 1931 construit à l'occasion de l'Exposition Coloniale et seul témoin survivant de cette manifestation, cet important musée est consacré aux arts océaniens, africains et maghrébins. Aussi un aquarium et une bibliothèque.

BALZAC (MAISON DE)

47 rue Raynouard (16°)
42 24 56 38
De 10h à 17h40. Fermé lundi et jours fériés. Les documents littéraires et les souvenirs personnels de l'écrivain dans sa charmante demeure parisienne nichée dans un petit jardin, où Balzac vécut de 1840 à 1847. Expositions temporaires et bibliothèque.

BOURDELLE

(MUSEE ANTOINE)
16 rue A.-Bourdelle (15°) 45 48 67 27
De 10h à 17h40. Fermé lundi et jours fériés. Les oeuvres du sculpteur et peintre Antoine Bourdelle (1861-1929), contemporain de Rodin, présentées dans ses ateliers où il travailla et vécut pendant 45 ans : grandes salles, galeries et jardins. Egalement des expositions temporaires.

CARNAVALET (MUSEE)

23 rue de Sévigné (3°)
42 72 21 13
De 10h à 17h40. Fermé le lundi. Dans un hôtel du XVIe agrandi aux XIXe et XXe siècles, avec une galerie et un jardin à la française annexé depuis peu à l'hôtel Le Peletier de Saint Fargeau. Souvenirs de Mme de Sévigné qui y vécut de 1677 à 1696, importantes collections d'oeuvres et d'objets d'art, documents sur l'histoire de Paris et département "Révolution française" et expositions temporaires.

DELACROIX

(MUSEE EUGENE)
6 rue de Furstenberg (6°) 43 54 04 87
De 9h45 à 12h30 et de 14h à 17h15. Fermé le mardi. Sur l'une des plus jolies places de Paris, les appartements et l'atelier de Eugène Delacroix dans une maison donnant sur un

ART ET CULTURE

Musée Antoine Bourdelle

jardin, dernière demeure de l'artiste où il vécut durant six ans. Peintures, dessins, gravures, lettres et autographes.

ENNERY (MUSEE D')
59 av Foch (16ᵉ)
45 53 57 96
De 14h à 17h jeudi et dim. Annexe du musée Guimet (voir texte), ce musée présente une collection d'arts décoratifs chinois et japonais rassemblée par Mme d'Ennery et présentée dans un cadre Napoléon III. Il reflète l'ambiance dans laquelle vécut et écrivit Philippe d'Ennery (1811-1899), auteur dramatique.

GALLIERA (PALAIS) -
MUSEE DE LA MODE ET DU COSTUME
10 av Pierre-ler-de-Serbie (16ᵉ) 47 20 85 23
De 10h à 17h40 (mer 20h30) fermé le lundi.
Dans un bel hôtel particulier : expositions temporaires et thématiques du XVIIIᵉ siècle à nos jours: mode, costumes civils et accessoires. Le musée propose également un service éducatif et un "atelier des enfants".

GUIMET (MUSEE)
6 pl d'léna (16ᵉ)
47 23 61 65
De 9h45 à 17h15. Fermé le mardi. Créé par Emile Guimet qui voulait en faire un musée des religions. Aujourd'hui consacré aux arts et civilisations de l'Asie orientale et de l'Extrême-Orient anciens. Collections (objets, sculptures...) mondialement célèbres d'art afghan, chinois, khmer et tibétain.

GUSTAVE MOREAU (MUSEE)
14 rue de La Rochefoucault (9ᵉ)
48 74 38 50
De 10h à 12h45 et de 14h à 17h15 (mer 11h à 17h). Fermé le mardi. Dans le quartier de la "Nouvelle Athènes", les ateliers de la maison où Gustave Moreau, artiste de la bourgeoisie parisienne aisée vécut de 1852 à sa mort en 1898. Il la fit agrandir en 1895 et y installa ses grands et superbes ateliers. Peintures, aquarelles, dessins, études et croquis.

HEBERT
(MUSEE ERNEST)
85 rue du Cherche-Midi (6ᵉ) 42 22 23 82
De 12h30 à 17h30. De 14h à 17h30 sam et dim. Fermé le mardi.
Œuvres du peintre de la seconde moitié du XIXᵉ siècle. Nombreux portraits mondains évoquant la carrière de l'artiste qui connut tous les honneurs de son temps : oeuvres réalisées en Italie, sa période mystique et symboliste, paysages et dessins.

ART ET CULTURE

MUSEES DE CHARME

Musée Gustave Moreau

ART ET CULTURE

MUSEES DE CHARME

HENNER

(MUSEE JEAN-JACQUES)

43 av de Villiers (17°)

47 63 42 73

De 10h à 12h et de 14h à 17h. Fermé le lundi. Peintures, dessins, esquisses et souvenirs de Jean-Jacques Henner (1829-1905) présentés dans un hôtel particulier, construit par Félix Escalier pour le portraitiste Dubufe, puis racheté par le peintre alsacien de l'Ecole française, Henner. Il obtient, en 1858, le Grand Prix de Rome.

HOTEL HEIDELBACH

19 av d'Iéna (16°)

47 23 61 65

De 9h45 à 17h15. Fermé le mardi. Billet commun au musée Guimet. Dans un hôtel particulier, exposition permanente des oeuvres de la Galerie du Panthéon Bouddhique de la Chine et du Japon. Rassemblées par Emile Guimet au XIX° au cours de ses voyages au Japon

et enrichies par une section d'oeuvres bouddhiques chinoises de qualité. Pièces majeures de l'art chinois et japonais.

INSTITUT CULTUREL NEERLANDAIS

121 rue de Lille (7°)

47 05 85 99

De 13h à 19h. Fermé le lundi. Installé dans un hôtel du XVIII°, l'institut organise des expositions temporaires, des journées d'étude, des concerts et des projections de films ayant pour propos la culture néerlandaise de toutes époques et de tous les arts : peinture, sculpture, musique, littérature, architecture... Bibliothèque.

LE CORBUSIER

(FONDATION)

10 sq du Dr-Blanche (16°) 42 88 41 53

De 10h à 12h30 et de 13h30 à 18h (ven 17h). Fermé sam, dim et jours fériés. Les travaux

de l'architecte Le Corbusier (dessins, études, plans, peintures, carnets de notes, tapisseries, sculptures, mobilier...) dans la villa qu'il a construite en 1923 à côté de la villa Jeanneret de la même époque, non ouverte au public mais faisant également partie de la Fondation.

MARMOTTAN

(MUSEE)

2 rue L.-Boilly (16°)

42 24 07 02

De 10h à 17h. Fermé le lundi. Très bel hôtel particulier enfoui dans la verdure, près du jardin du Ranelagh. Collections d'oeuvres de maîtres impressionnistes français notamment Claude Monet. Egalement, collection de primitifs de J. Marmottan, celle de P. Marmottan passionné par l'époque napoléonienne, tableaux impressionnistes légués

ART ET CULTURE

par Mme Donop de Monchy, oeuvres de Claude Monet et de ses contemporains.

NISSIM DE CAMONDO (MUSEE)

63 rue de Monceau (8°)
45 63 26 32
De 10h à 12h et de 14h à 17h. Fermé lundi et mardi. Superbe hôtel particulier de Sergent construit au début du siècle et donnant sur un jardin bordé par le parc Monceau. Restauré avec rigueur, ce musée est un véritable témoignage de la famille de Camondo et de l'art de vivre au XVIIIᵉ. Collections d'arts décoratifs : meubles, tableaux, tapisseries, porcelaine, argenterie... mis en situation.

RENAN SCHEFFER

(MUSEE DE LA VIE ROMANTIQUE)
16 rue Chaptal (9°)
48 74 95 38
De 10h à 17h30. Fermé lundi et jours fériés. Au coeur du quartier de la "Nouvelle Athènes" où

vécurent un grand nombre d'artistes formant l'élite du mouvement romantique parisien, ce petit musée occupe l'ancienne demeure du peintre Ary Scheffer. Il y organisait ses salons entre Ingres, Delacroix, Chopin, Lamartine et Georges Sand. Documents se rapportant à la vie et à l'oeuvre de G. Sand.

RODIN (MUSEE)

77 de Varenne (7°)
47 05 01 34
De 10h à 17h (18h d'avril à sept). Fermé le lundi. Splendide hôtel particulier des ducs de Biron (XVIIIᵉ), situé dans un parc. Il abrite les oeuvres de Rodin et ses collections personnelles. Dans le jardin, le *Penseur* et *La Porte de l'Enfer.* Buvette dans le parc pour déjeuner sous une tonnelle (cuisine et décor intérieur hélas sans charme)

VICTOR HUGO

(MAISON DE)

6 pl des Vosges (4°)
42 72 10 16
De 10h à 17h40. Fermé le lundi. Dans l'ancien hôtel de Rohan-Guéménée où Victor Hugo vécut de 1832 à 1848, reconstitution de certaines pièces des différentes demeures qu'occupa l'écrivain et dont il créa le décor. Egalement, une collection de plus de 400 dessins.

ZADKINE (MUSEE)

100 bis rue d'Assas (6°)
43 26 91 90
De 10h à 17h35. Fermé le lundi. Les oeuvres du sculpteur Ossif Zadkine (1890-1967) présentées dans son ancien atelier plein de charme niché au fond d'une allée.

GALERIES D'ART XXᵉ SIECLE

1900-2000 (GALERIE)
8 rue Bonaparte (6°)
43 25 84 20.
9 rue Penthièvre (8°)
47 42 93 06

ART ET CULTURE

GALERIES D'ART

Pop art, hyperréalisme, Matta et Man Ray, Adami, etc. Editions de catalogues.

ANNE DE VILLEPOIX

11 rue des Tournelles (3°) 42 78 32 24
Art contemporain plus orienté sur une relecture de travail conceptuel. Beaucoup de photos, des performances, un côté "découverte". Pour les plus connus, Vito Acconci, Peter Downsbrough, Ettore Spaletti. Puis, Thomas Locher, Tröckel, et pour les plus jeunes Sylvia Bossu, Martine Diemer et Yan-Pei Ming.

ARIEL

140 bd Haussmann (8°) 45 62 13 09
Peinture des années 50 défendue avec le groupe Cobra. Peintures et sculptures : Reinhoud, Subira Puig, Dubuffet, Hartung, Messager...

ARTCURIAL

9 av Matignon (8°) 42 99 16 16

Art contemporain (Bacon, Hockney, Warhol...) et expositions autour de Chirico, Man Ray, Sonia Delaunay ... ou autour des mouvements de XX° siècle. Sculptures en terrasse.

BAUDOUIN LEBON

38 rue Ste-Croix-de-la-Bretonnerie (4°) 42 72 09 10
Expositions d'artistes, installations sculptures (Pagès, Simonds); éditions (Ben, Meurice...). Aussi des oeuvres de Dubuffet, Malaval et Michaux et photos du XX° siècle (Mapplethorpe, Warhol...).

BERGGRUEN

70 rue de l'Université (7°) 42 22 02 12
Le XX° siècle en gravures, dessins et peintures (Beringer, Hartmann...). Expositions d'oeuvres sur papier par les grands de ce siècle,

suivies d'éditions de catalogues très pointus.

BERNARD VIDAL SAINT - PHALLE

10 rue du Trésor (4°) 42 76 06 05
C'est une galerie trop peu connue. Le propriétaire travaille très courageusement pour la défense des artistes aussi intéressants que Amenoff, Pizzi-Cannella, Max Neumann, William Mackendree et Luis Lemos.

CARRE ET Cie

(GALERIE LOUIS)
10 av de Messine (8°) 45 62 57 07
Quatre expositions par an suivies d'un catalogue. Et toujours: Delaunay, Dufy, Hartung, Soulages, Villon, etc.

CHANTAL CROUSEL-ROBELIN/BAMA

40 rue Quincampoix (4°) 42 77 38 87
Art contemporain avec

A. Messager, Sophie Calle, Cragg, Absalon, Gunterforg, Oldenburg, Buthe, R. Filliou, Kessler, Gerz, Schutte...

CLAIRE BURRUS

16 rue de Lappe (11°)
43 55 36 90
Artistes post-conceptuels : Cécile Bart, Paul Graham, "les Ready-Made appartiennent à tout le monde", Daniel Walravens, etc.

CLAUDE BERNARD

(GALERIE)
5 rue des Beaux-Arts (6°) 43 26 97 07
Art contemporain avec Balthus, César, Hockney, Szafran, Tàpies.

CLAUDINE PAPILLON

(GALERIE)
59 rue de Turenne (3°)
40 29 98 80
Avant-garde de style classique à tendance marginale : Alberola, Craig-Martin, Hains, Polke, Françoise Vergier, etc.

CLIVAGES

5 rue Ste-Anastase (3°)
42 72 40 02
46 rue de l'Université (7°) 42 96 69 57
Art contemporain : Tal-Coat, Ràfols-Casamada, Dilasser, Lemeaux, Janos-Ber, Arcady... Une édition (Ed. Clivages) de poésie, littérature contemporaine...

CREMNITER-LAFFANOUR

(DOWN-TOWN)
33 rue de Seine (6°)
46 33 82 41
Art contemporain. Peintures, sculptures et mobilier : Aldo Mondino, Matta, Pucci di Rossi, Yujiro Otsuky, Carmelo Arden Quin. Pour les amateurs d'art des années 40 à 70.

DI MEO

5 et 9 rue des Beaux-Arts (6°) 43 54 10 98
Art contemporain avec en permanence Dubuffet, Fautrier,

Lam, Léger, Mathieu, Matta, Poliakoff, Soulages, Vasarely...

DURAND-DESSERT

28 rue de Lappe (11°)
48 06 92 23
Un nouvel espace impressionnant (2 000m²) pour une galerie d'avant-garde à l'échelle européenne (Beuys, Cadere, Garouste, Penone, Richter, Tosani...).

FARIDEH CADOT

77 rue des Archives (3°)
42 78 08 36
Promotion et découverte de jeunes talents : peinture, sculpture, photo (Castelli, Fisher, Rousse...).

FRANKA BERNDT-BASTILLE

4 rue St-Sabin (11°)
43 55 31 93
Art moderne à tendance classique avec Cavael, Desserprit, Freundlich, Kupka, Nouveau, etc.

ART ET CULTURE

GALERIES D'ART

Art contemporain avec Bert, Claisse, Feurer, Knoblauch... Sculptures et tapisseries.

FROMENT ET PUTMAN

33 rue Charlot (3°)
42 76 03 50
Art contemporain.
Jeunes artistes et artistes reconnus : James Turrell, Jones Mac Cracken, Anne-Marie Jugnet, Fabrice Hybert.

GALERIE DE FRANCE

52 rue de la Verrerie
(4°) 42 74 38 00
La grande tradition (Brancusi, Gabo...) et l'avant-garde réunies (Arroyo, Matta, Soulages, Tinguely, Leroy). Editions de catalogues.

GALERIE DE PARIS

6 rue du Pont-de-Lodi
(6°) 43 26 55 50
Art contemporain ; du raisonnable au total kitsch: Art Language, Baquié, Hains, Présence Panchounette...

GALERIE DU GENIE

11 rue Keller (11°)
48 06 00 23
Ici, c'est "l'absolu contemporain". Les nouvelles technologies avec tous médias et tous supports: vidéo, lumières, laser scan, sculpture, peinture... Et des artistes comme Steeve Miller, J.-P. Kerbrat, Aulaglier, Anne de Guelle, B.Gerboud.

GHISLAIN MOLLET-VIEVILLE

26 rue Beaubourg (3°)
42 78 72 31
Il a été un des premiers à s'installer près du Carré Pompidou. Depuis, sa ligne de conduite n'a pas varié. C'est le temple de l'art conceptuel et du minimal art. Un must à visiter : on dit qu'il va bientôt déménager et avec lui ses Carl André, ses Buren, ses On Karawa, ses Sol Lewitt.

GHISLAINE HUSSENOT

5bis rue des Haudriettes
(3°) 48 87 60 81
Art contemporain de Artschwager à Webb.

GILBERT BROWNSTONE

9, 15 et 17 rue St-Gilles
(3°) 42 74 04 00
Au n° 9, l'abstrait monochrome (Klein et les autres) ; au 15, Beuys, Arp, Fautrier... Et au n° 17, la collection Brownstone.

GILLES PEYROULET

18 rue Keller (11°)
48 07 04 41
Art contemporain et moderne: Sol Lewitt, Raysse... et des jeunes artistes contemporains et conceptuels (français et étrangers): Bosselet, Luy, Etienne Bossut...

GUTHARC BALLIN

47 rue de Lappe (11°)
47 00 32 10
Une jeune galerie pour deux associés qui présente l'art contemporain: Guiseppe

ART ET CULTURE

GALERIES D'ART

Durand-Dessert

ART ET CULTURE

GALERIES D'ART

Gallo, Quesniaux, Dufour, Klemensiewcz...

J G M (GALERIE)
8 bis rue J.-Callot (6°)
43 26 12 05
Sculpture moderne et contemporaine: de Arp à Tinguely en passant par César, Claudel, Morris, Rodin.

JACQUELINE MOUSSION
110 et 123 rue Vieille-du-Temple (4°)
42 71 42 81
Art contemporain :
Hervé Télémaque, Gilles Touyard, Mrdam Bajic, Nicolas Herubel...

JEAN FOURNIER
(GALERIE)
44 rue Quincampoix
(4°) 42 77 32 31
Un grand marchand de Sam Francis à Piffaretti, de Hantaï à Buraglio, de Joan Mitchell à Viallat et une belle librairie d'art.

JEANNE-BUCHER
53 rue de Seine (6°)
43 26 22 32

Art moderne: de Aguayo à Vieira da Silva en passant par Bissière, Dubuffet, Moser, Nicolas de Staël...

JOUSSE SEGUIN
32 rue de Charonne (11°) 47 00 32 35
Artistes contemporains dans cette galerie où on peut voir des oeuvres de Adami, Blais, Boisrond, Chambas, Combas, Erro, Fromanger...

KARSTEN GREVE
5 rue Debelleyme (3°)
42 77 19 37
Pas de mouvement continu mais du classique pour des expositions allant de Louise Bourgeois à Twombly en passant par Fontana, Manzoni, Marden, et tant d'autres. Editions de catalogues.

LA HUNE
14 rue de l'Abbaye (6°) 43 25 54 06
Lithos et gravures contemporaines : Alechinsky, Sonia

Delaunay, Favier, Fassianos, Michaux...

LAAGE-SALOMON
57 rue du Temple (4°)
42 78 11 71
Peinture allemande, des grands noms bien sûr : Merz, Hütte, Bazelitz... Aussi, la jeune peinture et sculpture française : les frères Di Rosa, Eugène Leroy, Nathalie Talec...

LELONG (GALERIE)
13 et 14 rue de Téhéran (8°) 45 63 13 19
Artistes contemporains, sculptures et peintures avec Adami, Alechinsky, Miró, Jan Voss, James Brown, Bacon...

LUCIEN DURAND
(GALERIE)
19 rue Mazarine (6°)
43 26 25 35
Découvreurs de talents les Durand présentent dans leur galerie la peinture "non-figurative" (Braconnier, Haesslé, Nadaud, Tarragon...).

MAEGHT (GALERIE)
42 rue du Bac (7°)
45 48 45 15
et *12 rue St-Merri (4°)*
42 78 43 44
Rue du Bac, c'est l'art moderne avec Adami, Braque, Chagall, Léger, Matisse, Bram Van Velde... Rue Saint-Merri, c'est l'art contemporain avec Tàpies, Delprat, Kuroda... et un espace destiné aux gravures.

MARWAN HOSS
12 rue d'Alger (1°)
42 96 37 96
De Brown à Torrès-García en passant par Calder, Dubuffet, Ernst, Gargallo, Giacometti, Hartung, Lam, Léger, Matisse, Miró, Picasso, Soulages et Tàpies pour ne citer que quelques grands de l'art moderne.

MATHIAS FELS
138 bd Haussmann (8°)
45 62 21 34
Galerie contemporaine. Surtout pour les années 60 et les nouveaux réalistes avec Beuys,

César, Deschamps, Villeglé, Warhol...

MONTENAY (GALERIE)
31 rue Mazarine (6°)
43 54 85 30
Art contemporain (peintures, sculptures et installations) avec Georges Autard, Eric Dalbis, Denis Laget, etc.

PRAZ DELAVALLADE
10 rue St-Sabin (11°)
43 38 52 60
Des artistes d'aujourd'hui : Christian Lapie, Françoise Quardon, Alain Balzac, Mario Reis... Installations, peintures, sculptures.

PRAZAN-FITOUSSI
25 rue Guénégaud (6°)
46 34 77 61
Galerie d'art moderne. En permanence : Adami, Degottex, Dubuffet, Fautrier, Hartung, Mathieu, Poliakoff, Soulages... En exclusivité: Kanno, Lutz, Sandorfi.

SAMIA SAOUMA
(GALERIE)
16 rue des Coutures-St-

Gervais (3°)
42 78 40 44
Œuvres contemporaines de jeunes artistes "tout azimut" de par leurs origines et leurs techniques: Bustamante, Cohen, Dunning, Pierre et Gilles, etc.

TEMPLON
(GALERIE DANIEL)
4 av Marceau (8°)
47 20 15 02
Art contemporain américain (Haring, Warhol...) et trans-avant garde italienne (Chia, Cucchi...) et aussi Alberola, Ben, Buren, Jean le Gac... pour la France.

THADDAEUS ROPPAC
7 rue Debelleyme (3°)
42 72 99 00
Art contemporain avec Basquiat, Beuys, Brown, Koons, Paladino, Warhol...

THIERRY SALVADOR
28 av Matignon (8°)
42 66 67 93
De Adami, Alechinsky à Vieira da Silva en passant par César,

ART ET CULTURE

Mathieu et Millares pour cette galerie d'art moderne regroupant plusieurs grands noms du XXe siècle.

YVON LAMBERT

(GALERIE)
108 rue Vieille-du-Temple (3°)
42 71 09 33
Années 60 (Lewitt, Paolini...) et 80 (Blais, Combas, Schnabel...).

AUTRES EPOQUES

CHEREAU (GALERIE)

40 rue de l'Université (6°) 42 96 40 58
Une galerie qui expose la grande peinture officielle et académique des XVIIe, XVIIIe et XIXe siècles en France et en Italie. Peintures et sculptures pour amateurs éclairés, sensibles à un certain niveau de qualité. Ici, on vous dira: "Le grand Art sort des écoles".

FISCHER-KIENER

46 rue de Verneuil (7°)
42 61 17 82

Ils sont associés depuis... bien longtemps. Les amateurs du monde entier, particuliers ou musées connaissent cette adresse. Tableaux, dessins, sculptures. Il y en a pour tous les goûts et tous les prix (assez cher en général). Tout ici est choisi avec discernement: à vous de jouer.

CAILLEUX (GALERIE)

136 rue du Fg-St-Honoré (8°) 43 59 25 24
Dessins XVIIIe. Depuis 1912, la galerie Cailleux expose des dessins et des peintures du XVIIIe siècle français (et aussi italien). Des expositions à thèmes suivies de catalogues très appéciés du milieu de l'art. En permanence, Hubert Robert, Fragonard, etc. Tentures rouges et vertes, beaux parquets d'époque et meubles XVIIIe signent la décoration de ce lieu de grand charme.

DANIEL GREINER

(GALERIE)
14 galerie Véro-Dodat (1°) 42 33 43 30
De 14h30 à 18h30.
Fermé dim et lundi. Une petite boutique balzacienne. Tout invite à la découverte. On y trouvera dessins et tableaux de charme, principalement du XIXe siècle. Egalement des expositions temporaires (trois par an) sur un thème ou un artiste.

DE BAYSER (GALERIE)

69 rue Ste-Anne (2°)
47 03 49 87
Dans ce bel hôtel du XVIIIe siècle, M. de Bayser présente de très beaux dessins qui réjouiront l'amateur. Il est un de ceux qui ont redonné, grâce à leur travail, ses lettres de noblesse à l'oeuvre graphique de la Renaissance à la fin du XIXe siècle. Oubliez la solennité des lieux et plongez dans les cartons.

GALERIE DE STAEL

6 rue Royale (1°)

49 27 97 33

Quatre associés pour une remarquable galerie située au fond d'une cour paisible. Peinture italienne et espagnole, dessins français du XVIIe, peinture XIXe et XXe siècles, néoclassique et Restauration. Beaucoup d'oeuvres sur papier, des vues de Paris de Georges Leroux. Et aussi, des expositions temporaires d'artistes contemporains comme Jean-Claude Courtat et Alec Cobbe. Parfois, des meubles XIXe néogothiques ou début de siècle.

HUGUETTE BERES

25 quai Voltaire (7°)

42 61 27 91

A droite en entrant les estampes japonaises. A gauche, les pastels français du XIXe. Entre Hiroshige et Bonnard, notre coeur balance. Une mention spéciale

pour le bon goût des encadrements).

JANETTE OSTIER

26 pl des Vosges (4°)

48 87 28 57

Pour les amateurs d'antiquités du Japon, la visite s'impose. Dans son appartement place des Vosges et sur rendez-vous, Janette Ostier vous invitera à découvrir tout l'art japonais jusqu'au XVIIIe siècle : un nombre considérable d'estampes, de dessins, de peintures... Mais aussi des paravents peints, masques, boîtes en laque...

PATRICK PERRIN

178 rue du Fg-St-Honoré (8°) 40 76 07 76

L'Ecole Française de 1600 à 1910 avec des dessins et du mobilier (surtout Louis XVI et acajou).

P H O T O S

AGATHE GAILLARD

(GALERIE)

3 rue du Pont-Louis-

Philippe (4°)

42 77 38 24

Parcourant tout le XXe siècle en photographie: expositions de photographes comme Boubat, Bill Brandt, Gibson... et des plus jeunes.

MICHELE CHOMETTE

24 rue Beaubourg (3°)

42 78 05 62

Des débuts de la photographie à nos jours (de Baldus à Bonnemaison ou Plossu).

OCTANT (GALERIE ALAIN PAVIOT)

5 rue du Marché-St-Honoré (1°)

42 60 68 08

Alain Paviot présente dans sa galerie, depuis 1977, la photographie classique de 1840 à 1940. Il s'attache moins à des photographes qu'aux différents aspects historiques de la photo et se dit "marchand d'images".

PROMENADES

AUTOUR DE LA BASTILLE

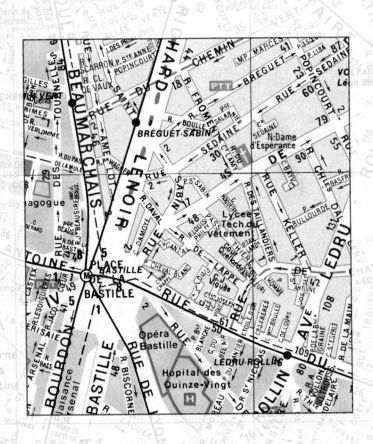

Idée de promenade pour un samedi après-midi dans ce quartier historiquement populaire, cerné par le boulevard Richard-Lenoir, le boulevard Voltaire et la rue du Faubourg-Saint-Antoine. Devenu à la mode depuis quelques années, ce quartier en pleine mutation est amusant par la superposition des populations. Aux artisans de toujours, se mêlent les nouveaux venus : jeunes cadres, artistes et gens de la mode, galeristes transformant les ateliers en loft. De nombreux bars du soir attirent, jusque tard dans la nuit, une foule mélangée de noctambules. Le samedi, dans la journée, le quartier est plus calme et devient un lieu idéal de promenades pour découvrir tout au long des petites rues (rue de Lappe, de Charonne, de la Roquette...), les impasses et les passages (de plus en plus privés) au charme désuet et provincial et les nombreuses galeries d'art avant-gardistes qui s'y sont ouvertes.

Le long des rues : shopping et galeries

RUE SAINT-SABIN

N°4: **Galerie Franka Berndt.** Art moderne (Cavael, Desserprit...) et art contemporain (Bert, Claisse, Feurer...). N°4bis: **En d'autres thermes.** Un espace dépouillé consacré au style 1930 mélangé à du contemporain. Pour les objets: jolis verres, accessoires de salles de bains. N°1O: **Galerie Praz Delavallade.** Art contemporain: installations, peinture, sculpture. N°12:

PROMENADES

AUTOUR DE LA BASTILLE

A la Petite Fabrique. Petite boutique pour les mordus du chocolat (fabrication artisanale) en tablette ou en bouchées. **N°16-18 : Papeterie Saint Sabin**. Deux magasins l'un pour la papeterie de bureau (petits carnets et beaux papiers) et l'autre pour les accessoires, les gadgets et aussi tous les agendas Filofax.

RUE DE LAPPE

N°16: Galerie Claire Burrus. Art contemporain post-conceptuel. **N°28: Galerie Durand-Dessert**. Avant-garde à l'échelle européenne. **N°41: La Galoche d'Aurillac**. Un des derniers auvergnats de la Bastille, ambiance authentique garantie pour acheter les produits du terroir et les fameuses galoches. Egalement restaurant. **N°47: Galerie Gutharc Ballin**. Art contemporain (Gallo, Quesniaux, Klemensiewcz...).

RUE DE CHARONNE

N° 13: Axis. Des cadeaux design ou rigolos pour cette deuxième boutique Axis plus adaptée au quartier Bastille dans le choix et dans les prix que celle de la rue Guénégaud. **N° 25: Dolce Vita**. Meubles et objets des années 30, 40 et 50 notamment du mobilier d'architecte. Choix de très bonne qualité à des prix raisonnables. **N°27: Lavignes-Bastille**. Art abstrait, conceptuel, figuratif et minimaliste (Bedri Baykam, Flechemuller, Somerville, Pelizzari...) . **N°32: Galerie Jousse Seguin**. Art contemporain (Adami, Blais, Hains, Puigmarti, Hervé di Rosa...) et meubles de Mouille, Prouvé, Perriand.... **N° 32: Verreglass**. Minuscule boutique amusante pour une sélection de jolis verres à boire, et d'objets en verre des années 50 en particulier. **N°37: Galerie Leif Stahle** (cour Delépine). Au fond de la cour,

PROMENADES

la galerie du suédois Leif Stahle qui présente des œuvres d'artistes contemporains comme Olivier Debré, Damien Cabanes, etc., et des artistes abstraits gestuels. **N°39: Galerie Clara Scremini.** Une galerie d'art contemporain spécialisée dans la sculpture et plus particulièrement sur un matériau privilégié: le verre. Surtout des artistes étrangers, les meilleurs, et pour la France, Pascal Mourgue, Matei Negreanu, Dana Zamecnikova.

RUE KELLER

N°11: Galerie du Génie. Art "absolument contemporain" et nouvelles technologies. **N°18: Galerie Gilles Gilles Peyroulet.** Art moderne et contemporain (minimalistes et conceptuels).

RUE DE LA ROQUETTE

N°22: Margot. Boutique de mode pour femmes: pantalons, tailleurs classiques un peu branchés. **N° 72-74 : Au Comptoir du désert.** Deux boutiques l'une en face de l'autre: pour l'homme, les chaussures, et pour la femme. Vêtements sportswear et accessoires style safari explorateur.

Les pauses cafés

ROTONDE (LA)

Coin rue Daval et rue de la Roquette. Très apprécié par les nouveaux habitants du quartier pour sa terrasse. Pour prendre un café au soleil avant de faire le tour des galeries. A oublier lorsque le temps ne s'y prête pas.

Le Passage

A l'heure du déjeuner et du thé

BLUE ELÉPHANT

43 rue de la Roquette. De 12h à 14h. Fermé le sam midi. Carte env 300 F, menu env 150F. Une des dernières adresses de la Bastille devenue à la mode. Rien d'authentique, faux décor exotique mais cuisine thaïlandaise délicieuse. Un peu cher pour le déjeuner.

CAFÉ DE L'INDUSTRIE (LE)

16 rue St-Sabin. De 12h à 24h. Fermé le sam. Env 60F. Sans aucun doute le plus agréable et original café de

PROMENADES

Paris. Chaleureux décor tendance colonial: plantes vertes, photos d'Afrique, peaux de reptiles, tapis, ventilateurs, jolie lumière. On s'y donne rendez-vous, on déjeune d'une salade ou d'une assiette de fromage. Clientèle très Bastille, jeune et sympathique.

CAFÉ MODERNE (LE)

19 rue Keller. De 12h à 14h. Fermé sam et dim. Env 150F. Derrière une petite façade discrète se cache une grande salle avec un long bar, et au fond une autre sous une verrière avec un grand billard. Cet ancien café de la Bastille est devenu un restaurant: cuisine simple et bonne, clientèle du quartier et galeristes.

PALETTE-BASTILLE (LA)

116 av Ledru-Rollin. De 7 h à 2h. Tous les jours. Env. 100 F]. Pas en terrasse à cause du bruit de la circulation mais à l'intérieur: pour son décor "nouille" authentique et sa clientèle sympathique.

PASSAGE (LE)

18 pass de la Bonne-Graine. De 12h à 15 h. Fermé sam midi et dim. Env 110F. Un peu à l'écart de la foule de la Bastille, un petit bar à vins chaleureux fréquenté par une clientèle d'habitués. Plats traditionnels élaborés, service agréable et efficace, une des bonnes adresses du quartier.

PAUL (CHEZ)

13 rue de Charonne. De 12h30 à 14h. Fermé le dim. Env. 150F. Bistrot traditionnel pour amateurs de solides plats de nos provinces. Depuis son changement de propriétaire devenu mode et toujours bondé.

PAUSE CAFÉ

41 rue de Charonne. De 10h à 21h. Fermé le lundi. Env 100F. Un des lieux les plus appréciés par la clientèle du quartier. Aussi agréable à l'intérieur dans un décor d'inspiration années 50. Bonnes assiettes composées, et salades fraîches.

RESTAURANT DES VOYAGEURS

1 rue Keller. De 12h à 14h30. Fermé le dim. Env 150F. Ce restaurant vit au rythme de ses expositions temporaires. L'endroit est plutôt calme (tables espacées). C'est encore un lieu de rendez-vous des galeristes alentour et des jeunes du quartier.

Terrasses

PAUL (CHEZ)

13 rue de Charonne. De 12h30 à 14h. Fermé le dim. Env 150F. Quelques tables sur le trottoir, un peu à l'écart de la foule de la rue de Lappe.

PAUSE-CAFÉ

41 rue de Charonne. De 10h à 21h. Fermé le lundi. Env 100F. La seule terrasse de charme du quartier. Clientèle sympathique et soleil assuré (l'été) à l'heure du déjeuner.

Et aussi:

Descendre par le boulevard de la Bastille sur les berges du bassin de l'Arsenal pour découvrir le port de plaisance et les jardins en terrasse (un peu béton) nouvellement aménagés. Quand même agréable l'été, en fin d'après-midi pour boire un verre à la terrasse du bar au demeurant sans charme particulier.

PROMENADES

DANS LE MARAIS

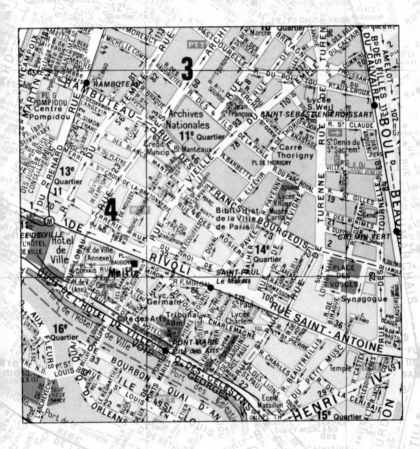

PROMENADES

Coeur historique de Paris, le Marais comprend les 3° et
4° arrondissements et s'étale de la Seine à la République
et de la rue Beaubourg à la Bastille. Il est habité par
différentes populations très variées qui s'y sont
rassemblées. Ainsi cohabitent le quartier juif autour de
la rue des Rosiers sur lequel se superpose le nouveau
secteur des boutiques de mode qui s'étale jusqu'à la
place des Vosges ; le coin de la rue du Temple avec ses
nombreux asiatiques, grossistes en maroquinerie ; le
quartier "gay" autour de la rue Sainte Croix-de-la-
Bretonnerie et de la rue Vieille-du-Temple ; et enfin les
nombreuses galeries d'art qui se déplacent de plus en
plus vers le 3° arrondissement pour s'installer autour du
musée Picasso. Ce quartier, en pleine mutation est sans
doute l'un des plus vivants, des plus riches et des plus
fréquentés de Paris. Il faut pousser les portes cochères
pour admirer les plus beaux exemples de l'architecture
classique, illustrée par de très nombreux hôtels
particuliers des XVII° et XVIII° siècles. Beaucoup d'entre
eux sont désormais restaurés et transformés en musées.
Touristique et contrasté, le Marais est devenu un lieu de
promenade très fréquenté notamment autour de la rue
Vieille-du-Temple et de la rue des Rosiers où de
nombreuses boutiques restent ouvertes le dimanche.

Le long des rues : shopping et galeries

RUE SAINT-MARTIN

N°120: **Centre Georges Pompidou** *(de 12h -week-
end 10h- à 22h. Fermé le mardi).* **Musée national**

255

PROMENADES

DANS LE MARAIS

d'art moderne de 1905 à nos jours, art français et étranger.

RUE DU RENARD

N°25: Galerie Néotu. Galerie éditrice de meubles et d'objets du design d'avant-garde, représenté par Martin Szekely, Borek Sipek, Jasper Morisson...

RUE BEAUBOURG

N°24: Galerie Michèle Chomette. Des débuts de la photographie à nos jours. **N°26: Galerie Ghislain Mollet-Vieville.** Art conceptuel et minimal art: Carl André, Buren, On Karawa, Sol Lewitt.

RUE DU TEMPLE

N°57: Galerie Laage-Salomon. Peinture allemande; jeune peinture et sculpture française.

RUE SAINTE-CROIX-DE-LA-BRETONNERIE

N°21: Chipie. Le plus réussi des magasins Chipie, tout en bois avec des comptoirs. Une sélection des basiques de la mode Chipie avec les jean's, les chemises à carreaux, les doudounes, la lingerie. Et aussi, des tissus vendus au mètre (chambray et denim), des objets de brocante pour la maison, des boîtes anciennes publicitaires... **N°38: Galerie Baudouin Lebon.** Arts moderne et contemporain: sculpture, peinture et photo (XIXᵉ et XXᵉ siècles).

RUE DE LA VERRERIE

N°18: Azzedine Alaïa. Le temple du créateur. **N°52: Galerie de France.** La grande tradition et l'avant-garde réunies. **N°63: Lescène-Dura.** Cadre 1875 pour du matériel de bistrot: verres, tasses, sucriers...

PROMENADES

RUE DU BOURG-TIBOURG

N°16: Marie Lalet. Pour les amateurs des chaussures Dr Martens, de nombreux modèles dans toutes les tailles enfants et adultes. **N°16: Oldies but goodies**. Disques anciens de collection des années 50 à 70: blues, rythm and blues, jazz, variétés... **N°27: Miller et Berteaux**. Une boutique-galerie pour des objets et des petits meubles curieux et hétéroclites, souvent peu nombreux, à tendance ethnique, dans des matières brutes ou naturelles (ficelle, rafia, métal galvanisé...). Anecdotique mais amusant. **N° 30-32: Mariages Frères**. Un décor de style colonial pour une maison qui se voue au culte du thé: vendu en vrac et au poids. Et aussi un grand choix de services à thé et de théières. **N°35: Robin des Bois**. L'autre boutique de l'association-écolo (rue F.-Duval) pour apprendre à sauvegarder l'environnement: papier recyclé, etc.

RUE DES BLANCS-MANTEAUX

N° 3: Croissant. Des vêtements pour les enfants, jolis, simples, confortables et bien finis dans de belles matières, comme ceux que l'on aimerait savoir faire. **N°23: Le Sud du Sud**. Espace chaleureux: objets de décoration artisanaux venus des quatre coins du Sud du monde. **N° 32: Galerie de l'objet insolite**. Petite galerie éditrice d'objets de designers contemporains (vases, miroirs, poignées de porte...) comme Pucci di Rossi, Garouste et Bonetti...

RUE VIEILLE-DU-TEMPLE

N°22: A la Ville de Rodez. Authentique cadre et excellents produits d'Auvergne (fromage, jambon, saucisson et charcuterie). **N°26: A la Bonne Renommée.** Coussins, plaids, sacs, chapeaux, pochettes et vêtements en tissus appliqués style patchwork: assemblages de matières (tissus, passementeries, rubans...) et de tons. **N°29: Tout au beurre.** Pour les gourmands, une halte dans cette pâtisserie sans décor mais aux gâteaux inégalés: au chocolat, tartes normandes, tartes à la banane... **N°45: L'Apache.** Fripes pour hommes et femmes des années 20 et 30 populaires. **N°46: Mélo.** Une spécialiste des ikats contemporains du Guatemala et aussi, des vanneries de Madagascar (chapeaux, paniers...) et des bijoux. **N°53: Au Comptoir du désert.** Vêtements sportswear déclinés du style explorateur-safari pour citadins. **N°83: Paul Maurin.** Quand on a la chance de le voir ouvert, ce magasin d'antiquaire qui ne paie pas de mine offre pourtant une vraie sélection d'objets et de meubles rares dans l'esprit des grands amateurs. Vienne fin de siècle, Glasgow... peuvent voisiner avec des boiseries du XVIIIe siècle. A des prix raisonnables. **N°108: Galerie Yvon Lambert.** Années 60 et 80. **N°110 et 123: Galerie Jacqueline Moussion.** Art contemporain.

RUE DU TRÉSOR

N°10: Galerie Bernard Vidal Saint-Phalle. Galerie encore peu connue avec des artistes comme Amenoff, Pizzi-Cannella, Luis Lemos...

RUE DU PONT-LOUIS-PHILIPPE

La rue des papeteries de charme à Paris. Chacune a son style: **Calligrane** (N°4 et 6) plutôt contemporain, **Papier +** (N°9) pour les beaux papiers dans tous ses coloris et formats et les petits carnets cartonnés et **Mélodies Graphiques**

(N°10) pour les papiers reliures italiens. **N°3: Agathe Gaillard**. Photographie à travers le XXe siècle. **N°11 : Kimonoya**. Charmante petite boutique de cadeaux japonais: kimonos simples ou précieux, pinceaux de maquillage, et objets raffinés. **N° 24: Sentou Galerie**. Boutique spécialisée dans les claustras modulables et aussi les éditions des chaises de Charlotte Perrian, de l'escalier de Roger Tallon et la diffusion des lampes de Isamu Nogushi.

RUE FRANÇOIS-MIRON

N°11: Kazé. Ikats traditionnels et cadeaux japonais. **N°30 : Izraël**. Le tour du monde des épices dans une boutique qui ressemble à un souk: olives, curry, fruits exotiques... et plats à tajines. **N°34: Maintenant l'Irlande**. Artisanat irlandais et notamment de très beaux plaids en laine.

RUE DU ROI-DE-SICILE

N°29: Comme à la campagne. Du charme avant tout dans le décor, l'accueil et le choix des fleurs simples et champêtres. **N°46: Jules des Prés**. La première boutique de la créatrice de compositions sculpturales de fleurs et végétaux séchés.

RUE DES ECOUFFES

N°14: Série Rare *(ouvert uniquement l'après-midi)*. Un nouvel espace-galerie qui présente des œuvres de jeunes contemporains: Fabrice Gueneau et ses cadres, bijoux, son art de la table...

RUE FERDINAND-DUVAL

N°1bis: Cocody. Textiles et objets artisanaux d'Afrique. Joli et sympathique. **N°2: Regent Belt Compagny**. Des accessoires et des cadeaux de

PROMENADES

DANS LE MARAIS

style anglais: ceintures, bagages, flasques de whisky... **N°6: Déjeuner sur l'herbe.** Pour sa jolie vaisselle de campagne, fleurie ou fruitée, faite et peinte à la main par une créatrice anglaise. **N°7: Sconi over Seas.** Tissus sud-américains colorés et tissés à porter en châle ou en écharpe. **N°15: Robin des Bois.** Des cadeaux écolos (papier recyclé du "Réveil qui sonne" et les autres, huile de jojoba pour épargner les baleines et ivoire végétale pour les éléphants...) pour cette association de protection de l'environnement, de l'homme et des animaux.

RUE DES ROSIERS

N°3ter: L'Eclaireur. Décor de verre et de bois doté d'une verrière, pour cet espace consacré aux créateurs contemporains de la mode mais aussi du design. Vêtements d'Azzedine Alaïa et objets de Dubreuil... **N°4: Chevignon Trading Post.** Dans l'ancien hammam, un mégastore sur plusieurs niveaux consacré au style Chevignon: vêtements et objets pour la maison style country ou Santa Fé et un coin-bar où l'on peut grignoter entre deux courses, des sandwichs américains. **N°6: Olivier Chanan.** Des chapeaux travaillés à la main par un jeune modiste pour toutes les têtes de femmes élégantes, en toute circonstance. **N° 27: Sacha Finkelsztajn.** Une des adresses les plus typiques du Marais pour déguster une part de cheese-cake ou de apfel strudel. Toute la gastronomie d'Europe centrale et de Russie. Et aussi, même maison au n° 24 de la rue des Ecouffes avec une jolie facade en mosaïque bleue.

PROMENADES

RUE MALHER

N°20: **Paule Ka.** Mode pour femmes, inspirée du style des années 50, version Jackie Kennedy.

RUE PAVÉE

N°17bis: **Le Loft.** Grand espace sur plusieurs étages pour dénicher la commode anglaise ou scandinave en bois blond. Egalement des étagères, des comptoirs, des tables, des chaises... Le tout retapé. N°24: **Hôtel de Lamoignon** - Bibliothèque historique de la Ville de Paris l'un des plus grands hôtels du Marais, construit en 1584, occupé désormais par la bibliothèque. Le plafond de la salle de lecture du rez-de-chaussée a conservé ses poutres et ses solives peintes du XVIe siècle.

RUE PAYENNE

N°11: **Hôtel de Marle.** Centre culturel suédois dans un hôtel de la fin du XVIe. Des expositions temporaires d'art contemporain et l'Institut Tessin, un musée qui regroupe des peintures du XVIIe au XXe siècles relatant les liens passés entre la Suède et la France.

RUE DES FRANCS-BOURGEOIS

N°8: **Josy Broutin.** Une antiquaire de charme presque cachée par les boutiques de mode: objets, meubles, tissus, linge de maison, boutis... pour maison de campagne de style XIXe. N°8, 10 et 12: **Autour du Monde.** Toutes les boutiques de la marque. Le meilleur du style explorateur-baroudeur pour adultes et enfants; la boutique Home pour la maison, le meilleur encore avec les tendances (Santa Fé, Shaker et Country) et la dernière spécialisée dans le jean's. N°17: **Argenterie des Francs-Bourgeois (Jean-Pierre de**

Castro). Un des derniers antiquaires spécialisés du quartier. De l'argenterie et du métal argenté sous toutes ses formes et des couverts en métal argenté vendus au poids. **N°20: La Chaise longue.** Des idées cadeaux du ventilateur style 50, aux lunettes en passant par les objets pour la maison style country... **N°32: Lefax.** La boutique consacrée au premier agenda-organisateur, dans plusieurs formats et différents cuirs avec toutes ses recharges. **N°33: Décalage.** Petite boutique pour des bijoux anciens (1930 et art déco) ou contemporains et aussi, des meubles et des objets dans le même esprit. **N°45: A l'Image du grenier sur l'eau.** Pour les collectionneurs de cartes postales de toutes époques et sur tous les thèmes. **N°51: Bains Plus.** Cadeaux autour du bain, pyjamas et peignoirs... **N°60: Hôtel de Rohan** (hôtel de Soubise)- Musée de l'histoire de France, documents de l'histoire de France jusqu'à la Révolution.

RUE DE SÉVIGNÉ

N°12: Loft. Espace dépouillé style loft new-yorkais de Soho pour cette marque de mode basique dans les tons naturels gris, noir, écru (chemises, pulls, tee-shirts, pantalons). Cravates et pochettes colorées. **N°23: Musée Carnavalet** *(de 10h à 17h40, fermé le lundi).* Le musée de l'histoire de Paris et de la Révolution et aussi, les souvenirs de Madame de Sévigné dans ce superbe hôtel du XVIe siècle où elle vécut de 1677 à 1696. **N°46: Roméo Gigli.** A ne pas manquer, éclairé par une verrière, l'espace-loft du créateur de mode italien: lignes fluides, matières nobles, coupes recherchées...

PROMENADES

RUE SAINT-PAUL

N°10: Les Indiennes. Antiquaire spécialisée dans les étoffes anciennes et châles cachemire de la Renaissance au XIXe siècle. **N° 21: Au Bon Usage.** Antiquaire de charme très campagne: objets, vanneries... **N°49: Aux Comptoirs du chineur.** Meubles, luminaires et objets de l'Amérique des années 30 à 50.

Et aussi: Le Village Saint-Paul *(tous les jours de 11h à 19h sauf le mardi).* Dans une enfilade de petites cours, les antiquaires et les brocanteur du village Saint-Paul. Agréable pour la balade mais difficile d'y trouver la perle rare.

RUE DU FIGUIER

N°1: Hôtel de Sens. *(Fermé dim et lundi.)* Un des plus anciens édifices de Paris, exemple d'architecture de style gothique flamboyant, occupé par la très belle bibliothèque Forney consacrée aux arts décoratifs qui organise également des expositions temporaires.

RUE BEAUTREILLIS

N°13: Thanksgiving. Une petite épicerie-traiteur américaine typique pour des spécialités de cheese-cakes, des conserves mexicaines, les préparations pour gâteaux, les vins...

RUE SAINT-ANTOINE

N°62: Hôtel de Sully. L'un des plus beaux hôtels début XVIIe, démantelé à la fin du XVIIIe puis admirablement restauré. Il est occupé aujourd'hui par la Caisse nationale des monuments historiques et des sites qui organise des expositions temporaires. On peut également y accéder par la place des Vosges, par une porte donnant accès dans la cour magnifique dotée d'un jardin intérieur. **N°111: Ecart International.** Sous une verrière, le grand espace dépouillé de Andrée Putman dédié aux créateurs du XXe siècle.Réédition Eileen Gray, Michel Dufet, Mallet-Stevens, Mario Fortuny... et édition de designers contemporains.

PLACE DES VOSGES

N°6: Maison de Victor-Hugo *(de 10h à 17h30. Fermé le lundi et jours fériés)*. Situé dans l'un des beaux immeubles en brique de la place des Vosges, où l'écrivain vécut de 1832 à 1848. Les salles de l'appartement au deuxième étage ont été réaménagées et renferment les objets personnels : souvenirs, livres, objets... Au premier étage, les dessins de Victor-Hugo présentés par roulement et dans le cadre d'expositions temporaires. **N° 21: Les Deux Orphelines.** Une antiquaire de charme pour des objets et des meubles XVIIIe très campagne. **N°24: Alberto Biani.** Décor nouveau baroque pour les pantalons cigarettes "New York" et les vestes et manteaux à coordonner.
Et aussi: **Issey Miyaké** (N°3), **Popy Moreni** (N°13)

RUE DU PAS-DE-LA-MULE

N°5: Couleurs. Une petite boutique cadeaux où trouver les dernières fantaisies de jeunes créateurs à la mode : accessoires, barettes, bracelets, porte-monnaie, objets pour la maison...

RUE DES TOURNELLES

N°11: Galerie Anne de Villepoix. Art contemporain à tendance conceptuelle : photo, performances...

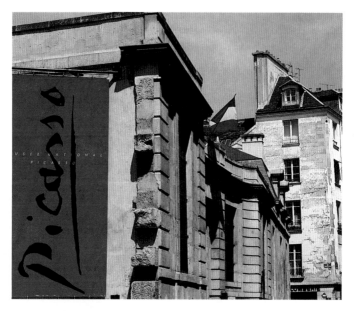

RUE SAINT-GILLES

N°9: **Galerie Gilbert Brownstone**. Art abstrait et collection Brownstone.

RUE DE TURENNE

N°59: **Galerie Claudine Papillon**. Avant-garde classique.

RUE SAINTE-ANASTASE

N°5: **Galerie Clivages**. Art contemporain.

RUE DE THORIGNY

N°5: **Musée Picasso** - Hôtel Salé *(de 9h15 à 17h15 et 22h mer. Fermé le mardi)*. Donation Picasso dans le superbe cadre de l'hôtel Salé (1656) réaménagé à cet effet.

PROMENADES

DANS LE MARAIS

RUE DES COUTURES-SAINT-GERVAIS

N°16: Galerie Samia Saouma. Art contemporain: artistes toutes origines et toutes techniques.

RUE DEBELLEYME

N°5: Galerie Karsten Greve Paris. Pas de mouvement continu mais du classique dans l'art moderne. **N°7: Galerie Thaddaeus-Roppac.** Art contemporain.

RUE DES ARCHIVES

N°60: Musée de la Chasse et de la Nature *(fermé mardi, dim et jours fériés).* Objets de chasse: armes et peintures animalières dans le magnifique hôtel Guénégaud, œuvre de François Mansart restaurée dans les années 60. **N°77: Galerie Farideh Cadot.** Promotion et découverte de jeunes talents.

RUE DES HAUDRIETTES

N°5 bis: Galerie Ghislaine Hussenot. Art contemporain.

Les pauses cafés

CAFÉ BEAUBOURG

43 rue St - Merri. De 8h à 1h. Tous les jours. Donnant sur le parvis du musée, un beau café design créé par Portzamparc. La terrasse est bruyante et agitée mais à l'intérieur au premier étage, c'est agréable. Petite carte pour le déjeuner.

Petit fer à cheval

PETIT FER À CHEVAL (AU)

30 rue Vieille-du-Temple. De 12h à 1h. Tous les jours. Env. 80F. Un tout petit café autour d'un bar en zinc en forme de fer à cheval. Une vieille adresse redécouverte par une clientèle du quartier sympathique et jeune.

TARTINE (LA)

24 rue de Rivoli. De 8h à 22h. Fermé le mardi. Tartines de pain grillé et chavignol dans un cadre authentique de café parisien.

PROMENADES

A l'heure du déjeuner et du thé

BOURGEOISES (LES)

12 rue des Francs-Bourgeois. De 12h30 à 14h. Fermé dim et lundi midi. Environ 250F. Une des bonnes adresses du Marais qui ne bouge pas. Clientèle plutôt calme et agréable. Le décor est harmonieux. La cuisine se partage entre les plats traditionnels régionaux très allégés et quelques plats exotiques. Sympatique et bon.

COUDE-FOU (LE)

12 rue du Bourg-Tibourg. De 12h à 16h sauf dim. Menu 100F, carte env 250F. Vrai petit bistrot de quartier, sympathique et bon: petite cuisine traditionnelle (saucisson lyonnais, pot-au-feu) et des plats plus légers.

ENFANTS GATÉS (LES) (SALON DE THÉ)

43 rue des Francs-Bourgeois. De 12h à 19h. Fermé le mardi. Brunch de 100F à 200F sam et dim. Installés dans de grands fauteuils style brocante, autour de tables basses, on y resterait bien lire toute l'après-midi sous le regard des photos de stars de cinéma accrochées aux murs. Ambiance décontractée, cuisine simple. Arrivez tôt si vous voulez avoir une table.

GAMIN DE PARIS (LE)

51 rue Vieille-du-Temple. De 7h à 12h. Tous les jours. Env 100F à 150F. Ambiance "Poulbot" pour habitués du quartier: salades et plats du jour. Ambiance familiale et décontractée. Pas cher.

PROMENADES

JO GOLDENBERG

7 rue des Rosiers. De 8h30 à 24h. Tous les jours. Env. 150 F. L'épicerie-restaurant du célèbre Joe Goldenberg pour découvrir toutes les spécialités de la cuisine juive: bortsch, mittit, strudel...

LOIR DANS LA THÉIERE (LE) (SALON DE THÉ)

3 rue des Rosiers. De 12h - dim 11h à 23h30. Tous les jours. Env 100F. Un petit salon de thé au charme d'antan pour déjeuner de tartes, salades et pâtisseries maison. Quelques gros fauteuils moelleux et peu de tables pour une ambiance chaleureuse et décontractée.

MARIAGES FRERES (SALON DE THÉ)

30-32 rue du Bourg-Tibourg. De 12h à 15h - jusqu'à 18h le week-end. Fermé le lundi. Env 150F. Brunch 120F. Décor style colonial, avec une partie de vente de thés au détail et, dans le fond, un salon de thé peu décontracté pour des petits plats, salades ou pâtisseries. Pour non fumeurs.

MARIANNE (CHEZ)

2 rue des Hospitalières St-Gervais. De 12h à 15h30. Fermé le ven. Env 100F. En entrant l'épicerie, puis deux salles (murs en pierre apparente, tables bistrot et bougies dégoulinantes...) fréquentées par une clientèle nombreuse et animée d'habitués du quartier. Ici, on sert la cuisine d'Europe centrale. Un take-away sur la rue permet aussi d'emporter des sandwichs de pain fourrés de spécialités. Petite terrasse (plastique!) plutôt calme.

PERLA (LA)

26 rue F.-Miron. De 12h à 15h. Tous les jours. Env 80F. Un décor style Tienda mexicaine avec de grands ventilateurs et un bar en bois très long pour des spécialités mexicaines. Clientèle jeune.

PLEIN-SUD

10 rue St-Merri. De 12h à 14h30. Tous les jours. Env 200F. Restaurant mexicain aux couleurs pastel. Ambiance décontractée pour déjeuner de guacamole, ceviche, tacos variés ou viandes grillées.

ROUGE-GORGE (LE)

8 rue St-Paul. De 12h à 2h. Fermé le dim. Env 120F. Bar à vins au charme parisien: décor simple typique Marais. Des plats traditionnels ou recherchés, charcuteries maison, bonne carte de vins et bières irlandaises à la pression.

Terrasses

EBOUILLANTÉ (L') (SALON DE THÉ)

6 rue des Barres. De 12h à 20h - en été 21h - Fermé le lundi. De 60F à 120F. Juste derrière la rue du Pont-Louis-Philippe, une minuscule terrasse de salon de thé. Sympathique, sans prétention et calme. Peu de table dans cette rue en escalier. Jus de fruits et de légumes frais, salades, tartes... : restez simples dans vos choix.

MA BOURGOGNE

19 pl des Vosges. De 8h à 1h30. Tous les jours. Env 100F à 150F. Bistrot de quartier authentique dont la terrasse sur la place des Vosges, ne désemplit pas. Beaucoup de passage, beaucoup d'Américains. Des salades, des assiettes de viande froide, le

tartare "Ma Bourgogne" pour des déjeuners sous les arcades.

MUSÉE PICASSO

5 rue de Thorigny. De 9h à 16h45. Fermé le mardi. Installé à l'extérieur dès les premiers beaux jours, le salon de thé du musée Picasso offre un cadre agréable pour déjeuner rapidement entre deux "périodes" de Picasso. Cuisine assez médiocre.

PITCHI POI

7 rue Caron. Pl du Marché-Ste-Catherine. De 12h à 14h30. Tous les jours. Env 150F. A l'abri des voitures sur cette petite place, refuge des restaurants, une terrasse agréable. Cuisine d'Europe centrale ashkénaze: choux farci, tchoulent, bortsch... et aussi des poissons fumés, des blinis, etc.

PROMENADES
DE SAINT-GERMAIN-DES-PRES AU MUSEE D'ORSAY

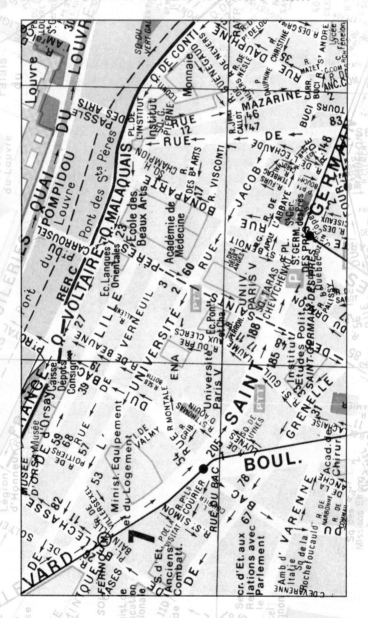

P R O M E N A D E S

DE SAINT-GERMAIN-DES-PRES
AU MUSEE D'ORSAY

Une balade "culturelle" entre galeries et antiquaires. Situé entre le carrefour Buci et la rue de Bellechasse, limité au nord par la rue de Seine et au sud par le boulevard Saint-Germain, ce quartier est le coeur de l'esprit "Rive Gauche". Bohème et touristique jusqu'à la rue des Saints-Pères, aristocratique et grand bourgeois pour l'ancien Faubourg Saint-Germain où sont regroupés tous les antiquaires du prestigieux Carré Rive Gauche qui se laissent séduire au fil des jours, par les nouveaux arrivants raffinés (mode, décoration, coffee-shops et salons de thé...).

Le long des rues : shopping et galeries

QUAI MALAQUAIS

(Pour la façade de l'Académie française en face du pont des Arts) - **N°5 : Anne-Sophie Duval.** Antiquaire. Un magasin spacieux et calme pour savourer les meubles d'Iribe, Rulhman, Arbus, les luminaires de Chareau.

RUE DE SEINE

N°23 : Galerie Maria de Beyrie. Avec la période 1900-1930, antiquaire spécialiste des mouvements Art Déco, Art Nouveau et sécession autrichienne (mobilier, luminaires... et aussi peintures). **N°33 : Galerie Cremniter-Laffanour (Down-Town).** Art contemporain (40, 50 et 70) : sculpture, peinture et mobilier. **N°35: Proscenium.** Galerie d'art : dessins de théâtre, Bakst, Chombas, Clavé, Cocteau... **N°53 : Galerie Jeanne-Bucher.** Art moderne. **N°54 : Autour du Monde.** Du sportswear style baroudeur.

PROMENADES

DE SAINT-GERMAIN-DES-PRES
AU MUSEE D'ORSAY

RUE JACQUES-CALLOT

N°8 bis : Galerie Jean-Gabriel Mitterrand. La sculpture moderne et contemporaine de Rodin à César. **N°10 : Galerie Robin.** Le propriétaire de ces lieux saura vous raconter les arts primitifs... surprenant et divers.

RUE GUÉNÉGAUD

N°19 : Stéphane Deschamps. Un antiquaire qui montre ce qu'il aime: meubles et objets des années 30 très choisis et coups de coeur : sculpture, dessins, céramiques, plâtres... **N°25 : Galerie Prazan-Fitoussi.** Art moderne avec des grands de ce siècle comme Fautrier, Poliakoff, Adami ou Soulages.

RUE DAUPHINE

N°30 : Get a Pen. Pour amateurs de stylos, les meilleures marques pour l'écriture, la calligraphie et le dessin. **N°45 : Losco.** Des ceintures partout, pas trop chères, beaucoup de modèles style Nouveau-Mexique mais aussi classiques. **N°48 : Hervé Domar.** Un espace style galerie pour un choix de lunettes mode.

RUE DU PONT-DE-LODI

N°6 : Galerie de Paris. Art contemporain avec un goût prononcé pour le total kitsch.

RUE MAZARINE

N°19 : Galerie Lucien-Durand. Peinture "non-figurative". **N°31 : Galerie Montenay.** Art contemporain. **N°40 : Martine Domec.** Une antiquaire qui nous invite à découvrir le style campagne de la fin du XIXe (rotin, vases en Minton...).

PROMENADES

RUE BOURBON-LE-CHATEAU

N°4 : Doria. Antiquaire grand spécialiste de Lalique et aussi des meubles Art déco. Expositions temporaires.

RUE DE L'ECHAUDÉ

N°12 : Sorelle. Bijoux Art Déco et Art Nouveau.

RUE DE L'ABBAYE

N°14 : Galerie La Hune. Lithos et gravures contemporaines.

RUE JACOB

Dans la rue et les rues alentours de Furstenberg et de l'Abbaye, se sont installés les shows-rooms de tissus (Pierre et Patrick Frey, Manuel Canovas, Zumsteg, Comoglio, Etamine...), les antiquaires de charme et les décorateurs- antiquaires dont la grande prêtresse est Madeleine Castaing au **N°21** de la rue Jacob. **N°1: Paul Ollivary.** Antiquaire de charme : boutis, petits tableaux, meubles en bambou... **N°21 : Michèle Aragon - L'appartement.** Antiquaire. Le charme des maisons de campagne du XIXe et aussi, les arts de la table même époque et Art Déco. **N°54 : Alexandre Biaggi** un jeune antiquaire années 40, très déco, très beau...

RUE DE FURSTENBERG

N°6 : Musée Eugène Delacroix *(de 9h45 à 12h30 et de 14h à 17h15. Fermé le mardi).* La dernière demeure de Eugène Delacroix située sur la très charmante place de Furstenberg. Peinture, dessins, gravures, lettres... de l'artiste.

RUE BONAPARTE

N°8 : Galerie 1900 - 2000. Man Ray, Matta, pop art et

hyperréalisme. Expositions et éditions de catalogues. **N°12 : Galerie Yves Gastou.** Décor de Ettore Sottsass pour cet antiquaire des arts décoratifs du XXe siècle, des années 40 à nos jours.

RUE DES BEAUX-ARTS

N°2 : Galerie Alain de Monbrison. Un grand spécialiste des arts primitifs africains et océaniens. **N°5 : Galerie Claude Bernard.** Arts contemporain et moderne. **N°9 : Galerie Di Méo.** Art moderne.

RUE DE L'UNIVERSITÉ

N°40 : Galerie Chereau. Grande peinture officielle et académique du XVIIe au XIXe siècles en France et en Italie (peinture, sculpture). **N°65-67 : Bon Point.** Le style BCBG pour enfants et adultes avec chaussures et vêtements, juniors. **N°70 : Galerie Berggruen.** Gravures, dessins et peintures du XXe siècle.

RUE DU PRE-AUX-CLERCS

La rue des créateurs de mode lancée par **Irié** suivi par **Corinne Sarrut**, **Michel Klein**, **Zadig** et **Voltaire**, **Laurence Tavernier**, **Tous les caleçons**. Ne râtez pas non plus la boutique très anglaise : **Peinture** (tissus "Liberty", pull-overs et foulards).

RUE DU BAC

N°38 : Abercombie. La boutique sportswear du quartier. Classique pour un bon choix de basiques : chemises en denim, pulls en geelong, parkas, polos... **N°42 : Galerie Adrien Maeght.** Adrien Maeght se spécialise ici dans l'art moderne. **N°43 : Missoni.** Le grand spécialiste italien de la maille jacquard (pulls, accessoires...).

PROMENADES

DE SAINT-GERMAIN-DES-PRES
AU MUSEE D'ORSAY

RUE DE BEAUNE

N°5 et 8 : **Charles-Edouard de Langlade.** Deux boutiques pour un antiquaire étonnant: au N°5 : maquettes d'avions, voitures, bateaux...; au N°8 : les maîtrises de couvreurs, d'ajusteurs... Beaux meubles et objets de curiosité. **N°14 : Arigoni.** Antiquaire. Choix toujours réussi d'objets éclectiques et de qualité. **N°18 : Petrouchka.** Un antiquaire qui présente l'art russe ancien et ses icônes et aussi dessins de décors de ballets russes.

RUE DE VERNEUIL

N°32 : Annick Clavier. Une antiquaire qui propose des meubles pour maisons de campagne de charme. **N°60 : Epoca.** Une antiquaire très déco. Choix hétéroclite, objets et meubles curieux...

RUE DE LILLE

N°30 : Galerie Gladys Mougin. Design contemporain: prototypes originaux, pièces uniques de créateurs comme André Dubreuil, Tom Dixon, Christian Astuguevieille...

QUAI VOLTAIRE

N°25 : Galerie Huguette Beres. Estampes japonaises (Hiroshige) et pastels français du XIXᵉ (Bonnard).

RUE DE BELLECHASSE

N°1 : Musée d'Orsay *(de 10h -dim 9h- à 17h15, le jeudi 21h. Fermé le lundi).* Le musée de la fin du XIXᵉ siècle (1848-1941), installé dans l'ancienne gare d'Orsay ouverte pour l'Exposition Universelle de 1900, réaménagé dans les années 80 par Gae Aulenti : peinture, sculpture, architecture, art déco

277

et industriel... Et aussi, les impressionnistes et les pompiers. **N°16 : Annick Goutal.** Une bonbonnière or et beige pour des parfums, des savons et des produits parfumés pour la maison emballés dans des paquets aux couleurs de la boutique.

Les pauses cafés

BASILE (CAFÉ)

34 rue de Grenelle. De 7h à 20h30. Fermé le dim. Un café des années 50 peint en blanc cassé. Le rendez-vous de Sciences-Po. Agréable pour un café, ou pour y déjeuner d'un plat du jour ou d'un croque-monsieur.

DEUX MUSÉES (LES) (CAFÉ)

5 rue de Bellechasse. Fermé le lundi. Une rénovation, pour une fois très réussie, une conservation des fresques murales des années 50, une service aimable. L'ensemble donne une bonne ambiance de café avant et après le rush de l'heure du déjeuner. Tables sur le trottoir l'été avec vue sur le musée d'Orsay.

A l'heure du déjeuner et du thé

BAR DE L'HOTEL DU PONT ROYAL

7 rue Montalembert. De 11h30 à 24h - sam 22h. Fermé le dim. Env 150F. Au sous-sol de l'hôtel, un bar au charme un peu suranné, tout en boiseries des années 50, fréquenté à midi par les gens de l'édition. Petits plats et viandes grillées.

PROMENADES

DE SAINT-GERMAIN-DES-PRES
AU MUSEE D'ORSAY

Bar du Montalembert

BAR DU MONTALEMBERT

3 rue de Montalembert. De 12h à 14h30 pour le déjeuner.Tous les jours. Env 200F . Décor design élégant et sans froideur avec un grand bar, des petites tables et même un coin-salon autour d'une cheminée. Clientèle d'éditeurs et de galeristes. Cuisine pour les petites faims, bons clubs-sandwichs. Agréable aussi pour le petit déjeuner.

BAR-TABAC DU VOLTAIRE

27 quai Voltaire. De 7h30 à 19h Fermé le dim. Pour déjeuner d'un plat du jour ou d'une assiette de charcuteries au coude à coude avec les antiquaires du quai Voltaire.

PROMENADES

CAFÉ DE FLORE

172 bd St-Germain. 7h à 1h30 du matin. Tous les jours.
L'incontournable du quartier pour boire un café,
déjeuner ou prendre un verre en fin d'après-midi.
Clientèle de Parisiens à l'intérieur, de touristes en
terrasse et salle plus calme en étage.

CAFÉ DU MUSÉE D'ORSAY

1 rue de Bellechasse (au 1er étage). Conçu à l'image des
grands cafés viennois c'est le premier lieu "civilisé"
dans un musée parisien. Le service et la nourriture ne
sont pas à la hauteur du cadre, mais on peut quand
même y déjeuner ou y prendre un thé agréablement.

CHAI DE L'ABBAYE (LE)

26 rue de Buci. De 8h à 3h - dim 24h - Tous les jours. Ce
bistrot à vin, rénové il y a quelques années dans un style
"1900" cuivre et cuir, est toujours un lieu de rencontre
agréable pour les gens du quartier. Bonnes tartines de pain
"Poilâne", salades, assiettes diverses avec du vin au verre
ou une bière pression. L'été, quelques tables dans la rue de
l'Abbaye forment une petite terrasse très appréciable.

COFFEE PARISIEN ET COFFEE-SHOP

*5 et 8 rue Perronet. De 11h à 20h. Tous les jours. De 60 à
100F.* Deux adresses mode pour déjeuner dans un décor
style américain. Bonnes spécialités USA (hamburgers,
coleslaw...) ou sandwichs toastés italiens et américains.
Evitez les heures de pointe.

COSI

*54 rue de Seine. De 12h à 23h. Fermé le dim. De 30 à
45F.* Au rez-de-chaussée, un grand comptoir (salades,
thon, rosbeef...) pour composer votre sandwich en pâte à
pizza chaude. A l'étage, une petite salle, pour le

déguster sur un air d'opéra. Clientèle nombreuse en semaine et à midi.

JANÇOIS (LE)

40 rue de l'Université. De 12h à 15h. Fermé le dim. Env 120F. Un bistrot de quartier sans prétention fréquenté à midi par les antiuaires, les éditeurs des alentours. Cuisine familiale traditionnelle, décor à l'ancienne et accueil simple et agréable.

HEURE GOURMANDE (L') (SALON DE THÉ)

22 pass.Dauphine. De 12h à 19h. Fermé le dim. Un petit salon de thé niché dans ce calme passage. Plutôt agréable et bon.

NUITS DES THÉS (LES) (SALON DE THÉ)

22 rue de Beaune. De 12h à 19h. Fermé le dim. Env 110F. Un salon de thé raffiné pour une clientèle classique: jolie vaisselle et cuisine soignée: salades, tartes salées et grand choix de desserts.

Terrasses

MAZARIN (LE)

42 rue Mazarine. De 8h30 à 1h30. Fermé le dim. Juste à côté de La Palette, café moins traditionnel mais agréable pour sa terrasse. Petits plats cuisinés simples et déjeuners légers.

PALETTE (LA)

43 rue de Seine. De 8h à 1h30. Fermé le dim. La terrasse prise d'assaut à midi par les éditeurs, les galeristes et les étudiants des Beaux-Arts. Accueil bourru, mais restez calme, on y est si bien. Pour déjeuner d'une salade, ou d'une omelette.

PROMENADES

LE PALAIS ROYAL ET LA PLACE DES VICTOIRES

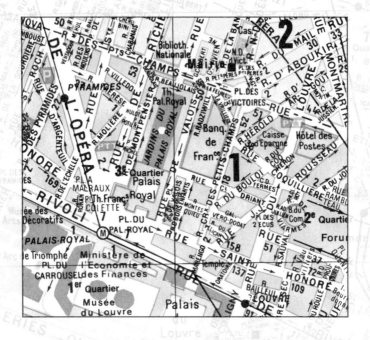

PROMENADES

Encadrés par la rue de Rivoli, l'avenue de l'Opéra, la Bourse, le Sentier et les Halles, les quartiers du Palais-Royal et de la place des Victoires réunissent promenades historiques, promenades d'architecture et promenades-shopping. Animés en semaine, très agréables le week-end, ces quartiers sont riches en découvertes. Les Parisiens soucieux de la mode s'y promènent le samedi. Le dimanche, le quartier se vide et quelques lieux restent ouverts pour des déjeuners de charme à l'écart de la foule.

Le long des rues : shopping et galeries

RUE DE RICHELIEU

N°58 : **Bibliothèque nationale.** Pour sa salle de lecture second Empire et sa célèbre coupole réalisée, en 1865, par Labrouste, où vous ne pourrez pas pénétrer mais sur laquelle vous jeterez un coup d'oeil à travers les portes vitrées. Et pour les galeries Mansart (au rez-de-chaussée) et Mazarine (au premier étage) qui abritent souvent de très bonnes expositions.

PLACE DU PALAIS-ROYAL

Le Louvre des Antiquaires. *(Tous les jours de 11h à 19h. Fermé le mardi.)* Une promenade couverte dans les allées du prestigieux Louvre des Antiquaires regroupant environ 250 antiquaires d'une grande variété de style : XVIIIe, art déco, art nouveau, etc. Meubles, peintures, argenterie, céramiques, faïences, objets de décoration ou de curiosité...

PROMENADES

AUTOUR DU JARDIN DU PALAIS-ROYAL

Les jardins du Palais-Royal fermés sur trois côtés par des bâtiments XVIIᵉ d'une parfaite unité, et par le Palais-Royal et sa cour d'honneur *"accessoirisée"* par les colonnes Buren forment l'un des espaces verts les plus préservés et les plus calmes de la capitale.

COTÉ GALERIE DE MONTPENSIER

N°19 et 24 : **Didier Ludot.** Antiquaire de la "fripe" et des accessoires de mode des années 30 à 50, signés par les plus grands couturiers. N°**36: Ivana Dimitrie.** Galerie d'art primitif d'Afrique et d'Océanie : parures, objets, statuaires...

COTÉ RUE DE BEAUJOLAIS

N°9 : **La Boutique du Palais-Royal.** Charmante boutique de jouets tout en bois pour enfants de parents nostalgiques.

COTÉ GALERIE DE VALOIS

N°132 - 133 : **Muriel Grateau.** L'univers de la styliste de mode qui réunit dans ce lieu ses créations de vêtements et celles pour la maison (linge et art de la table associés à des antiquités italiennes. Charme et élégance raffinée de la simplicité (belles matières et coloris recherchés). N°**157 : La Vie de château.** Autre antiquaire des arts de la table avec un choix plus hétéroclite. N°**172 : D. Paramythiotis.** Antiquaire des arts de la table. Des services imposants et colorés du XIXᵉ siècle, des verres, des petits meubles et aussi (sur commande) des créations d'assiettes contemporaines à associer aux services anciens.

RUE DES PETITS-CHAMPS

N°5 : **Le Mille-Pâtes.** Des pâtes fraîches, des vins

italiens et tous les bons produits de l'Italie. **N°11 : Herboristerie du Palais-Royal**. Pour ses formidables produits de soin naturels pour le bain, les cheveux, le visage et le corps.

GALERIE COLBERT

Construite en 1826 et intégralement restaurée y compris la rotonde aux dimensions impressionnantes. Un passage vraiment paisible.

Boutique Colbert. Cartes postales, affiches, papeterie et éditions publiées par la Bibliothèque nationale dont elle dépend.

RUE VIVIENNE

N° 6 : Jean-Paul Gaultier. Une façade imposante et théâtrale et un décor design pour les collections du célèbre créateur.

GALERIE VIVIENNE

Admirablement conservée (même si les projets de décoration en cours semblent un peu trop *"léchés"*), cette galerie achevée en 1823 est occupée par de nombreuses boutiques de charme chacune dans leur style et leur spécialité. Comme la galerie Colbert qu'elle contourne, elle est de forme coudée. Quelques marches séparent la partie côté rue Vivienne de celle côté rue des Petits-Champs.

N°2 : Moholy-Nagy. Pour hommes et femmes, des chemises et des chemisiers, en soie et en coton avec des cols, des poignets travaillés et décorés de broderies, de plissés... **N°16 : Wolff et Descourtis**. Un des plus vieux magasins repris par la petite-fille du créateur du lieu, une jeune femme qui connaît la galerie depuis sa tendre enfance. Pour son choix de tissus haute couture et ses superbes carrés en cachemire. **N°32 : Casa Lopez**. Pour

LE PALAIS-ROYAL
ET LA PLACE DES VICTOIRES

ses tapis et ses coussins au point à motif jacquard. **N°42 : La Ficellerie.** Pour la maison, les objets et petits meubles de Christian Astuguevielle, tout entourés de ficelle. **N°43 : Garde-temps.** Des montres anciennes de 1930 à 1950, de marques prestigieuses pour les collectionneurs et les amateurs. **N°45, 46 et 47 : D.F. Jousseaume.** Librairie de charme fondée en 1826, pour des livres anciens et des livres d'art. **N°64 : Joyce Pons de Vier.** Charmant magasin de décoration pour son choix de tissus, d'accessoires de décoration et d'objets de charme (cadres, photophores, meubles d'appoint en rotin, petits abat-jour peints...). **N°68 : Si Tu Veux.** Deux boutiques de jouets pour enfants avec beaucoup de miniatures et tout ce qu'il faut pour les déguisements, le maquillage et les goûters d'anniversaires.

RUE DE LA BANQUE

N°1 : Legrand. Etalage de confiseries à l'extérieur et très bon choix de vins à l'intérieur. Décor authentique pour l'un des bons cavistes de Paris.

PLACE DES PETITS-PERES

Eglise Notre-Dame-des-Victoires : sur la place des Petits-Pères récemment réaménagée, l'église Notre-Dame-des-Victoires dont la construction a démarré au début du XVIIe pour se finir au milieu du XVIIIe. A l'intérieur, les amateurs d'ex-voto trouveront de quoi satisfaire leur curiosité.

RUE DU MAIL

Traditionnellement la rue des éditeurs de tissus de décoration qui y ont depuis toujours installé leurs shows-rooms : **Chotard, Lelièvre, Edmond Petit, Deschemaker, Boussac, Pierre Frey**... et le dernier venu **Colefax and Fowler. N°8 : Gruno et Chardin.** Parkas

PROMENADES

LE PALAIS-ROYAL
ET LA PLACE DES VICTOIRES

pour hommes, en cuir ou peau et jupes ou jodhpurs en daim dans un décor authentique tout en bois.

RUE DU VIDE-GOUSSET

N°4 : Island. Toute une garde-robe pour hommes jeunes et modernes, sportswear et ville.

RUE D'ABOUKIR

N°9 : Marlboro Classic. Le style "sporstwear western" revu et corrigé par une marque qui aime montrer son logo.

PLACE DES VICTOIRES

N°1 : Miki-House. Créations de vêtements japonais occidentalisés pour bébés et enfants. **N°3 : Kenzo.** Le premier et le plus beau des magasins du créateur tout en bois avec une balustrade. Pour hommes et femmes, la mode Kenzo confortable, moderne et très colorée, rayée ou fleurie. **N°9 : Esprit.** Décor design pour des vêtements américains de sportswear citadin créés par un ancien guide de montagne et des collections de tailleurs pour jeunes femmes actives. **N°10 et 12 : Victoire.** Plus qu'un style, un esprit de la mode vu par Françoise Chassagnac. Pour sa sélection faite dans les collections de créateurs jeunes ou affirmés à laquelle elle associe sa ligne "Victoire" destinée à une clientèle de femmes qui aiment la mode à porter tous les jours.

RUE ETIENNE-MARCEL

N°46 : Equipment. Dans toutes le matières naturelles, et dans tous les coloris et graphismes, la chemise "Equipment" reste sobre avec sa coupe masculine droite et simple. Pour hommes et femmes. **N°49 : Chevignon Trading Post.** Un des mégastores de la marque. Décor style ouest-américain tout en grosses traverses de bois pour tout le style Chevignon, vêtements et objets pour la

maison d'inspiration country ou Nouveau-Mexique.
N° 50 : En attendant les Barbares. Une boutique-galerie
dédiée au design-baroque et à ses créateurs : Garouste et
Bonetti, Migeon et Migeon, Patrick Rétif, Philippe
Gleizes, Olivier Gagnère, Eric Schmitt... Meubles,
objets et expositions temporaires.

RUE D'ARGOUT

N°3 : Au Vieux Continent. Dans un ancien garage, une
boutique au décor années 50 américain pour un choix de
jeanswear, de vêtements de créateurs, marins, pour
enfants, chaussures... Et aussi disques (années 50 et
plus) et de la vaisselle.

RUE DU LOUVRE

N°27 bis : Ventilo. Installé dans un très bel immeuble,
l'univers Ventilo : mobilier et objets Santa Fé, tapis du
Nouveau-Mexique et mode déclinée du même esprit ou
style country.

RUE DU JOUR

Eglise Saint-Eustache : de structure architecturale
gothique et de décor Renaissance, l'église fut construite
du début du XVIᵉ au début XVIIᵉ. De nombreux
personnages historiques y furent inhumés : on peut y
voir le tombeau de Colbert. Saint-Eustache possède l'un
des plus grands orgues de Paris et perpétue sa tradition
musicale; Berlioz y dirigea pour la première fois son *Te
Deum* en 1855.

N°2, 3 et 6 : Agnès B. La rue des boutiques Agnès B
pour les femmes, les hommes, les enfants et les Lolitas,
et sa galerie où elle expose les jeunes artistes
contemporains qu'elle aime (Hibino, Charlélie Couture,
Kiki Picasso...). **N°9 : La Droguerie.** Une mercerie bien
connue des ex-lectrices de *100 Idées*. Des modèles à

réaliser soi-même (accessoires, tricots...) et le nécessaire qui donne envie de les faire (coton à tricoter, fil, boutons...). **N°13 : Pom d'Api.** Des chaussures rigolotes ou mode pour bébés et enfants pas trop sages. Et aussi, **Claudie Pierlot** (N° 4) et **Un après-midi de chien** (N° 10) pour leurs modes sages pour femmes discrètes, **Gaultier Junior** pour les collections plus jeunes et moins chères du créateur (N°7) et **Accessoire Diffusion** (N° 8) pour ses ballerines extra-plates à élastique.

FORUM DES HALLES - GRANDE GALERIE (1 RUE PIERRE LESCOT)

N°4 : Galerie de photos - Espace photographique de Paris. Malheureusement mal situé dans ce Forum des Halles au décor bétonné : belles expositions à thèmes ou de grands photographes.

RUE JEAN-JACQUES ROUSSSEAU

Parallèle à la rue du Jour en remontant vers la rue Etienne-Marcel. **N°62 : Sybilla.** Dans un beau décor chaleureux d'ancien atelier, la créatrice espagnole réunit ses collections de mode et celles pour la maison. Belles matières, formes fluides et couleurs végétales.

RUE COQUILLERE

N° 18 : Dehillerin. Une institution style caverne d'Ali Baba pour trouver tout ce qu'il faut pour faire la cuisine : du matériel de professionnel. **N°34 : Tous les caleçons.** Les caleçons et les hauts en maille et strech (pulls, tuniques, polos, bodies..). Des matières fines et des couleurs basiques.

RUE CROIX-DES-PETITS-CHAMPS

N°30 : La Chaise longue. Des idées cadeaux qui vont du style design au style 50 (rééditions de ventilateurs, de tabourets...) en passant par le style country. **N°45 :**

Mulberry. Maroquinerie haut de gamme classique et "sportswear anglais" et les fameux agendas-organisateurs. **N°52: Tokyo Kumagaï.** Des chaussures créatives, ludiques et toujours très mode. **N°52 : Timberland.** Des vêtements sportswear pour les grands espaces et surtout les chaussures des "bûcherons canadiens".

GALERIE VÉRO-DODAT

Créée au début du XIXe siècle et permettant le passage entre la rue J.-J. Rousseau et la rue Croix-des-Petits-Champs, c'est le plus beau passage couvert de Paris. Sa décoration d'origine n'a pas été touchée : carrelages à damiers, devantures de boutiques en bois sombre et laiton.

N°7 : Il Bisonte. Le plus beau des magasins parisiens du fabricant italien. Sacs à main ou bagages en cuir souple et épais de couleur naturelle. **N°14 : Daniel Greiner.** Galerie spécialisée dans les dessins d'architecture XVIIe, XVIIIe et XIXe siècles français et italiens, tableaux de charme XIXe et XXe siècles. **N°20 : Galerie du Passage.** L'antiquaire Pierre Passebon présente ici tout ce qu'il aime du XVIIe au XXe siècle jusqu'aux designers contemporains. **N°25 : Eric Philippe.** Un grand antiquaire, spécialiste des années 1930 à 1950. **N°26 : Robert Capia.** Pour les amateurs et collectionneurs de poupées anciennes, de leurs trousseaux et accessoires.

Les pauses cafés

VIDE-GOUSSET (LE)

1 rue Vide-Gousset. De 9h à 19h. Fermé sam et dim. Décor traditionnel inchangé (bar en bois, tables bistrot et banquettes en moleskine) pour ce petit café discret où l'on peut boire un petit noir accoudé au bar.

PROMENADES

Willi's

A l'heure du déjeuner et du thé

A PRIORI THÉ (SALON DE THÉ)

35 galerie Vivienne. De 12h à 19h - dim 13h à 19h. Env 120F. Le charme d'une terrasse aménagée dans la galerie Vivienne et d'une jolie salle pour des assiettes composées et des pâtisseries. Cuisine mi-américaine, mi-maison. Clientèle plutôt mode. Agréable aussi à l'heure du thé.

BON CRU (AU)

7 rue Croix-des-Petits-Champs. De 11h30 à 22h30. Fermé le dim. Env 100F. Un bistrot à vins traditionnel pour une

PROMENADES

clientèle mode à la recherche d'authenticité. Ambiance animée et petits plats simples : tartines, omelettes...

CEIBO (SALON DE THÉ) -

5 rue Hérold. De 10h à 18h. Fermé sam et dim. De 70 à 100F. Près de la place des Victoires, un petit salon de thé pour déguster des salades composées ou une cuisine argentine. Clientèle du quartier composée de gens de la mode. Très sympathique.

CLOCHE DES HALLES (LA)

28 rue Coquillère. De 8h à 22h. Fermé le dim. Env 100 F. Un bistrot célèbre et sans prétention pour déjeuner sur le pouce d'une bonne assiette de charcuteries accompagnée d'un verre de vin. Clientèle animée, ambiance sympathique.

GRAND CAFÉ COLBERT

4 rue Vivienne. Tous les jours. Grand café décoré dans le style brasserie 1900 situé dans le très paisible passage Colbert. Carte traditionnelle.

JUVÉNILE'S

47 rue de Richelieu. De 12h à 23h. Fermé le dim. De 100 à 150F. Petit bar à vins tout en longueur. Ambiance cosmopolite agréable et délicieuses tapas ou plats cuisinés maison. Clientèle parisienne.

LINA'S

50 rue E.- Marcel. De 10h30 à 17h - sam 18h30. Fermé le dim. Joli décor simple et reposant pour déjeuner sur le pouce de sandwichs élaborés (de 16 à 39 F). Clientèle mode.

PROMENADES

VENTILO (SALON DE THÉ)

27 bis rue du Louvre. De 12h à 19h. Fermé le dim. Env 100 à 150F. Au premier étage du magasin Ventilo, un endroit agréable et clair pour déjeuner ou faire une pause - thé entre deux shopping.

WILL I 'S

13 rue des Petits-Champs. De 11h à 23h. Fermé le dim. Env 150 à 200F. Le premier des wine bar de l'équipe de Juvenile's. Un cadre agréable pour une bonne cuisine légère et une clientèle d'habitués du quartier.

Terrasses

COMPTOIR (LE)

37 rue Berger. De 12h à 2h. Tous les jours. Env 100 à 150 F. Pour son décor design, sa clientèle de jeunes couples "branchés" avec enfants et surtout pour sa terrasse ensoleillée et encore préservée à midi malgré la proximité des Halles!

JAMES JOYCE - IRISH BAR

5 rue du Jour. De 12h30 à 2h - Dim 14h à 2h. Sympathique pour son décor style ouest-américain et sa terrasse donnant sur la place face à l'entrée de l'église Saint-Eustache.

MUSCADE (RESTAURANT ET SALON DE THE)

36 rue Montpensier. Jardin du Palais-Royal. De 12h à 18h. Tous les jours. Env 150 à 200F. Pour le charme de sa terrasse installée l'été dans les jardins du Palais-Royal. Ouvert également à l'heure du thé avec un choix de pâtisseries.

PROMENADES

LE 9ème ARRONDISSEMENT

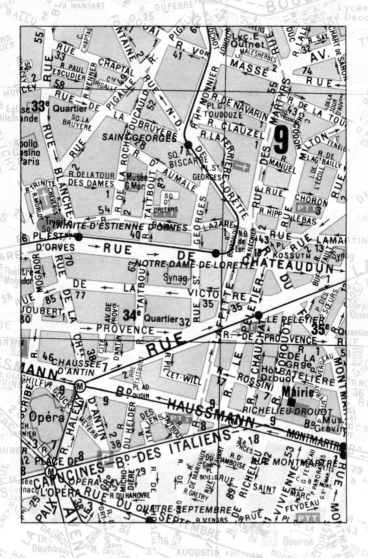

PROMENADES

Un choix de deux promenades dans le Paris du XIXᵉ siècle, de part et d'autre de la rue La Fayette: le quartier de la "Nouvelle Athènes" puis les passages pour rejoindre à couvert la Bourse et le Palais-Royal.

LA "NOUVELLE ATHENES"

Délimitée par l'église Notre-Dame-de-Lorette au sud, la place Gustave-Toudouze, la rue Chaptal au nord et les rues Blanche et Notre-Dame-de-Lorette d'ouest en est, la "Nouvelle Athènes" constitue l'un des derniers oasis préservés du 9° arrondissement. C'est l'ancien quartier de la bohème romantique littéraire et artistique du XIXᵉ siècle où ont habité Chopin, Georges Sand, Talma, Horas Vernet, Géricault, Gustave Moreau, les frères Goncourt...

Après avoir été un peu négligé à cause de sa situation excentrée, ce quartier est l'objet depuis quelques années, d'un engouement auprès d'une "nouvelle bohème" de gens de la mode, de l'art, de l'édition... qui y habitent. Il faut s'y promener pour découvrir une architecture de style néo-classique de la Restauration. Parmi les choses les plus intéressantes à voir: la place Saint-Georges où se situe l'hôtel Thiers devenu le musée Frédéric Masson consacré à l'époque napoléonienne, la place Gustave-Toudouze pour son charme provincial (surtout le dimanche et l'été pour les terrasses de restaurants), la rue de la Rochefoucauld, la rue de la Tour-des-Dames avec ses petits hôtels particuliers, et la rue Chaptal avec son musée de la vie romantique...

PROMENADES

Deux musées à ne pas manquer

MUSÉE GUSTAVE MOREAU

14 rue de la Rochefoucauld. (De 10h à 12h45 et de 14h à 17h15 - mer de 11h à 17h. Fermé le mardi). Gustave Moreau, à la fin du siècle dernier, a fait construire au-dessus de chez ses parents deux étages voués à son Œuvre reliés par le célèbre escalier baroque. Plus de 800 tableaux de l'artiste et les non moins nombreux dessins, aquarelles, études du peintre symboliste.

MUSÉE DE LA VIE ROMANTIQUE (MAISON RENAN-SCHEFFER)

16 rue Chaptal. (De 10h à 17h30. Fermé le lundi et jours fériés.) Une petite maison à la façade peinte en ocre au bout d'une allée arborée. Ce fût celle d'Ary Scheffer où il organisait ses salons à l'époque des Grands Romantiques. Souvenirs, objets, meubles, tableaux... de Mme de Nohant et oeuvres de Ary Scheffer.

Rejoignez les passages par la rue Saint-Lazare, faites une halte au N°10 chez **Detaille** qui fabrique de façon artisanale depuis 1905, les produits de beauté à l'ancienne, à l'effigie de la comtesse de Presle.

Traversez la rue La Fayette au niveau du N° 52, vous pourrez en passant boire une bière au **Général La Fayette**, un bar populaire, authentique fin XIX°.

Poursuivez par la rue du Faubourg-Montmartre sans rater au N°35, la plus belle confiserie de Paris **A la Mère de Famille**: décor, devanture et atmosphère inchangés depuis 1761 pour toutes les confiseries de nos provinces, les bouchées au chocolat, les confitures naturelles....

PROMENADES

Les Passages

Une promenade hors du temps à l'abri des intempéries et de la pollution (dans ce quartier engorgé pendant la semaine), au travers des passages, témoins du XIXᵉ siècle. Un raccourci entre le quartier de l'hôtel des ventes de Drouot et la Bourse, une flânerie dans les boutiques au charme souvent insolite.

Ces passages n'ont pas l'harmonie et l'attrait de leurs voisins autour de la place des Victoires mais conservent leur charme hétéroclite et désuet.

PASSAGE VERDEAU

Du faubourg Montmartre à la rue de la Grange Batelière (N°6).

Construit en 1846, ce passage abrite plusieurs boutiques pour collectionneurs comme: la **France Ancienne** pour les cartes postales, **Photo Verdeau** pour les vieux appareils-photo. Et aussi, **Le Bonheur des Dames** et ses nombreux petits ouvrages de broderie. Attention, la plupart des boutiques sont fermées le samedi.

PASSAGE JOUFFROY

De la rue de la Grange-Batelière (N°9) au boulevard Montmartre (N°12).

Bâti entre 1845 et 1847, ce passage orné par une superbe pendule, abrite le musée Grévin, les librairies spécialisées ou de livres d'occasion et des boutiques de charme comme **Pain d'Epices** (décors de Noël et jouets "rétro") et des boutiques anciennes pour les collectionneurs de cannes.

PASSAGE DES PANORAMAS

Après la pénible traversée du boulevard Montmartre, ce passage qui fait face au précédent est malheureusement un

PROMENADES

peu triste et abandonné.

C'est là que se situe la boutique du graveur **Stern** au décor sauvegardé depuis 1840. A voir aussi, **A la Parisienne** (bijoux anciens de 1950 à 1970), **A la bonne aventure** pour son choix de fripe à des prix raisonnables pour femmes, de 1900 à nos jours.

A l'heure du déjeuner et du thé

ANARKALI

4 pl G.-Toudouze. De 12h à 14h. Fermé le lundi. Env 100F. Un petit indien sans prétention mais charmant surtout en **terrasse**. Cuisine malheureusement peu élaborée.

ARBRE À CANNELLE (L')

57 pass des Panoramas. De 11h à 18h. Fermé le dim. De 60 à 100 F. Caché dans le passage des Panoramas, ce salon de thé au décor Napoléon III propose des tartes salées, des salades composées et des pâtisseries maison. Agréable et raffiné.

CAVE DROUOT

8 rue Drouot. De 7h30 à 21h. Fermé le dim. Un café très animé en semaine, pour déjeuner avec les antiquaires, les experts et les commissaires priseurs du quartier: sandwichs, assiettes et viandes grillées.

TEA FOLLIES

Un salon de thé fréquenté par la nouvelle génération mode et bohème des habitants du quartier : tartes, salades, quelques plats chauds. **Terrasse** très agréable l'été sur cette petite place aux airs de province.

L'arbre à cannelle

INDEX LIEUX

INDEX LIEUX

INDEX LIEUX

INDEX LIEUX

INDEX LIEUX

INDEX ALPHABETIQUE

INDEX ALPHABETIQUE

INDEX ALPHABETIQUE

INDEX ALPHABETIQUE

INDEX ALPHABETIQUE

INDEX ALPHABETIQUE

INDEX ALPHABETIQUE

INDEX ALPHABETIQUE

INDEX ALPHABETIQUE

INDEX ALPHABETIQUE

INDEX ALPHABETIQUE

INDEX ALPHABETIQUE

INDEX ALPHABETIQUE

LES GUIDES
DE CHARME
RIVAGES

FRANCE
auberges et hôtels

ITALIE
auberges et hôtels

MONTAGNE
France - Italie
Suisse - Autriche
auberges et hôtels

FRANCE
chambres d'hôtes